LA PORTE D'IVOIRE

DU MÊME AUTEUR AUX ÉDITIONS DU MASQUE

Cauchemar à louer
La Mélancolie des sirènes par trente mètres de fond
À l'image du dragon
L'Enfer, c'est à quel étage ?
Série *Sigrid et les mondes perdus*
    L'Œil de la pieuvre
    La Fiancée du crapaud
    Le Grand Serpent
    Les Mangeurs de murailles
Conan Lord, carnets secrets d'un cambrioleur
Le Chien de minuit (prix du roman d'aventures 1994)
Le Manoir des sortilèges
La Route de Santa Anna
Tambours de guerre
Cheval rouge

www.lemasque.com

LA PORTE D'IVOIRE
Serge Brussolo

ÉDITIONS DU MASQUE
17, rue Jacob 75006 Paris

ISBN : 978-2-7024-4885-4
Conception graphique : Louise Cand
© Getty Images

Dans la mythologie grecque, le sommeil donne accès à deux portes : l'une est d'ivoire, l'autre de corne. Par la porte de corne s'échappent les rêves prémonitoires, messages chuchotés par les dieux, et qu'il convient de considérer avec le plus grand sérieux. Celle d'ivoire laisse au contraire passer les chimères, les songes trompeurs, fallacieux, qui mystifient les humains.

AVERTISSEMENT

Ce texte est une fiction, toute ressemblance avec des personnes ou des organismes existants ou ayant existé relèverait de la pure coïncidence. Les opinions exprimées par les personnages de ce roman leur appartiennent en propre, elles ne sont nullement le reflet de celles de l'auteur.

Le lecteur s'offusquera probablement d'y trouver des termes tels que « Nègres », « Négro », etc. Il doit savoir que c'étaient ceux couramment employés par certains colons, et qu'il aurait été stupide de les adoucir, ç'aurait été diminuer d'autant le grincement de dents qu'ils sont censés produire.

PREMIÈRE PARTIE

LA PROPHÉTIE DE L'ÉLÉPHANT

Levez-vous, ô vents orageux d'Erin : mugissez, ouragans des bruyères : puissé-je mourir au milieu de la tempête, enlevé dans un nuage par les fantômes irrités des morts...

(Vers attribués au barde Ossian dont l'existence réelle fut remise en question au XIXe siècle.)

KENYA 1997

1. Pollution nocturne

Cette nuit-là, l'éléphant passa la tête par la fenêtre du bungalow et, de sa trompe poisseuse, vint chatouiller Tracy Morgan pour la réveiller. La jeune femme sursauta et s'assit, de la morve plein la figure.

«Je suis venu te dire que je vais tous vous tuer, dit l'éléphant. Les hommes, les femmes, les enfants, tous.

— Pourquoi? protesta Tracy avec la voix geignarde de la fillette qu'elle était vingt-cinq ans plus tôt.

— Parce que j'ai mal à la tête, grogna le pachyderme. Que ça me fait chier comme pas possible. Et aussi parce que tes semblables ont massacré beaucoup de mes frères. Donc, je vais venir vous tuer, toi, ton mâle et tes complices. Demain, ou plus tard, je ne sais pas encore. J'y réfléchirai quand j'aurai moins la migraine. Enfin voilà, c'est tout ce que je voulais te dire. Tu peux te rendormir.

— Je ne te laisserai pas faire!» lança Tracy.

L'éléphant ricana comme seuls les éléphants savent le faire, et rétorqua :

« C'est ce que tu crois. Les hommes s'imaginent toujours plus forts que les animaux, ils se trompent. À la fin de toutes les fins, quand le temps des humains se sera éteint comme la flamme de la bougie sur laquelle pisse le chacal, quand ta race se sera évaporée au grand soleil comme le sperme du rat de palmier, nous serons toujours debout, pour reprendre possession de cette terre qui est la nôtre. Nous étions là avant, nous le serons après. C'est écrit de toute éternité... et je t'emmerde. »

À cet instant, Tracy se réveilla en sursaut et poussa un soupir de soulagement. Ainsi ce n'était qu'un rêve !

Elle se trompait. L'éléphant n'avait pas menti. Le lendemain, il tint promesse.

Le sang, il y en eut beaucoup, oui, oui, oui, comme aurait ajouté Diolo, le premier porteur de fusil du campement.

2. Rêves en miettes

Les pales des hélicoptères frappés à mort tournoient comme des étoiles de ninja. Des shurikens aux chuintements de chat furieux, des chats-toupies en fibre de polycarbonate, lâchés dans le vide, privés de toute attache et qui pivotent sur eux-mêmes à l'infini jusqu'à la seconde où, heurtant le sol, ils se fragmentent en un million de tessons tranchants...

Les rêves de Tracy Morgan sont remplis de cris de douleur, d'étoffes imbibées de sang, de corps d'hommes jeunes percés, incisés, mutilés, en partance pour le coma profond, l'arrêt respiratoire ou cardiaque. Il y flotte une odeur de fer-chaud, de cartouches chemisées métal qui viennent de recevoir le baiser brutal du percuteur, et se contorsionnent dans le spasme ultime consistant à éjecter le plus loin possible un étron mortel à vocation expansible. C'est le grand rut d'une technologie tout entière vouée à la destruction. On y perçoit des cris, des supplications, des pleurs, des obscénités. Cela sent la sueur, le vinyle, le kérosène, et cette toujours surprenante intimité des entrailles soudain libérées au grand jour par quelque déchirure de chair incongrue et non souhaitée. Drôle d'orchestre où l'on voit chaque fois jouer en cadence des pinces hémostatiques, des écarteurs, des scies à amputation... Mais ce sont les rêves de Tracy Morgan, pas vrai? et nous n'avons pas à nous en mêler. Il y est question de guerre, de défaite, de massacre. Et encore une fois ces hélicoptères – Apache ou Blackhawk – qui dévissent, décrochent, et tombent du haut du ciel, affreuses libellules préhistoriques condamnées à se fracasser.

Tout cela est à la fois mort et vivant, tel le trop fameux chat de Schrödinger, prisonnier de l'étroite coquille du crâne de Tracy, et sort pour donner son carnaval où les pétards du 4 juillet ont été remplacés par des balles traçantes chaque nuit que la jeune femme parvient à voler à l'insomnie. Mais qui êtes-vous pour critiquer, vous qui dormez du sommeil inébranlable des grands sauriens fossiles, je vous le demande?

Tracy Morgan était une grande femme de trente ans, mince, aux pommettes saillantes, assez jolie si l'on apprécie les anges profilés façon oiseau de proie. De son ancienne profession d'infirmière militaire elle avait conservé l'habitude de porter les cheveux courts. Cette austérité lui conférait un faux air de figure de proue. Avec ses yeux bleus, très clairs, elle évoquait un faucon survolant un fjord pris dans les glaces. Quand on y regardait de plus près, on remarquait qu'à sa blondeur se mêlaient des mèches précocement grises, et que des rides d'amertume encadraient sa bouche et ses yeux. Quant à sa sveltesse, elle avait cette maigreur nerveuse des minces prédateurs, prompts à saigner les gros animaux lorsqu'ils commettent l'erreur de regarder ailleurs, ou de s'endormir sur une écuelle trop remplie. C'était malgré tout une belle femme, qui ne s'en laissait pas conter. Les hôpitaux de l'US Army l'avaient amenée à vivre dans la promiscuité des mâles, et il y avait longtemps que leur vulgarité naturelle la laissait de glace. Cependant, contrairement à la plupart des infirmières-majors, elle s'était toujours défendue de sombrer dans les mêmes travers en singeant leur verdeur. Aucune grossièreté ne franchissait le barrage de ses lèvres.

Sa dernière affectation l'avait parachutée en Somalie, au camp de la Task Force Ranger, à

Mogadiscio, trois semaines seulement avant que l'enfer ne s'y déchaîne, avec les conséquences que l'on sait.

Un peu plus tôt, elle avait participé à «Tempête du désert» et, certaines nuits, il lui arrivait encore de flairer sur sa peau l'insupportable odeur des puits de pétrole incendiés par les Irakiens. Enfin, elle se trouvait à Dhahran, quand un Scud s'était abattu sur la caserne américaine, tuant une vingtaine de jeunes G.I's qu'elle connaissait tous par leur prénom.

Tout de suite après le désengagement américain, elle avait démissionné.

De retour aux États-Unis, confrontée à l'intolérable sentiment de vacuité qui assaille les vétérans, elle était entrée au service d'une grosse agence de voyages, ROUGH GUYS' SAFARIS inc., dans l'espoir de renouer d'une quelconque manière avec la dose d'adrénaline à laquelle elle était accoutumée. C'était cela ou sombrer dans la dépression, l'alcool, la drogue comme nombre de ses ex-compagnons d'armes, incapables de se réemboîter sagement dans le puzzle de la quotidienneté.

Officiellement, la spécialité des ROUGH GUYS' SAFARIS inc. consistait à organiser des raids de luxe sur les territoires de chasse africains. Sa clientèle se composait de *golden boys* de la finance, de la presse, de l'industrie automobile ou cinématographique.

«Vous comprenez, lui expliqua le directeur, ces types détestent obéir. Ils s'imaginent tous être de

17

grands aventuriers. Ils se font même un devoir d'enfreindre systématiquement les consignes de sécurité. Ils ont l'habitude d'édicter les règles, pas de les suivre. Fatalement, ils accumulent les conneries. Et ça se solde par des blessures, des fièvres plus ou moins graves. Ils ne comprennent pas que l'Afrique est un bouillon de culture devant lequel l'organisme des Blancs reste désarmé. Votre mission consistera à minimiser les dégâts. Je sais que vous avez l'habitude des blessures extrêmes, et que votre expérience des champs de bataille vaut celle d'un médecin. Êtes-vous prête à tenter l'aventure ?

— Attendez, fit la jeune femme. De quelle sorte de safaris parlez-vous ? Je croyais qu'on avait interdit la chasse aux animaux menacés d'extinction en 1972. Or, j'ai l'impression que les expéditions dont vous parlez n'ont rien à voir avec les safaris-photos habituellement proposés par les agences... »

Dominant sa gêne, le directeur se vit contraint d'apporter des « précisions » qui n'avaient rien de convaincant :

« La chasse est autorisée à l'intérieur de certaines réserves, grogna-t-il. Notamment lorsqu'il devient nécessaire d'enrayer le pullulement d'une espèce animale dont la surpopulation devient une menace pour l'écosystème... On en parle peu, mais la prolifération des animaux en milieu protégé devient vite un énorme problème et conduit à des abattages massifs, parfois à la mitrailleuse lourde depuis un hélicoptère. Ce n'est pas joli joli, croyez-moi. Dans ce cas, on parle de régulation. En accord avec les autorités gouvernementales, nous avons imaginé une solution plus élégante : pourquoi ne pas faire exécuter ce travail nécessaire par des chasseurs étrangers ? Ce qui aurait l'avantage de joindre l'utile à l'agréable. C'est tout à fait légal. Nous disposons de toutes les autorisations nécessaires, n'ayez crainte. »

Tracy ne releva pas. Elle savait ce que vaut une « autorisation officielle » en Afrique... et combien elle coûte. Mais elle n'avait pas le choix. Son retour au pays avait tourné au fiasco et, comme beaucoup de soldats démobilisés, elle avait échoué à retrouver les gestes d'avant. Les gestes qu'accomplissent machinalement ceux qui n'ont jamais vu l'envers du décor et se croient encore en sécurité.

L'Afrique lui était apparue comme l'unique échappatoire au trou noir qui menaçait de l'avaler.

Toutefois, dès son arrivée sur place, elle n'avait pas tardé à découvrir que les fameuses « réserves » étaient en réalité des zones de non-droit sous la coupe de seigneurs de la guerre régnant sur de minuscules portions de territoire où ils s'accordaient droit de vie et de mort sur leurs sujets. Des enclaves où, moyennant finance, les nantis de ce monde se voyaient accorder le droit de tirer sur des espèces protégées.

Elle était là depuis deux jours quand les hélicoptères surgirent au ras de l'horizon, dans la brume de chaleur tremblotante qui déformait leurs silhouettes et contribuait à leur donner l'apparence d'immenses spermatozoïdes noirs se contorsionnant entre les nuages. Tout de suite son estomac se contracta, crachant des flots de sécrétions acides. La peur, bien sûr. Toujours la même vieille angoisse. Ce «vlouf-vlouf» des pales rappelant d'une certaine façon le halètement d'un homme en train de baiser, et qui se rapproche de la ligne d'arrivée du coït.

Les hélicos, elle les identifia sans peine. Russes, dernier cri de la technique militaire. En tête, un Ka-52 «Alligator», chasseur de chars et de blindés en tous genres. Ensuite, un Mi-28 M, et sans doute un Mi-35 M. Une escadrille de guerre sans la moindre éraflure. Un convoi de parade destiné à impressionner les populations rampantes.

Son nouveau patron – le chef de safari Russel Swanson – tressaillit, laissa échapper une grimace et lui recommanda vivement de rester cachée.

«Visite officielle, souffla-t-il avec une expression tendue. Considérez que c'est le monarque local. La réserve lui appartient. Il lui arrive de passer de temps à autre pour exhiber ses nouveaux jouets, histoire de dissuader les locaux de fomenter un soulèvement. Ne vous montrez pas. S'il est ivre ou défoncé au khat, on peut tout craindre. On a déjà eu des incidents avec la petite amie d'un client qu'il s'était mis en tête d'échanger contre un colt .45 plaqué or.»

Dix minutes plus tard, les hélicoptères une fois posés, Tracy vit le roi en question émerger du Ka-52. Elle eut l'impression de contempler un personnage de bande dessinée. Un géant noir, torse nu, les pectoraux zébrés de cicatrices tribales ou guerrières, coiffé d'un béret rouge de parachutiste, et qui berçait dans son giron un fusil Colt Sauer «Grand African», Magnum 458, à 4 000 dollars, baptisé par certains chasseurs «l'anéantisseur d'éléphants». Le géant riait aussi fort qu'il transpirait. Une statue de charbon trempée dans le pétrole. Horrible et magnifique tout à la fois. Tracy sentit un frisson de terreur lui parcourir l'échine. Elle savait qu'elle avait sous les yeux un bourreau local. Quelqu'un qui, sur un mouvement d'humeur, pouvait décider de les anéantir jusqu'au dernier sans se soucier d'éventuelles répercussions internationales.

Elle se demanda ce qu'elle fichait là.

«Tu voulais de l'adrénaline, non? ricana une méchante petite voix sous son crâne. Tu es servie, de quoi te plains-tu?»

Elle se revit, courbée sous les balles traçantes, guidant les civières jusqu'aux Medivacs, ces ambulances volantes où l'on enfournait parfois les corps trempés de sang sans trop distinguer les morts des blessés. Allait-elle prétendre que c'était le bon temps?

Puis le monarque regagna l'«Alligator» et s'envola sur un dernier sourire, histoire de faire scintiller au soleil le diamant incrusté dans sa canine droite. Quinze carats, ça, c'est du reflet!

Lorsqu'elle se retrouva seule dans son bungalow, à la nuit tombée, Tracy se demanda s'il convenait de démissionner. Elle hésitait. Il y avait Russel Swanson, bien sûr, le chasseur blanc responsable du campement de base, et qui semblait sortir d'un vieux film façon *Mogambo*.

Ce clone improbable de Clark Gable lui avait tapé dans l'œil, avec sa moustache démodée, sa mèche en travers du front, et sa carrure de boxeur poids lourd.

« Il faut avoir peur des fauves, lui avait-il déclaré d'emblée. C'est plus prudent, le tout est de n'en être pas terrifié au point de rester paralysé. Il en va différemment avec les petites bêtes. Les insectes, eux, sont terrifiants. C'est un petit peuple grouillant qui pullule au ras du sol, entre les planches, au sein de la moindre fissure. C'est une pourriture sur pattes qu'on a à peine le temps d'entrevoir du coin de l'œil alors qu'elle se glisse dans vos vêtements, entre vos draps, dans votre culotte. Une armée de nuisibles, de prédateurs fourmillant. Pour un qu'on surprend du coin de l'œil, il y en a deux cents cachés, qui attendent le bon moment pour piquer, sucer le sang, injecter des maladies, ou s'insinuer sous l'épiderme. C'est ça, l'Afrique. Elle finit par se tortiller comme un ver qui rampe sous la peau, et on ne peut plus s'en débarrasser. La plupart des vieux colons ont appris à vivre avec des nématodes plein le corps. La nuit, ils les sentent ramper entre leurs organes. Ce sont des compagnons auxquels on finit par s'habituer sans jamais parvenir à les aimer. »

Voilà, c'est ainsi que l'histoire avait débuté. Rien que de très banal en somme.

Dès ses premières missions, Tracy avait rapidement compris qu'il lui faudrait une certaine dose de stoïcisme pour supporter les clients de Russel car cela revenait à chaperonner des types aux mains baladeuses, qui parlaient fort, un éternel cigare vissé au coin de la bouche, une flasque de whisky trente ans d'âge dans la poche. Ils traînaient dans leur sillage des bimbos à lunettes noires, qui ne cessaient de se tamponner le nez à l'aide d'un mouchoir imprégné de parfum pour se protéger de «l'odeur des Nègres». Des nanas dont ils auraient pu être le père (voire le grand-père) et qui se pavanaient sous des ombrelles à la Jane Austen.

Non, Tracy ne leur ressemblait en rien. Elle s'appliquait à demeurer en retrait, silencieuse, sa trousse de première urgence à la main. Contrairement à ses clients, elle ne transpirait pas. Elle était là, sèche, froide, telle une statue de glace qui refuserait de fondre au soleil. C'est sans doute cette froideur qui séduisit Russel, et également le fait qu'elle tardait à le rejoindre dans son lit. Les chasseurs blancs n'ont pas l'habitude d'être repoussés. Ils sont, en Afrique, l'équivalent des beaux moniteurs de ski à Aspen, ou des profs de tennis des Hamptons. Avec, bien entendu, cette valeur ajoutée qu'apporte à tout mâle le fait de manier des instruments de mort et de risquer sa vie chaque fois qu'il met en joue un lion ou un léopard. La fascination qu'exerce le gladiateur n'a rien perdu de son éclat, et les guides de chasse en profitent sans vergogne, ce n'est un secret pour personne. Mais Tracy avait côtoyé trop de vrais héros pour être impressionnée par un simple assassin de bêtes sauvages.

3. Exécutions diverses et variées

L'éléphant fou se manifesta une deuxième fois dans les songes de Tracy. Il s'exprimait toujours avec une voix démodée de crooner et annonçait (sur l'air de *My Way*) un holocauste imminent dont il serait le maître sacrificateur.

La jeune femme en fut troublée mais s'interdit d'en parler à Russel, car il faisait partie de ces hommes qui détestent entendre les femmes disséquer le contenu de leurs rêves au petit-déjeuner, ce qu'elle comprenait aisément car elle partageait la même aversion.

Sans doute eut-elle tort, car l'éléphant surgit bel et bien au cours de l'après-midi, zigzaguant à travers la savane et tout enveloppé d'un nuage de poussière rouge qui lui dessinait une auréole infernale.

C'était un grand mâle aux hormones et à la cervelle chamboulées par le musth, ce goudron répugnant qui – à certaines périodes – se met à suinter des tempes des pachydermes, décuplant leur agressivité, et les poussant à attaquer leurs congénères sans raison apparente.

Russel y voyait, comme la plupart de ses confrères, une manifestation du rut, ce qui n'a jamais été clairement établi par les zoologues.

Un éléphant en proie au musth est redoutable car imprévisible. Son comportement n'est pas sans rappeler celui d'un chien atteint de la rage, et qui s'en prend maladivement à tout ce qui passe à sa portée.

Russel, lui, expliquait la chose fort simplement :

« Comme tout mâle dans l'incapacité de s'accoupler, l'éléphant devient cinglé. Alors il faut qu'il se défoule. Inutile de chercher plus loin. »

Il accompagnait l'énoncé de ce théorème d'un rire viril auquel Diolo, le boy porteur-de-fusil-numéro-1, se joignait volontiers, car l'inépuisable naïveté des hommes blancs ne cessait de l'émerveiller.

L'éléphant fou avait été repéré par des guerriers en maraude, au nord du camp de base établi à la lisière de la savane. Il errait en lâchant des barrissements lugubres que Diolo comparait aux pets d'un géant. Entre deux lamentations, il chargeait les baobabs ou les arbres à fièvre, s'acharnant sur leur tronc à grands coups de défenses. Les quatre mètres d'ivoire pointant de chaque côté de la trompe étaient en mesure de causer de terribles dégâts. Le jus des écorces en avait verdi l'ivoire. La dent gauche était ébréchée.

« T'as vu, patron ? lança Diolo avec une étrange jubilation, l'écorce vole en tous sens comme le duvet d'un poulet qu'on plume ! »

Quand il cessait d'éplucher les arbres pour s'en repaître, le monstre creusait le sol, soulevant un nuage de poussière rouge qui finissait par le recouvrir tout entier, ajoutant à son aspect rébarbatif. Ainsi fardé, il évoquait un guerrier revêtu de ses peintures sacrées. Il lâchait également, çà et là, des montagnes d'excréments fibreux de la taille d'un homme. Entassements qui constituaient une merveilleuse friandise pour les oiseaux du voisinage.

«Personne ne sait ce qu'il fait là, loin de la piste ordinairement empruntée par les siens, diagnostiqua Russel. S'est-il perdu? A-t-il été chassé par la grande femelle régnant sur son clan, et que ses prétentions sexuelles déplacées ont fini par exaspérer? Je n'en sais foutre rien.

— Sa présence effraye les indigènes du village voisin, souligna Tracy. La rumeur rapporte que l'éléphant a déjà piétiné un dispensaire, parce que les gémissements des malades et l'odeur des médicaments l'indisposaient.

— Ce n'est pas impossible, grommela Russel. Un animal souffrant du musth ne supporte pas plus la lumière que les sons ou les odeurs. Tout lui est douleur. La moindre information sensorielle devient torture et lui vrille les neurones comme un tisonnier chauffé à blanc. Quoi qu'il en soit, c'est très emmerdant. Je vais essayer de me renseigner.»

Sans plus attendre, ils gagnèrent le bungalow où Russel tenta d'établir une communication avec le dispensaire au moyen du radiotéléphone de brousse, sans obtenir de réponse, ce qui semblait confirmer le massacre dont la rumeur se faisait l'écho.

«Pourquoi tu fais pas sauter la caboche à c'te tembo de malheur, Bwana? demanda Diolo, un peu plus tard dans l'après-midi. Bam! en plein dans la cervelle, et les vautours le mangent par petits bouts.»

Russel n'était pas chaud. Non qu'il doutât de ses capacités de tireur, ou qu'il éprouvât de la crainte

26

à l'idée d'affronter le Léviathan, mais il savait par expérience qu'il n'aurait pas droit à l'erreur, et que le monstre risquait fort de le charger avant qu'il ait eu le temps d'épauler son fidèle Holland & Holland .447 à double canon pour lui expédier en pleine tête un projectile propulsé à deux tonnes et demie de poussée initiale.

« Inutile de s'emballer, répétait-il. Dans ce genre de cas, il n'existe qu'une stratégie, celle du coup unique et mortel. Faut savoir qu'on n'aura pas le temps d'ajuster son tir une deuxième fois. Ce n'est pas la balle qui tue l'éléphant, c'est l'onde de choc qui lui met le cerveau en bouillie et le paralyse net. Ça s'appelle un tir d'arrêt. Jadis, on recommandait au chasseur de ne jamais viser la tête, car le crâne était trop épais pour les munitions de l'époque. Aujourd'hui ce n'est plus le cas, on dispose d'une puissance de feu très supérieure. La science n'arrête pas de faire des progrès. »

Il lui arrivait de soliloquer ainsi en se préparant un nouveau gimlet.

Le gimlet – cocktail né à l'époque où Hemingway écumait la savane – était redevenu, depuis quelque temps, la boisson à la mode. Les broussards la paraient de vertus imaginaires. Elle combattait les fièvres, tuait les vers et toutes les saloperies qu'on ramassait ici et là. À les écouter, le seul remède efficace contre les mille maux sécrétés par l'Afrique restait l'alcool. L'alcool ingurgité sous toutes ses formes à toute heure du jour ou de la nuit. Convenablement imbibé, on échappait à n'importe quelle maladie. C'était là le secret de leur éclatante bonne santé, affirmaient – en dépit de toute vraisemblance – ces types à la peau jaunâtre d'hépatiques filant un mauvais coton.

«Je ne tire jamais aussi bien que quand je suis ivre mort! entendait-on les guides proclamer, c'est une habitude que j'ai prise en Irak, quand j'étais sniper et que j'attendais que les talibans pointent le nez hors de leur gourbi pour leur vaporiser la cervelle.»

Russel, lui, n'était jamais ivre. Ou assez professionnel pour le dissimuler à la perfection.

Bref, l'éléphant fou inquiétait tout le monde. Il lui arrivait même de courser les girafes ou les gnous, comme si la savane lui appartenait.

«Cela devrait finir par lui passer, répétait Russel. Généralement, les poussées de musth ne durent qu'une semaine. Dès que les sécrétions s'arrêteront, il redeviendra normal. Avec un peu de chance, il ne fera pas d'autres dégâts d'ici là.»

Mais Tracy savait qu'il se mentait.

Comme l'en avaient avertie ses songes prémonitoires, il en alla autrement. Un beau matin, trois jeunes guerriers arborant plumes et peintures de guerre s'avancèrent à la rencontre du monstre, cachés derrière leurs boucliers oblongs en cuir de buffle durci, la sagaie au poing. Sans doute escomptaient-ils retirer gloire et fortune d'un affrontement victorieux. Diolo les interpella pour tenter de les amener à rebrousser chemin; ils l'ignorèrent et continuèrent à progresser vers l'éléphant, courbés, avec des mouvements qu'on aurait pu qualifier de liquides tant ils étaient d'une grâce infinie. Une fois arrivés à portée de sagaie de leur cible, ils entamèrent une danse de guerre et de défi, ce qui était absurde, jugea Russel, car les éléphants sont extraordinairement myopes et incapables de repérer un humain pourvu que celui-ci se tienne immobile et que le vent ne porte pas son odeur jusqu'aux réceptacles olfactifs surdéveloppés du pachyderme.

Sachant qu'il était inutile d'intervenir, il observa les jeunes chasseurs jusqu'au bout, même quand la bête commença à agiter les oreilles tel un énorme oiseau essayant vainement de s'arracher du sol. Tout de suite après, suivirent les aspersions de poussière projetée avec la trompe, puis les jets d'urine et les défécations. Signes qui, sur l'échelle de la colère, permettent d'évaluer l'exaspération d'un pachyderme.

Le reste ne prit qu'une trentaine de secondes car, contrairement à ce que laisse supposer leur masse, les éléphants se meuvent rapidement lorsqu'on les pousse à bout.

Le monstre chargea, saisissant avec sa trompe le premier des guerriers qu'il projeta contre le tronc d'un baobab. Le choc fut tel que la colonne vertébrale du garçon se disloqua et que ses articulations se déboîtèrent. Dans la seconde qui suivit, selon la technique de combat en usage chez les siens, l'éléphant se cabra et fit retomber ses antérieurs sur les deux guerriers qui s'obstinaient à le narguer, les réduisant en un magma viscéral qu'il s'empressa d'éparpiller du bout de ses défenses, et dont les vautours postés aux alentours se régalèrent.

Cette démonstration de mécontentement terminée, la bête tourna le dos au campement et s'enfonça dans la forêt pour chercher de l'ombre.

«Il va revenir, prophétisa Diolo. Ces imbéciles l'ont mis en colère.

— Qu'est-ce qu'ils espéraient? grogna Russel. Le tuer avec leurs sagaies? Bordel!

— Z'ont fait ça pour avoir des femmes, grommela le porteur de fusil. La gloire, tout ça. Les femmes aiment les grands guerriers. Et puis l'ivoire des défenses ça permet d'acheter des vaches, des moutons... des femmes aussi. Il en faut, même si elles te cassent la tête avec leurs jérémiades.»

La mort des trois guerriers exaspéra Russel, car il estimait que cet assaut mené en dépit du bon sens allait décupler la paranoïa de l'animal malade.

«Il va remâcher ça toute la nuit et tenter un nouvel assaut au lever du soleil, grommela-t-il. Les éléphants ont une mémoire phénoménale et – comme les femmes – une foutue tendance à ressasser le mal qu'on leur a fait. Faut s'attendre au retour de bâton.»

En prévision de ce nouvel affrontement, il passa la soirée à vérifier ses fusils : le Holland & Holland à canon double, le Steyr, le Rigby tirant du .416 spécial éléphant... La carabine Mannlicher.

Diolo et les autres boys, silencieux, l'observaient, tandis que ses mains courtes et musclées manipulaient les culasses, faisaient jouer les leviers de verrouillage, caressaient les crosses et les plaques de couche avec une sûreté et une aisance de prestidigitateur.

Sur la table s'alignaient les fuseaux des balles : 300 Remington Ultra Magnum, 500 ou 600 Nitro Express, chemisées cuivre ou acier, auxquelles la lampe conférait des luisances d'or. Diolo avait toujours aimé la cérémonie des préparatifs, ce rituel quasi magique, il ne savait pourquoi.

Une fois les fusils passés en revue et soigneusement huilés, venait le tour de la veste de chasse. Un vêtement usé, renforcé de pièces de cuir aux endroits stratégiques, et matelassé à la hauteur de l'épaule droite pour amortir le recul de la crosse lors de l'emploi de 500 ou 600 Nitro Express. Diolo savait ce recul assez terrible pour déséquilibrer un tireur imprudent et lui briser la clavicule.

Russel, en dépit du rembourrage de la veste, avait – à ses débuts – connu cette mésaventure. Il en conservait une clavicule droite mal ressoudée, ainsi qu'une tuméfaction indélébile, tatouage de vaisseaux éclatés dont les années avaient à peine délavé la teinte violette.

Mais la sacro-sainte veste de chasse avait une autre particularité, non des moindres : elle puait.

Cette puanteur était voulue, elle avait pour fonction de masquer l'odeur corporelle du chasseur. Odeur que les fauves – et surtout les éléphants ! – sont capables de reconnaître entre mille. Pour obtenir ce camouflage olfactif, Russel n'avait lésiné sur aucun artifice, allant jusqu'à arroser les vêtements d'urines animales, et à en cirer les coutures au moyen d'excréments de buffle ou de girafe.

Les odeurs s'affaiblissant au fil des semaines, il fallait renouveler ces opérations tous les mois, à la grande joie des boys que ces préparatifs plongeaient dans l'hilarité.

«N'empêche, triomphait Russel en enfilant la défroque puante, avec ça, je deviens invisible. Contrairement aux humains, les bêtes se fient davantage à leur flair qu'à leur vue.»

Ce soir-là, quand Russel eut déployé sa panoplie de sacrificateur, il se prépara un dernier gimlet puis partit se coucher.

Il eut tort. L'éléphant fou sortit de la forêt au milieu de la nuit, bien décidé à anéantir ceux qui conspiraient à sa perte. Il se rua sur le village, piétinant cases et huttes, balayant à grands coups de trompe et de défenses tout ce qui se dressait sur son chemin.

Diolo, pelotonné sur sa natte, au fond de sa case, le sentit approcher avant même que les vibrations nées du piétinement ne se répercutent dans son abdomen comme sur la peau d'un tambour. La puanteur de la bête le submergea, mélange d'urine, de foutre, de graisse. Un relent infernal qu'aurait pu exhaler un démon.

Quand le monstre prit son galop, la surface de la savane s'en fit l'écho. Le bungalow où vivaient Russel Swanson et Tracy Morgan vacilla sur ses bases. Des livres dégringolèrent des étagères, les lampes basculèrent des tables de chevet. Dans la salle à manger, les portes du vaisselier s'ouvrirent, vomissant assiettes et soupières sur le plancher de cèdre rouge où elles explosèrent.

«La terre tremble! hurla Tracy, en ex-Californienne habituée aux caprices de la faille de San Andreas. C'est un séisme!»

Russel, muet de stupeur, fut incapable de la contredire. Il était persuadé que le toit allait s'effondrer, pulvérisé par les pattes de l'éléphant. Dans le chenil, les Rhodésiens à crête dorsale – chiens redoutables qu'on utilisait pour traquer les lions – ajoutaient au chaos en hurlant plus fort que des loups déchaînés. Convaincu qu'il allait être piétiné d'une seconde à l'autre, Russel fut à deux doigts de pisser dans son pyjama. Heureusement, l'ouragan frôla le bungalow sans le détruire. On ne sait pourquoi. Probablement parce que l'énorme bête s'était fixé pour cible le village indigène, et qu'étant lancée à pleine vitesse, elle n'était plus capable d'incurver sa trajectoire. Il est rare que les pachydermes puissent faire volte-face en un éclair. Seuls les rhinocéros détiennent ce privilège, qui a coûté la vie à bien des chasseurs.

Le carnage fut épouvantable. Quand l'éléphant eut de nouveau disparu dans la forêt, on dénombra une dizaine de victimes réduites à l'état de magma organique.

À l'aube, Russel s'élança dans la savane, son H&H au creux du bras. Diolo avançait dans son sillage, porteur d'un grand Springfield, et du Rigby bourré comme un obusier. Les survivants du massacre s'étaient rassemblés à l'orée des hautes herbes coupantes pour assister à la mise à mort. Tracy, consignée au bungalow, ne vit rien de ce qui se passa. Seul le tonnerre de deux coups de feu rapprochés l'avertit que l'affaire était réglée. Elle entreprit alors de ramasser les débris de vaisselle jonchant le parquet. C'était ce qu'elle avait trouvé de mieux pour juguler la colère qui l'habitait. Elle avait horreur d'être considérée comme une femme faible. Elle avait toutefois assez d'expérience pour sentir quand il devient utile d'autoriser un homme à nourrir des illusions sur sa virilité. Lorsqu'il est face au danger, une arme entre les mains, cela peut faire toute la différence.

L'affaire de l'éléphant fou laissa une tache sur la réputation de Russel. Beaucoup, au village, lui tinrent grief de n'être pas intervenu dès que le pachyderme malade avait fait irruption sur la plaine.

«Bwana Russel, il a eu peur. L'est pas si fort que ça, murmuraient certains.

— Aucun client ne le payait pour nous débarrasser du tembo, alors il s'en fichait. Un Nègre écrasé, ça compte pas pour les Blancs!» assuraient les autres.

Mais la plupart voyaient dans la colère du monstre la manifestation d'un esprit démoniaque victime d'une offense. La nature de cet affront restait indéfinie, mais tous tombaient d'accord sur le fait qu'elle avait été causée par l'Homme blanc car les Blancs ne respectent pas les forces invisibles qui régissent la nature, se cachent au cœur des arbres ou dans l'eau des rivières. Tracy, elle, soupçonnait Diolo d'être à l'origine de ces rumeurs. Diolo, transfuge du Congo, avait fui sa terre natale pour de mystérieuses raisons, la principale étant la haine que lui portaient les hommes-léopards, cette secte séculaire d'assassins aux crimes innombrables, et que l'administration en place échouait à combattre depuis la nuit des temps. On murmurait que Diolo était en réalité un sorcier dissident ayant refusé de se joindre aux Aniotos, ce qui lui avait valu une condamnation à mort.

En attendant, l'éléphant mort achevait de pourrir dans la savane, pour la plus grande joie des vautours qui s'abattaient sur sa carcasse en un tourbillon incessant. Lorsque le vent changeait de direction, la puanteur de la décomposition se rabattait sur le bungalow. Tracy se dépêchait de fermer les fenêtres et de faire brûler des pastilles de parfum dans des cassolettes en porcelaine.

La nuit, les hyènes prenaient le relais, poussant leur insupportable ricanement. Leur présence attisait la colère des chiens qui se meurtrissaient les babines sur les barreaux du chenil. C'étaient les prêtresses du grand festival de la charogne. Diolo racontait qu'elles creusaient des tunnels dans la panse de l'éléphant mort pour accéder aux intestins et autres tissus mous qu'elles ramenaient à l'air libre pour les déployer en interminables rubans sur la plaine. La puissance de leurs mâchoires leur permettait de broyer les os de la cage thoracique pour en extraire sucs et moelle.

La jeune femme ne supportait pas leurs ricanements fous. Elle avait l'impression qu'une armée de démentes s'ébattait dans la savane. Des sorcières rassemblées pour un sabbat de fin du monde. Tout le temps que dura le festin, elle ne dormit que par à-coups, à la façon des éléphants qui, on l'ignore trop souvent, sont de grands insomniaques.

4. Cités perdues

Plus que tout, Tracy détestait chez les hommes leur manière d'évoquer la guerre avec nostalgie.

Souvent, au terme d'une journée de chasse, ils se rassemblaient sous un parasol pour siroter du cognac additionné d'eau de Seltz, ou encore les inévitables gimlets vespéraux. Russel, qui présidait la tablée, jouait son rôle de guide en distribuant des satisfecit en veux-tu en voilà car il était capital – si on voulait les voir revenir à la prochaine saison – de convaincre ces ventres mous qu'ils avaient l'étoffe d'intrépides chasseurs.

L'alcool déliant les langues, arrivait fatalement le moment où l'on évoquait le bon temps des combats, la camaraderie, la montée de testostérone changeant un garçon ordinaire en un terrible berserker. Et surtout le côtoiement permanent de la mort « qui faisait se sentir tellement vivant et permettait d'apprécier à fond les joies les plus élémentaires de la vie ».

Quand Tracy les entendait se gargariser avec cette philosophie de pacotille, elle devait se retenir de leur jeter le seau à glace à la figure.

Russel, nullement dupe, lui avait un jour déclaré :

« Ce qui m'amuse c'est d'avoir pour clients des types qui prétendent avoir dégommé des talibans par douzaines, mais font dans leur froc dès qu'un lion les charge. Certains en oublient même de presser la détente. Si je n'étais pas là pour ouvrir le feu à leur place, ils se laisseraient tailler en pièces ! »

Plus intuitive que Russel, Tracy n'avait pas mis longtemps à deviner que Diolo, ce grand Noir au sourire perpétuel, était bien davantage que ce qu'il s'efforçait de paraître. En réalité, le banal porteur de fusil cachait un grand initié aux mystères de l'immense forêt congolaise.

Décidée à mieux le connaître, elle lui donnait rendez-vous trois fois par semaine, sous prétexte de lui apprendre à lire. Ils s'installaient sur la véranda, de part et d'autre d'une ancienne table de bridge, un abécédaire disposé entre eux, tel un échiquier, et commençaient à deviser à voix basse. En réalité, leurs bavardages les entraînaient fort loin des problèmes de syntaxe et de grammaire.

Parfois, quand Diolo avait fumé du chanvre et que la sueur lui gouttait le long du nez, il se laissait aller à parler du Congo. Alors, sa voix changeait, son vocabulaire se dépouillait de ses fausses naïvetés Son parler cessait d'emprunter un tour enfantin. Dans ces moments-là, il cessait d'être un simple porteur de fusil pour redevenir le sorcier dissident fuyant les hommes-léopards qui avaient juré sa perte.

Il disait :

« Les grands malheurs du Congo ont commencé il y a longtemps, longtemps, avec Léopold, le roi des Belges. On dit que son pays n'était pas plus grand qu'une peau de rat tannée mais ça ne l'a pas empêché de s'approprier notre terre. Il a fait de nous ses esclaves. Sa police était partout, torturant, tuant, rançonnant... Certains pensent même qu'elle manipulait les hommes-léopards pour liquider les opposants au régime et tous ceux qui contestaient la suprématie des Blancs. »

Soliloquant, les yeux mi-clos, il évoquait la secte des sorciers-bourreaux, œuvrant dans l'ombre, force occulte aux motivations obscures, régnant par la terreur et la superstition, légion d'assassins douée d'ubiquité, à l'anonymat jalousement préservé.

Mais Diolo chantait également le fleuve Congo, immense, qui traverse le pays dans toute sa largeur. Un fleuve abyssal dont aucun nageur ne peut toucher le fond et dans le lit duquel s'entassent les ruines d'anciennes civilisations dont personne ne se rappelle l'existence, pas même les scribes qui écrivent dans les livres pour retenir un passé qui vous coule tel du sable entre les doigts. Qui se rappelait aujourd'hui des grands empires de jadis : Lunda, Kuba ?

Peut-être Diolo, dans la griserie de la drogue, inventait-il ? Cherchait-il à impressionner la Memsahib Tracy en déroulant pour elle les fastes d'antiques royaumes n'ayant existé qu'au travers des légendes transmises par les griots? La jeune femme ne parvenait à le déterminer, mais elle se laissait porter par cette voix sourde, rocailleuse qui, parfois, abandonnait l'anglais pour continuer en swahili.

« La jungle, répétait-il, la vraie jungle africaine, on ne la trouve qu'au Congo. C'est la plus épaisse, la plus inextricable des forêts. Personne ne l'a jamais parcourue dans sa totalité. Les Blancs, qui se baptisent explorateurs, n'ont fait qu'en visiter les abords en remontant les affluents du grand fleuve. Mais c'est comme s'ils n'avaient fait que parcourir un potager, les mystères sont ailleurs, bien plus loin. Là où les arbres sont si serrés qu'il fait nuit en plein jour, là où vivent les petits hommes cruels que vous nommez pygmées, et qui se liment les dents en pointe pour se nourrir de chair humaine. Là où certaines peuplades, faute de femmes, se sont unies aux grands singes pour donner naissance à des créatures mi-hommes mi-bêtes, là où les crocodiles ont des ailes et gobent les vautours en plein vol... C'est le monde des débuts du monde, la boue originelle dont tout est sorti. Les Blancs, avec leurs voitures, leur électricité, leurs fusils, ignorent qu'ils frôlent ces merveilles primordiales. Il leur suffirait pourtant de faire un pas de côté pour pénétrer dans le jardin des mystères. »

Le souffle court, le ventre noué par une bizarre excitation, Tracy murmurait :

« Existe-t-il des cités perdues ?

— Bien sûr, affirmait Diolo. Zunica, Elbowi, Tandaar... Les vestiges d'empires oubliés, et que la jungle s'est empressée de manger. Car dès que l'homme a le dos tourné, la végétation récupère le territoire qu'on lui a volé. C'est la guerre de l'herbe qu'on voit pousser à vue d'œil. Les lianes, les ronces, tout travaille à chasser l'humain. En l'espace d'une journée, le feuillage obture portes et fenêtres, la moisissure recouvre les murs. C'est comme si la jungle vous hurlait aux oreilles "Va-t'en !".

» Si l'on veut rester, il faut se couvrir de poils et apprendre à sauter de branche en branche. Devenir un honnête singe sans prétention, et qui se nourrit de bananes rouges. C'est la réalité vraie. Beaucoup d'expéditions se sont perdues en voulant percer les mystères de la forêt. On a envoyé d'autres expéditions à leur recherche, qui se sont perdues elles aussi, alors on a renoncé. Il est des endroits où le Blanc n'a rien à faire. Il est condamné d'avance car il a perdu le langage des choses qu'il croit inertes.

— Mais toi, tu le connais ce langage ?

— Moi j'ai été initié. Dans mon pays j'étais sorcier avant que les Aniotos veuillent me transformer en assassin. Tu sais cela ?

— Oui. Mais on dit aussi que tu te vantes. Que tu n'es qu'un voleur de grands chemins fuyant la justice.

— Ce sont les policiers qui prétendent cela, parce que les hommes-léopards travaillent pour eux. Regarde plutôt... »

À cet endroit de sa péroraison, Diolo soulevait rituellement son tricot de corps reprisé, dévoilant trois cicatrices parallèles zébrant son flanc gauche. Trois bourrelets violacés évoquant un coup de griffes qui avait mis les côtes à nu.

«Ils se fabriquent des pattes de panthère qu'ils enfilent sur leurs mains, chuchotait-il. Et ils dissimulent leur visage sous des cagoules en peau de léopard. Ainsi personne ne sait qui ils sont. C'est peut-être le boulanger, le marchand d'ignames, un pêcheur qui vend son poisson pas trop cher, et dont tout le monde apprécie les plaisanteries. Hein? Comment savoir? Ils ont failli m'avoir. Si je n'avais pas connu les secrets des herbes qui guérissent je serais mort, crachant le pus par tous les trous de mon corps. C'est ainsi. Vrai de vrai. Et tu le sais au fond de toi, Memsahib. Comme je sais beaucoup de choses que tu ne dis pas mais que je lis dans tes yeux. Toi aussi tu écoutes l'appel de la forêt. Toi aussi tu veux aller à la rencontre des mystères, même si tu es condamnée à t'y perdre. Même si la jungle doit te manger comme elle mange les Blancs depuis l'aube des temps.»

Alors, parvenue à ce stade du récit, Tracy, rattrapée par le bon sens, se demandait si son interlocuteur ne se payait pas sa tête, avec cette infinie malice dont les Africains savent faire montre.

41

5. Jour-de-sang

Ce jour-là, Russel se réveilla en proie à un mauvais pressentiment. Or, il accordait une grande importance à ces bouffées de prescience que l'esprit émet à la façon d'une sinistre flatulence. Quoi de plus normal de la part d'un chasseur? On ne passe pas son existence à traquer les grands prédateurs sans développer un don de double vue, si infime soit-il.

C'est avec force grimaces qu'il s'arracha au canapé de cuir moisi où il avait dormi. À cette latitude tout moisissait, à croire que les fauteuils, les bottes, les chaussures reprenaient vie en bourgeonnant!

Chaque fois qu'il devait réceptionner un nouveau client, Russel devenait nerveux et passait une nuit agitée. Désirant épargner ses soubresauts à Tracy, il faisait chambre à part et s'installait dans son bureau, au milieu des armoires en teck cadenassées où il enfermait ses fusils. Au fil du temps ce rituel avait pris la forme d'une veillée d'armes, et c'est à peine s'il arrivait à fermer l'œil trois heures d'affilée. Il avait toujours eu davantage peur des clients que des fauves. Les lions, les léopards, les rhinocéros, il les connaissait bien, il était capable d'anticiper leurs réactions... il en allait différemment avec les chasseurs amateurs prodigues en conneries de toutes sortes. Avec eux, il fallait s'attendre au pire car la plupart, sous prétexte qu'ils avaient abattu deux cerfs dans le Montana, se prenaient pour des dieux de la gâchette. Il en avait vu débarquer armés d'un lance-grenades ! Il était difficile de leur expliquer qu'un safari se devait de respecter un certain code d'honneur. Seule l'observance de ce code l'empêchait de se changer en banale boucherie. Mais le concept dépassait leur entendement ; surtout dans cette zone de non-droit, où les espèces prétendument protégées constituaient une cible de choix. Après tout, n'étaient-ils pas là pour s'offrir le luxe de jouer aux hors-la-loi, aux barbares ?

Vêtu de son seul caleçon, Russel occupa les vingt minutes qui suivirent à sa gymnastique quotidienne. Unique moyen pour venir à bout des douleurs articulaires dont les Blancs souffrent en raison de l'humidité du climat et des écarts de température entre le jour et la nuit. Pour être efficace, le traitement incluait l'absorption de trois aspirines et d'un verre de bourbon dont il s'abstiendrait ce matin.

Quand il s'estima fonctionnel, il ouvrit la fenêtre et repoussa les volets. Peu enclin à la poésie, il ne pouvait s'empêcher de se sentir tout couillon lorsqu'il assistait au lever du soleil sur la savane. L'incroyable dilution des couleurs s'interpénétrant lui installait une boule dans la gorge, et il ne s'en détachait qu'à regret. Tournant le dos au spectacle, il se pencha sur le bureau pour se remémorer la fiche du client dont l'avion allait, d'ici une heure, se poser sur le tarmac rudimentaire installé au nord du campement.

Cette fois il s'agissait d'un acteur hollywoo-dien, Otmar Gerrick (de son vrai nom Jonas Smith), spécialisé dans les rôles d'aventurier au charme canaille dans de multiples productions sud-asiatiques où il était censé réaliser ses cascades lui-même. (C'est du moins ce que prétendait son attachée de presse !) Le bougre était, paraît-il, célèbre, mais Russel n'en avait jamais entendu parler. Le saltimbanque désirait abattre dans l'ordre : un léopard, un lion, un rhinocéros et un éléphant. Pourquoi pas une licorne ou un tyran-nosaure !

Un photographe et un cameraman le suivraient pas à pas pour immortaliser ses exploits à des fins publicitaires. Le programme devrait être bou-clé en quatre jours, c'était tout ce qu'autorisait son planning.

Russel grimaça. Le type serait probablement odieux, méprisant, habitué à ce qu'on exauce ses moindres caprices. Ayant manipulé sur des pla-teaux de tournage des armes chargées à blanc, il se prenait à coup sûr pour un expert en cynégé-tique. Cela ne promettait rien de bon.

Russel résista à l'envie de se verser un bour-bon et de griller une cigarette. Les animaux asso-ciaient l'odeur de l'alcool et du tabac à celle de l'homme. Même chose en ce qui concernait le savon. C'étaient là des théorèmes basiques que les clients refusaient d'admettre. La chasse aux grands fauves impliquait une ascèse à laquelle peu acceptaient de se plier.

Mécontent, Russel fit pivoter son siège de manière à suivre la montée du soleil dans le ciel où le violet le disputait à l'or en fusion. C'était toujours bref mais intense.

Il s'ébroua, l'heure de la rencontre approchait. Il lui fallait encore se raser pour faire bonne figure et ne pas ressembler à ces broussards alcooliques, piliers des Country Clubs où les chasseurs se vantent de formidables coups de fusil n'existant que dans leur imagination.

Tandis qu'il se raclait la couenne sans utiliser de savon à barbe, il se demanda s'il finirait comme eux. Son métier ne l'avait pas rendu riche. Tout au plus, parvenu au seuil de la vieillesse, pourrait-il ambitionner de s'établir armurier dans une petite ville. Encore était-ce compter sans les troubles qui pouvaient bouleverser le pays. On parlait beaucoup d'ethnies, dont la colère – savamment galvanisée par des agitateurs politiques professionnels – gagnait en importance et trouvait un écho hors des frontières. Les derniers colons blancs finiraient-ils par voir leurs biens confisqués et prendre la fuite, comme au Zaïre? C'était probable, l'Afrique est depuis toujours une boîte de Pandore regorgeant de surprises, bonnes et atroces.

Chassant ces tristes idées, il termina sa toilette et enfila une saharienne propre, mais lavée sans lessive afin de n'emmagasiner aucune odeur chimique. Puis il passa ses leggins graissés au pur suint de buffle, et se coiffa d'un chapeau de brousse à large bord, qui lui conférait un air martial... et démodé.

N'empêche, le pressentiment continuait à lui nouer le plexus.

45

Sortant du bungalow, il se heurta à Diolo.

«C'est pas un bon jour, Bwana! s'empressa de bredouiller le porteur de fusil. Les signes sont mauvais. Nounou Bayaba, la devineresse, elle a regardé dans le feu et les cendres. C'est un jour à boire beaucoup de bière de mil et à rester couché. Oui, oui, oui.»

Russel l'écarta sans rudesse, mais avec fermeté. Il se demandait parfois si les Africains ne prenaient pas un malin plaisir à effrayer les Blancs en évoquant une sorcellerie à laquelle ils ne croyaient plus depuis longtemps. C'est de cette manière qu'ils avaient dupé, des années durant, ces bons gros naïfs d'ethnologues toujours prêts à s'émerveiller d'un rien. Dans le secret de son âme, il leur donnait raison. Après tout, les Blancs étaient vraiment trop cons.

À pas lents, il se dirigea vers le tarmac rudimentaire et prit place dans un antique fauteuil de paille installé à l'intérieur d'une guérite. Il était en avance, mais l'Afrique lui avait appris la patience. L'Afrique et la chasse. À certains moments il était capable de se «minéraliser» et de ramener sa respiration à un souffle indécelable. Pour un fauve, ce qui ne bouge pas, ne fait pas de bruit, affiche des couleurs variées et ne sent rien, n'existe pas. Un bon guide doit être capable d'atteindre à l'invisibilité totale. Or il était le meilleur dans sa partie.

Ayant fait le vide dans sa tête, il ne vit pas le temps passer. Le ronronnement de l'avion-taxi l'arracha à la catalepsie. C'était toujours l'éternel vieux Cessna qui assurait la liaison avec la

« ville ». Une épave rafistolée dont on se demandait par quel miracle elle tenait en l'air. L'atterrissage ne fut pas un modèle de manœuvre et souleva une tornade de latérite.

Trois hommes descendirent du zinc. Celui qui marchait en tête, le visage dissimulé par d'énormes lunettes noires, était à coup sûr l'acteur. Venaient ensuite deux gonzes ployant sous les sacs de matériel et qui, aveuglés par la poussière rouge, zigzaguaient tels des matelots ivres. Russel concentra son attention sur le premier; il lui fit mauvais effet. Le type était grand, nanti d'une musculature trop symétrique cultivée en salle de sport. De peur de paraître pâle, il avait passé un temps fou sous sa lampe à bronzer et affichait une figure rougeâtre de démon exhumé des enfers. Pour couronner le tout, son menton s'ornait d'un bouc méphistophélique à la manière des pirates d'Halloween. Sa saharienne sentait le bon faiseur, comme ses bottes neuves dont Russel pouvait entendre le cuir crisser à vingt pas.

Un renvoi acide grésilla au fond de son estomac. Le mauvais pressentiment se confirmait. Un pantin, un péteux gominé imbu de sa personne, dont il allait devoir corriger les conneries pour éviter qu'elles n'engendrent un drame.

« Salut à vous! clama le bellâtre d'une voix assez puissante pour rivaliser avec un barrissement éléphantesque. Pas de cérémonie entre nous, appelez-moi Otmar. Ces deux gus vont me suivre comme mon trou du cul, mais ils ont ordre de ne pas ouvrir la bouche. Faites comme s'ils n'existaient pas, donc pas la peine de retenir leurs noms.

47

Au besoin, on les appellera Truc et Machin. Z'ont l'habitude.»

Russel, esquissant un sourire poli, serra la main de la star; elle avait la consistance de la pâte à pain. Il dut résister à l'envie d'essuyer sa paume sur sa saharienne. Cette corvée expédiée, il pria le groupe de le suivre jusqu'au bungalow. Alors qu'ils approchaient de la bâtisse, Otmar s'exclama :

«Putain! Ça pue comme pas possible! Qu'est-ce qui fouette comme ça? Ah! J'y suis, c'est ce village de Nègres. Ben mon vieux, je ne sais pas comment vous pouvez supporter ça! On se croirait au zoo, devant la cage des chimpanzés. Bon, c'est pas tout ça, il fait chaud à crever, quand est-ce qu'on boit un coup? Vous avez une glacière au moins?»

Le reste fut à l'avenant. Otmar, tel un comique de burlesque se produisant au fin fond du Nebraska, débitait un «bon mot» toutes les deux minutes. Chacune de ses saillies était aussitôt saluée par les rires serviles du cameraman et du photographe qui transpiraient à grosses gouttes. Il arrivait même qu'ils s'esclaffent avant que leur patron n'ait achevé la blague. Russel, le sang battant aux tempes, s'étonnait de se sentir aussi nerveux. Otmar n'était pas le premier connard qu'il pilotait à travers la jungle, alors pourquoi un tel malaise? Qu'est-ce que Nounou Bayaba avait entraperçu dans le feu et les cendres, hein? Il regrettait maintenant de n'avoir pas demandé de plus amples détails à Diolo.

«Lequel de mes films préférez-vous?» finit par demander Gerrick alors qu'ils étaient rassemblés sur la véranda pour le traditionnel gimlet.

Russel, qui n'en avait vu aucun, faillit rester muet. Heureusement Tracy, qui lisait des revues comme *Variety*, sauva la situation avec son habileté coutumière, et s'employa à détailler certaines séquences où l'acteur avait brillé par sa présence. Agacé, Russel faillit lâcher : «Tout ça me fait l'effet d'une belle connerie...» mais parvint à se tenir la bride courte. Son compte en banque maigrelet ne l'autorisait pas à se fâcher avec une star qui, vexée, ne manquerait pas de le descendre en flèche auprès de ses collègues. C'était l'un des aspects déplaisants du métier, cette obligation de courtiser le client. On lui avait raconté qu'en France, à l'époque des rois, les ministres achetaient fort cher le droit de torcher le cul du souverain une fois qu'il s'était libéré les boyaux en public. C'est exactement ce qu'il avait l'impression de faire avec certains de ses commanditaires.

Gerrick se gava des compliments décernés par Tracy en ronronnant comme un chat. L'abruti bandait fort et dur, à n'en pas douter. Pour le ramollir, Russel eut envie de lui demander s'il savait par quel bout on se servait d'un fusil. Il renonça à l'ultime seconde, lorsque Tracy, devinant ce qu'il préparait, le foudroya du regard.

«Bon sang! geignit Otmar, ce serait vraiment sympa ici s'il n'y avait pas cette puanteur. Vous n'avez jamais pensé à obliger vos hommes à se laver?

— À propos d'odeur, contre-attaqua Russel. Il serait bon d'aborder le sujet de votre lotion après-rasage, et de l'eau de Cologne dont vous vous êtes aspergé. Ah! Également, vos vêtements sont neufs et voyants. Ils empestent l'amidon. Les couleurs en sont trop vives. Je vous prêterai une de mes vieilles sahariennes.»

L'acteur cessa aussitôt de sourire. Ses traits se figèrent. La jovialité fut remplacée par le rictus du garde-chiourme.

«Eh! Mec, aboya-t-il, vous déconnez? Vous savez combien coûtent ces frusques chez Saks, sur la Cinquième Avenue? Vous n'imaginez tout de même pas que je vais me laisser filmer affublé d'oripeaux? Merde! Qu'en penserait mon public? Dans tous mes films je suis présenté comme un gentleman aventurier... Vous pigez? Un gen-tle-man... Je dégomme les Négros et les Chinetoques sans jamais froisser ma cravate. Pas question que je me déguise en émigré mexicain. C'est moi qui raque la note de cette expédition à la con, alors on fera à ma manière, okay?»

Russel serra les mâchoires à s'en péter les dents de sagesse. Il crut, l'espace d'une seconde, que son verre allait éclater entre ses doigts. Encore une fois, Tracy sauva la situation en détournant la conversation. Il en fut agacé. Quelque chose en lui exigeait un éclat, une querelle qui se viderait à coups de poing ou de crosse. Une envie soudaine de meurtre. Un besoin de précipiter une catastrophe qu'il devinait inévitable. C'était un jour rouge, avait dit Diolo, un jour-de-sang. Des forces mauvaises étaient à l'œuvre. De mauvais génies de la forêt ayant refusé de se rendormir au lever du jour.

«Bon, on se calme, soupira l'acteur dans un effort de diplomatie qui, manifestement, lui coûtait.

50

Vous n'avez pas quelques bonnes histoires vécues à nous raconter? Des trucs dingues que je pourrais sortir à Los Angeles, dans les dîners officiels? Merde, je ne sais pas moi. Des histoires de gorilles enlevant des paysannes pour les violer? Ou d'enfants allaités par des lionnes et qui, après, deviennent cannibales? Il doit bien se passer des trucs marrants dans ce bled, non?

— Si on allait plutôt examiner vos armes?» proposa Russel en se levant si brusquement qu'il faillit renverser la table.

Gerrick capitula de mauvaise grâce.

Comme Russel s'y attendait, les fusils n'avaient jamais servi et ressemblaient davantage à des bijoux d'orfèvrerie qu'à des armes sérieuses.

«Vous avez vu? triompha Otmar, sur chaque crosse j'ai fait graver une scène d'action tirée de l'un de mes films. C'est moi, là... vous voyez? C'est vachement ressemblant, hein? Sur cette crosse c'est *Nuit sanglante à Maracaibo*, sur celle-là c'est *La jonque des mille péchés*, et là *La princesse de l'opium*. Super, hein?

— Super, grogna Russel, mais si vous n'avez jamais essayé ces pétoires de luxe, vous allez audevant de mauvaises surprises. Surtout lorsque vous vous retrouverez en face d'un léopard.

— Allez, mec! s'esclaffa le comédien. Un léopard c'est jamais qu'un gros chat. Des chats, j'en ai flingué des dizaines quand j'étais gosse, et avec un simple lance-pierre! Me fais pas ton cinéma, je ne suis pas du genre impressionnable. Je suis beaucoup plus inquiet en ce qui concerne le reportage. La moisissure risque pas de bouffer les caméras ? Il fait tellement humide dans ce pays de chiotte ! »

Russel décida d'en rester là. Il avait déjà eu affaire à des clients difficiles, mais celui-là battait les records.

Le déjeuner se déroula moins mal que prévu car Gerrick, qui n'avait cessé de boire depuis son arrivée, était déjà fin saoul. À plusieurs reprises il essaya de peloter Tracy au passage, mais la jeune femme se déroba avec souplesse, et sans faire d'esclandre, en infirmière-major habituée aux privautés masculines.

« Bordel, finit par grogner l'acteur, y'a pas moyen de se dégotter une petite chatte pour se meubler la sieste dans ce bled ? J'veux dire une Blanche, pas une moricaude ? Merde, j'pensais que c'était prévu dans le programme... Faudra me corriger ça, hein ? Rus... Russel. »

Le photographe et le cameraman se chargèrent de le transporter dans le bungalow réservé aux clients, puis revinrent s'excuser auprès de Tracy.

« Il ne faut pas lui en vouloir, plaida le cameraman qui se prénommait Bud. Il en fait des tonnes, mais c'est parce qu'il a peur.

— Peur des fauves ? s'étonna Russel. Tout le monde a peur des fauves, c'est une réaction normale. Il serait stupide de les sous-estimer. Ce n'est pas une excuse pour se conduire comme un porc.

— D'accord avec vous, fit Bud en baissant les yeux. Mais il traverse une mauvaise passe. Il vieillit, il a grossi. Son dernier film est directement sorti dans le circuit vidéo. Il veut prouver qu'il est toujours capable de jouer les héros.

— On verra ça demain», ricana méchamment Russel.

6. Les charmes de la savane

«Ne t'acharne pas sur lui, conseilla Tracy alors qu'elle soulevait la moustiquaire pour s'étendre aux côtés de Russel à l'heure de la sieste. Tu n'es pas dans un bon jour, je le sens. Diolo te déconseillerait d'aller chasser. Il dirait que les animaux entendront tes pensées et flaireront l'odeur de ta colère à cent pas.

— Gerrick est un con, gronda Russel.

— Je sais. Mais c'est grâce à lui que tu toucheras un salaire ce mois-ci. Essaye de ne pas l'humilier, c'est tout. Fais comme tu en as l'habitude. Synchronise ton coup de feu avec le sien pour lui laisser croire qu'il a abattu son animal. Tu sais très bien faire ça, je t'ai vu. Les deux détonations se confondent et le client ne s'en rend pas compte. Fais ça. Dans quelques jours ce ne sera plus qu'un mauvais souvenir.

— Je sais.»

Seulement vêtue d'une mince combinaison sous laquelle elle était nue, Tracy s'allongea, mais Russel ne se rapprocha pas. Buté, il demeura sur le dos, à fixer les pales du ventilateur qui brassait l'air brûlant au plafond. Un mauvais jour, un jour-de-sang... La jeune femme garda longtemps les yeux ouverts, fixant le plafond. Elle n'aimait pas les contractions qui lui tenaillaient le plexus. Elle avait éprouvé les mêmes la veille de la déplorable attaque de la Task Force Rangers sur Mogadiscio.

Gerrick ne parut pas au repas du soir. Bud annonça qu'il cuvait une cuite magistrale.

«Ne croyez-vous pas qu'il serait préférable d'annuler la sortie de demain? proposa Tracy.

— Cela ne servirait à rien, soupira le cameraman. De toute manière il sera saoul tous les jours jusqu'à notre départ. C'est pareil à Hong Kong, chaque fois qu'il doit exécuter une cascade. Il passe la nuit à vomir.

— Oui, admit la jeune femme, mais il la fait tout de même, non?

— Pas toujours, avoua Bud avec gêne. On doit le doubler de plus en plus fréquemment pour les scènes de combat car il n'arrive plus à lever la jambe. Un comble pour un ancien champion de karaté, mais ça doit rester secret. En réalité, Otmar est complexé de n'avoir pas participé à "Tempête du Désert". Il affirmait vouloir s'engager, mais à chaque fois il renonçait à la dernière minute. Vous savez, ils sont plusieurs dans le même cas. Des super-héros de cinéma qui, dans la vie réelle, sont de vrais trouillards. Je pourrais vous citer des noms qui vous étonneraient. Leur grande terreur, c'est que ça finisse par se savoir. »

Le lendemain, quand Gerrick se présenta au breakfast, il était livide, des cernes violacés sous les yeux. Étrangement silencieux, il se força à avaler une tasse de café qu'il eut le plus grand mal à ne pas rendre. Il répandait une odeur aigre.

« Je devrais peut-être vous accompagner ? » proposa Tracy, prévoyant un incident.

Russel refusa. La jeune femme était bon fusil, mais il se méfiait de Gerrick. Rien de plus dangereux qu'un chasseur qui perd son sang-froid et se met à canarder tous azimuts. Il se demanda s'il ne ferait pas mieux de glisser un comprimé de somnifère dans le café du comédien, et de le laisser roupiller sur la banquette arrière de la jeep. Son sens du devoir l'en dissuada.

La traque débuta mal. Gerrick exigeait de tirer les bêtes depuis le véhicule, sans jamais mettre pied à terre, ce qui était contraire à l'éthique.

« Si vous étiez à cheval ce serait concevable, tenta de lui expliquer Russel, mais pas dans une jeep. »

De toute manière cela n'avait pas grande importance car l'acteur ratait les cibles les plus évidentes. Ayant mal épaulé son arme, le recul l'envoya sur le cul. Il eut si mal qu'on crut un instant qu'il s'était brisé la clavicule. Russel étouffa un juron de déception en constatant qu'il n'en était rien. Une fracture aurait résolu le problème.

Pendant une heure, Gerrick gaspilla ses munitions, mettant en fuite la faune à deux lieues à la ronde. La honte le dégrisant, il devint la proie d'une colère qui ne tarda pas à se muer en rage aveugle.

«Ne filmez pas ça! Pauvres connards!» ne cessait-il de hurler au cameraman et au photographe qui, en dépit des cahots, essayaient d'enregistrer ses exploits.

«C'est pas grave, plaida Bud, on se débrouillera au montage. J'ai deux ou trois plans qui font illusion.»

Sans l'intervention de Russel, Gerrick, humilié, lui aurait fait sauter les dents à coups de crosse.

On fit une pause à midi, en bordure de la savane, dans cette herbe à éléphant qui vous cisaillait la peau des mollets si l'on n'y prenait pas garde. Les hommes mangèrent en silence, dans une atmosphère détestable où bourdonnaient un million de mouches.

«L'est mauvais comme un cochon sauvage, souffla Diolo à l'adresse de Russel. Faut faire attention, Bwana. Il t'aime pas, ça sent la fourberie aussi fort qu'une bouse fraîche de rhinocéros, vrai de vrai.»

Alors qu'ils se préparaient à regagner le véhicule, le repas terminé, Diolo repéra un lion à crinière noire, à trois cents mètres au nord. Un jeune mâle en maraude et que n'accompagnait aucune femelle. L'animal lui parut nerveux. Il dégageait une odeur puissante. Ses gonades, énormes, indiquaient qu'il était en rut, donc au plus haut seuil de l'excitation.

«Il me le faut! décréta l'acteur qui puait le whisky. Démerdez-vous, mais il faut que je le flingue... après on rentrera. J'en ai plein le cul de cette mascarade. Faut vraiment être taré pour prendre son pied à flinguer ces bestiaux.»

Cette fois, dopé par l'alcool, il accepta de continuer la progression à pied. Russel lui emboîta le pas, l'arme bien en main. C'était la minute de vérité. Le lion pouvait fuir ou charger, selon son humeur du moment. S'il avait faim, il attaquerait. Cela se produisait avec les jeunes à qui les vieux mâles ne laissaient rien à manger. Ceinture pour la bouffe, receinture pour l'accès aux femelles, ce n'était pas la vie rêvée. De quoi vous flanquer de mauvaise humeur.

Russel et Diolo se déployèrent de manière à encadrer l'acteur qui, à présent, avançait tête basse, en marmonnant d'inutiles injures, taureau aveugle cherchant un matador introuvable.

Poussé par la faim, ou la rage qu'on ose violer son territoire, le lion vint rapidement au contact. Ils furent presque surpris de le voir surgir des hautes herbes pour s'aplatir sur le sol, le cul relevé, les cuisses vibrantes, selon la technique d'attaque en usage chez les grands félins. C'est alors que, confronté à sa proie, Gerrick céda à la panique la plus abjecte. Lâchant son fusil, il tourna le dos au lion et s'élança en hurlant dans la savane. Comme il n'existe pas de meilleure invite, le fauve s'élança sur ses traces, ignorant Russel et Diolo qui le mettaient en joue. Les deux coups de feu claquèrent avec un synchronisme parfait, et la bête boula, foudroyée en plein élan, le cœur et le cerveau disloqués par l'onde de choc des munitions à haute vélocité.

«Occupe-toi de lui! ordonna Russel au porteur de fusil, moi il faut que je retrouve ce connard de Gerrick avant qu'il ne marche sur un serpent.»

Sans plus attendre, il s'élança dans la travée que l'acteur avait ouverte dans les hautes herbes. La colère faisait battre le sang à ses tempes. Il savait qu'il devait se contrôler et ne pas céder à l'envie de tomber sur le saltimbanque à bras raccourcis.

Où donc était parti se cacher cet abruti? Ne manquait plus qu'il se fasse mordre par une vipère africaine, l'une des plus venimeuses qui soient!

Mais au bout d'une centaine de mètres il se retrouva nez à nez avec un Gerrick suffocant, ruisselant de sueur et bavant d'épuisement. L'homme se tenait immobile, penché, les mains appuyées sur les genoux, et cherchait à reprendre son souffle.

«Venez, fit Russel, conciliant, c'est terminé, vous ne risquez plus rien.»

Gerrick fit un bond en arrière, les yeux fous.

«Me touche pas, salopard! hurla-t-il. Tu as eu ce que tu voulais, hein? Tu m'as ridiculisé! Je suis sûr qu'on t'a payé pour ça... Qui, hein? Qui? C'est les mecs de l'assurance, pas vrai? Ils veulent m'éjecter.

— Calmez-vous, fit Russel sur un ton apaisant. Personne n'en saura rien. Il suffira d'exposer la pellicule au grand jour. Rien de plus facile.»

Mais l'autre n'écoutait rien. Brusquement, il plongea la main sous sa saharienne et l'en retira crispée sur la crosse d'un calibre .45. L'automatique indémodable de l'US Army.

«Je vais te tuer, salaud, éructa-t-il. Le seul vrai fauve ici, c'est toi. Une bête nuisible, ouais...»

Russel, figé, lut dans les yeux du comédien qu'il allait bel et bien tirer. Le type avait perdu la boule. Les mots qui sortaient de sa bouche semblaient extraits des dialogues à chier dont il avait si longtemps fait son ordinaire.

Il restait encore une cartouche dans le fusil que Russel tenait à la main, mais il était hors de question de l'utiliser. S'il abattait Gerrick, jamais il ne pourrait prouver qu'il avait agi en état de légitime défense.

Déjà, le pouce de l'acteur ramenait le chien en arrière, son index cherchait la détente...

C'est à cette seconde que les deux lionnes, dont personne n'avait soupçonné la présence, jaillirent de la végétation.

La première arracha la tête d'Otmar Gerrick, la deuxième se chargea du bras qui tenait le pistolet, qu'elle sectionna au défaut de l'épaule, d'un simple coup de dent.

Russel fut aveuglé par le jaillissement des hémorragies mais les lionnes, qui festoyaient déjà, ne lui prêtèrent aucune attention. Elles avaient fait leur marché, le reste ne comptait plus.

Diolo avait vu juste. Un mauvais jour, un jour-de-sang. Mais Diolo était sorcier, pas vrai?

7. Costume cravate et serviette de cuir noir

Ni Tracy ni Russel ne s'attendaient à ce qui suivit. Dès que la mort d'Otmar Gerrick fut connue, les médias se déchaînèrent. L'acteur – que la plupart des pisse-copie considéraient jusque-là comme un has been voué aux films de baston – fut du jour au lendemain hissé au pinacle. Des critiques cinématographiques qui, un mois auparavant, le descendaient en flammes accouchèrent d'éloges nécrologiques improbables. Partout il ne fut plus question que de la disparition tragique d'une étoile majeure du grand écran, d'un homme dont le talent avait contribué à forger la réputation d'excellence du 7e art américain dans ce qu'il avait de plus populaire. Qu'importe après tout si ces films avaient été tournés à Hong Kong avec un financement 100% asiatique, pas vrai?

Comme il fallait s'y attendre, Russel fut harcelé, tant par la police que par la presse. Des accusations de négligence furent proférées. Il ne se passait pas un jour sans que l'avion-taxi ne vomisse sur le tarmac une nouvelle cargaison de journalistes en quête de sensationnel. Ils exigèrent que Diolo les menât sur les lieux du drame. Le carré de terre bruni par l'hémorragie de Gerrick fut photographié des centaines de fois. Certains, déçus de voir que les récentes pluies avaient lavé le sang répandu, s'empressaient d'asperger les hautes herbes de peinture rouge avant de les «shooter» sous tous les angles.

Des enquêteurs, détachés de Nairobi, ordonnèrent une reconstitution. Ils ne cachèrent pas leur scepticisme quand Russel leur expliqua que Gerrick, cédant à la panique, s'était littéralement jeté dans la gueule des lionnes. Tous étaient d'ardents fans de l'acteur et refusaient d'admettre qu'il ait pu se comporter en lâche. La version du principal témoin leur paraissait inacceptable, voire carrément mensongère. Le doute s'installa. On accusa Russel de négligence. Diolo subit un interrogatoire musclé au cours duquel on l'encouragea à charger son patron. Il s'y refusa en dépit des menaces dont il fut l'objet. Diolo avait tenu tête aux hommes-léopards; de pâles flicaillons avaient peu de chance de l'intimider.

Le dossier embarrassait les autorités qui subirent, elles aussi, des pressions. On édulcora le rapport d'enquête, caviardant tout ce qui pouvait laisser entendre que Otmar Gerrick avait fait dans son froc et perdu les pédales.

Hélas, blanchi aux yeux de la police, Russel ne l'était pas pour les organisateurs de safaris.

Des rumeurs d'alcoolisme gangrenèrent le milieu des chasseurs de gros gibier. On se plaisait à chuchoter que Russel «n'était plus, depuis longtemps, à la hauteur de sa réputation», et que mieux valait éviter de l'engager si l'on ne voulait pas finir comme le pauvre Gerrick, dévoré vif pendant que Russel, saoul comme une bourrique, cuvait son gin à l'arrière de sa jeep.

L'agence des ROUGH GUYS' SAFARIS fit savoir à l'intéressé qu'en raison du préjudice causé au bon renom de la firme, il était mis en disponibilité sans solde et devait, dans les plus brefs délais, vider les lieux afin que son remplaçant prenne le relais et assure la continuité des engagements. On le priait de faire connaître sa nouvelle adresse pour qu'on lui communique la décision définitive de la direction. Néanmoins, on lui suggérait qu'il serait sans doute prudent qu'il cherchât sans attendre un autre emploi, les retombées médiatiques étant, en ce qui le concernait, par trop négatives.

Russel fut assommé par ce coup du sort. Tracy dut prendre les choses en main et emballer à la hâte leurs maigres possessions. Diolo vint l'aider, et lui annonça tout de go qu'il les accompagnerait dans leur exil car il se refusait à travailler pour le remplaçant du Bwana. Il affirma connaître des gens à Nairobi qui pourraient les dépanner. Tracy accueillit cette proposition avec soulagement car elle détectait chez Russel les symptômes de cette apathie propre aux soldats traumatisés par les bombardements. Sourd à l'appel de son nom, il demeurait du matin au soir effondré sur son rocking-chair à fixer le vol des vautours au-dessus de la savane. Occupation débilitante s'il en est. Le seul aspect positif, c'est qu'il n'avait pas encore commencé à pisser dans son pantalon, comme le faisaient les « choqués » des hôpitaux militaires où Tracy avait servi.

Elle comprenait que Russel s'estimât victime d'une injustice flagrante, mais il ne servait à rien de se lamenter. Mieux valait trouver le moyen de rebondir avant que leurs économies ne s'évaporent. Au pire, une fois à Nairobi, elle pourrait se faire engager comme infirmière dans un dispensaire. La main-d'œuvre qualifiée était rare, et elle ne doutait pas d'être experte dans sa partie; elle avait rafistolé assez de soldats moribonds pour s'en persuader.

L'avenir était sombre, et l'examen du carnet de banque de Russel ne contribuait en rien à la rassurer. Les prix pratiqués dans la brousse et en ville n'étaient nullement comparables. Elle n'ignorait pas que Russel avait épargné une partie de son salaire dans l'espoir de s'établir armurier lorsque sonnerait l'heure de la retraite. Hélas, les calculs auxquels elle se livrait depuis l'annonce officielle de leur disgrâce tendaient à prouver qu'il s'était montré exagérément optimiste. Par ailleurs, qui accepterait de confier une boutique remplie d'armes mortelles à un ex-chasseur réputé alcoolique?

Non, tout cela ne tenait pas debout. Elle craignait que Russel, à bout de ressources, ne se retrouve entraîné dans l'un de ces trafics qui pullulaient au cœur des centres urbains, et pour lesquels s'entretuaient régulièrement trafiquants blancs ou noirs. En outre, elle était d'ores et déjà certaine qu'il ne supporterait pas la vie citadine. Le bruit, la promiscuité, l'étroitesse des rues, l'entassement le plongeraient dans la plus noire des dépressions.

Elle tentait de se rassurer en se répétant que Nairobi ne serait qu'une étape vers... autre part. Diolo l'y encourageait.

Les villageois, inquiets à l'idée du changement, leur offraient des fruits, des talismans censés éloigner les mauvais esprits. Tout cela, répétaient-ils, résultait de la malédiction que l'éléphant fou avait jeté sur eux avant de mourir. Bwana Russel payait, aujourd'hui, le prix de ce lâche assassinat.

«C'est normal, renchérissait Diolo. Les éléphants, ils acceptent d'être tués par les Nègres, à la loyale, avec des flèches ou des sagaies, pour eux c'est normal qu'on s'assassine entre gens du même pays. Mais ce qui les agace, c'est que les Blancs – qui n'ont rien à faire en Afrique – viennent les tuer au moyen des méchants petits insectes de fer qui sortent de ces sarbacanes qu'ils nomment fusils.»

Un matin, alors que le jour se levait à peine, l'avion-taxi se posa sur le tarmac. Tracy, nerveuse, se demanda quelle mauvaise nouvelle il apportait encore.

Un quinquagénaire au crâne dégarni en descendit. Il était vêtu d'un costume en toile «tropicalisée», le col de chemise fermé par une cravate, détail pour le moins étrange sous ces latitudes. Il tenait à la main un porte-documents en cuir noir, aussi fatigué que son visage. D'un pas décidé, il s'avança vers le bungalow. Il avait une tête d'homme de loi ou de pasteur prédisposé aux anathèmes, et Tracy sentit son estomac se contracter.

Toutefois, lorsqu'il ne fut plus qu'à cinq mètres de la véranda, il se mit à sourire. Un sourire qui provoqua une secousse sismique dans le réseau de rides ravinant ses traits.

«Mes respects, Madame, fit-il de cette voix bien timbrée propre aux individus issus d'une grande école et ayant l'habitude de prendre la parole en public. Je m'appelle Ernest Edgar Lofton, je suis avocat. J'arrive de New York, porteur d'une proposition qui pourrait résoudre vos problèmes actuels. Puis-je entrer ? »

Tracy s'effaça en lâchant une excuse en rapport avec le désordre du déménagement en cours.

« Ne vous inquiétez pas, lança E.E. Lofton. Si nous parvenons à un accord, j'enverrai mes gens se charger de tout, et ce n'est pas pour Nairobi que vous déménagerez mais bel et bien pour New York. Pouvez-vous prévenir Monsieur Russel Swanson de mon arrivée ? Si vous n'y voyez pas d'inconvénient, je vais m'installer à cette table et déballer mes papiers ; prenez votre temps. L'avion-taxi ne repassera qu'en fin d'après-midi. »

Interdite, Tracy s'éclipsa pour aller chercher Russel qui, comme d'habitude, était vautré dans son rocking-chair avec une barbe de quatre jours, puant la sueur.

Elle éprouva quelque difficulté à le secouer. Il n'avait pas changé de vêtements depuis l'annonce de son licenciement et cela se voyait. Faisant un détour par la cuisine, Tracy le força à avaler une tasse de café noir et lui passa un torchon mouillé sur la figure. Les poils de sa barbe crissèrent sur l'étoffe. Il accepta enfin de gagner le salon d'une démarche de somnambule. Là, elle fit les présentations et posa sur la table un pichet de citronnade. Russel, hagard, semblait avoir été piqué par un million de mouches tsé-tsé. L'avocat feignit de ne pas le remarquer.

« Je représente la compagnie d'aviation Hofcraft, dit-il en adoptant un ton officiel. Plus précisément

Adriana Hofcraft, présidente par intérim de ladite compagnie, et je suis porteur d'une proposition d'engagement.

— Moi? bougonna Russel. Mais je ne suis pas pilote...

— Il ne s'agit pas de ça. Vous seriez engagé pour une durée indéterminée en tant qu'enquêteur.

— Je ne suis pas davantage flic.

— Je le sais aussi. Mais nous avons préféré le mot "enquêteur" à celui de "pisteur". Votre travail consisterait à retrouver quelqu'un qui s'est perdu dans la jungle. Au Congo-Kinshasa plus précisément. À la suite du crash de son appareil.

— Ah! Vous voulez que j'organise une expédition de secours?

— Plus ou moins... L'affaire devra être menée avec une extrême discrétion. Je ne vous cache pas que cette mission peut durer plusieurs mois. Il vous faut d'ores et déjà l'envisager comme un travail à long terme. Un travail de... détective, si l'on peut dire. Vous avez la réputation d'être un pisteur émérite, c'est pour cette raison que vous avez été choisi. Quant à Miss Morgan, nous savons qu'elle s'est illustrée en tant qu'infirmière durant les récents conflits, or il se pourrait que la personne à récupérer ait besoin de soins médicaux, c'est pourquoi cet engagement la concerne également. Nous cherchons à constituer une équipe solide, discrète et efficace afin d'éviter toute publicité autour de cette affaire.

— Pourquoi? intervint Tracy. Qui est ce naufragé?»

L'avocat prit une inspiration, et, au terme d'une brève hésitation, révéla :

« Il s'agit d'Edmund Hofcraft, magnat de l'aéronautique, fondateur et propriétaire de la compagnie du même nom. Plusieurs fois milliardaire en dollars. Il a disparu alors qu'il survolait la jungle congolaise dans son avion personnel. En dépit de recherches de grande ampleur on n'a pas retrouvé l'appareil. Sa fille, Adriana, reste persuadée qu'il est toujours vivant, mais prisonnier de la forêt. Peut-être amnésique à la suite d'une blessure à la tête... Il ne m'appartient pas de discuter cette opinion. Crédible ou non, ce n'est pas mon affaire. Quoi qu'il en soit, ma cliente s'accroche à cette idée et tient à tout tenter pour retrouver son père. Des proches lui ont vanté vos mérites de pisteur. Elle estime que si quelqu'un est en mesure de mener cette mission à bien, c'est vous.

» Si l'affaire vous intéresse, j'organiserai votre transfert à New York. La compagnie prendra en charge tous vos frais. Quant à vos émoluments, ils seront conséquents, n'en doutez pas.

— Et si nous échouons ? demanda Tracy. Si nous revenons bredouilles ?

— C'est prévu. Lorsque Adriana Hofcraft décidera de mettre un terme aux recherches, la compagnie vous offrira le commerce de votre choix et vous y installera en tant que propriétaire des lieux, que ce soit à New York ou ailleurs. Nous examinerons avec vous les termes du contrat, soyez rassurés, mais le plus important, c'est que vous rencontriez Adriana au plus vite. Elle vous exposera tout ce que vous devez savoir. Elle est impatiente que les recherches reprennent au plus vite. Son père et elle sont très liés. »

Les trois heures qui suivirent furent employées à l'examen du contrat d'embauche.

Tracy exigea que Diolo y figure et soit lui aussi rémunéré en tant qu'éclaireur. Après tout, n'était-il pas le seul Congolais de l'équipe? L'avocat ne fit aucune objection.

«Vous pouvez signer sans crainte, conclut-il une fois qu'ils furent arrivés au terme de leur lecture. Comme le précise l'article 57, vous disposez d'un droit de rétractation de dix jours. Si, après avoir rencontré Adriana Hofcraft, vous décidiez de renoncer à l'entreprise, nous annulerions l'accord sans problème et vous seriez rapatriés au Kenya à nos frais.»

«Pour y crever de faim…», songea Tracy qui se savait d'ores et déjà prise au piège.

Ils signèrent. Avaient-ils le choix?

Russel semblait perdu mais s'appliquait à faire bonne figure. Il n'avait jamais participé à une mission de sauvetage. D'autre part, il ignorait tout de la jungle congolaise qu'on disait aussi impénétrable que l'Amazonie, et regorgeant de dangers. Son territoire d'élection était depuis toujours la savane dont il connaissait le moindre trou de serpent.

Tracy essaya d'obtenir des précisions sur l'accident dont Edmund Hofcraft avait été victime, mais l'avocat se déroba, arguant que seule Adriana serait en mesure de leur communiquer les détails auxquels lui-même n'avait pas accès.

La jeune femme s'avoua vaincue, mais les réticences de l'homme de loi lui parurent suspectes. Le secret entourant la disparition du magnat de l'aviation semblait dépasser le cadre de la simple intervention de sauvetage.

Lofton les avertit qu'un avion-cargo de la compagnie viendrait les chercher le lendemain pour les transporter à Nairobi. Toutes leurs possessions personnelles seraient entreposées dans un hangar avant qu'ils n'embarquent pour New York. Diolo resterait basé à Nairobi, où il serait chargé de la logistique. Il disposerait d'un crédit pour l'achat du matériel adéquat. Il n'était pas question de lésiner sur la qualité. Néanmoins, il ne devrait jamais révéler le véritable but de l'expédition. Officiellement, Russel serait chargé de véhiculer un groupe d'archéologues à la recherche des ruines d'une cité mythique avalée par la jungle. Les tentatives de ce genre étaient fréquentes. De doux rêveurs bardés de diplômes s'enfonçaient dans la forêt pour étudier les Pygmées, et n'en revenaient jamais, sans que la marche de l'univers en soit perturbée. Cela se soldait par un entrefilet en cinquième page dans les journaux, puis on n'en parlait plus.

Ce discours achevé, il enfourna ses papiers dans son porte-documents et se leva, pressé de prendre congé. Tracy lui trouva l'air d'un type qui vient de commettre une mauvaise action, le sait, et en a déjà honte.

«Ah! encore une chose, ajouta-t-il en guise d'adieu. On se croirait encore en hiver à New York, vous risquez d'être surpris. Vous trouverez des vêtements chauds dans l'avion, n'hésitez pas à vous en couvrir.»

Sur ce, il quitta le bungalow pour aller s'asseoir dans la guérite, au bord du tarmac, comme si tout contact humain lui était soudain intolérable.

«On devrait peut-être aller lui tenir compagnie, non? s'inquiéta Russel.

— Je crois qu'il n'en a pas envie, répondit Tracy. Ce type est un arnaqueur. J'ignore dans quel merdier nous nous sommes embarqués, mais il faudra se tenir sur nos gardes.

— Je sais, soupira Russel. Mais c'était ça ou mendier au coin des rues à Nairobi. Et puis je ne voulais pas que tu finisses infirmière dans une léproserie. À aucun prix.»

8. Guerre de Troie et bûcher berlinois

Le lendemain matin, comme promis, un avion négocia son atterrissage sur l'humble tarmac du campement. C'était un gros biréacteur des Hofcraft Airways, dont l'empennage s'ornait d'une silhouette de rapace stylisée, vaguement inquiétante parce qu'elle évoquait celle d'un faucon s'apprêtant à fondre sur un pauvre moineau. Mais peut-être était-ce là une façon de rappeler aux voyageurs que la firme construisait également des appareils militaires, chasseurs et bombardiers lourds? Quand on a apporté sa contribution à plusieurs guerres réputées victorieuses, pourquoi se priver des plus-values qu'elles ont générées?

Six hommes en descendirent, vêtus de combinaisons bleu marine et de casquettes à longue visière. Polis mais taciturnes, ils s'employèrent à charger les caisses du déménagement dans la soute. Tracy nota qu'ils portaient tous un colt Sig à la hanche, et jugea cela étrange. Pourquoi étaient-ils ainsi équipés ? Croyaient-ils qu'au Kenya chaque fourré abritait un lion mangeur d'hommes ?

Alors qu'elle s'avançait vers la passerelle d'embarquement, elle constata qu'elle n'éprouvait aucune nostalgie à la perspective de quitter le bungalow. La guerre avait fait d'elle une nomade habituée à passer d'un campement à un autre. Les souvenirs qu'elle abandonnait ici n'étaient ni bons ni mauvais. En vérité, depuis son arrivée, elle avait eu l'impression de se ronger les ongles dans une salle d'attente. En transit. L'avion imaginaire qu'elle espérait depuis trois ans venait enfin la chercher. Une page se tournait, à sa grande satisfaction. Il n'en allait pas de même pour Russel qui traînait les pieds et ne cessait de regarder par-dessus son épaule en direction de la maison.

« Arrête, lui ordonna-t-elle, tu sais bien qu'on ne reviendra jamais. »

Il l'agaçait avec ses états d'âme, car cette foutue baraque n'avait jamais été la maison du bonheur.

La cabine était déserte, les sièges vides de tout passager. L'un des hommes en combinaison bleue leur ordonna de prendre place et de boucler leurs ceintures. Son ton était froid, autoritaire, d'une politesse de chirurgien. Comme le voyage s'annonçait fort long, il leur montra comment basculer les

71

fauteuils en position couchette, puis leur proposa un somnifère qu'ils refusèrent. Son attitude rappelait à Tracy celle des commandos d'élite qu'elle avait côtoyés durant le conflit. Les Navy Seals, notamment. Agissaient-ils ici en tant que gardes du corps ? Et pourquoi un tel luxe de précautions ?

Les moteurs grondèrent, puis l'avion, arrivé au bout de la piste un poil trop courte, s'arracha du sol *in extremis*. Aucune hôtesse ne leur proposa de rafraîchissements ni ne leur distribua de revues.

Pendant une heure ils demeurèrent figés, mal à l'aise, n'osant ouvrir la bouche.

Ce fut le début d'un long calvaire car ils restèrent quarante heures prisonniers de l'appareil qui, de temps à autre, se posait pour une escale technique.

Quand Russel émit l'idée de profiter qu'on fît le plein des réservoirs pour se dégourdir les jambes, ils furent refoulés par les hommes en combinaison bleue.

«Désolé, décréta sans ambages celui qui semblait les commander, mais vous ne devez pas quitter l'appareil. Nous sommes là pour assurer votre sécurité, et le confinement en fait partie.»

Tracy, soucieuse d'éviter un esclandre, s'interposa. Chaque fois qu'elle s'était penchée au hublot, elle avait constaté que le bimoteur évitait les aéroports officiels. Les tarmacs utilisés évoquaient des terrains militaires abandonnés... ou clandestins. Ils se réduisaient à deux hangars anonymes et à un camion-citerne dépourvu du moindre signe d'identification.

L'un des gardes du corps leur remit un panier contenant des sandwiches jambon-cheddar, une thermos de café, des bouteilles de root-beer, des comics ainsi que des cigarettes et un flacon de cognac trois étoiles.

«Ne le prenez pas mal, fit l'homme avec un sourire contrit parfaitement imité. On ne fait qu'obéir aux ordres, c'est pour votre bien. La patronne ne rigole pas avec la discipline, faudra vous y habituer.»

Tracy estima que cette ébauche de complicité relevait de la manipulation psychologique, mais préféra taire cette opinion car elle sentait Russel à cran. Habitué à être obéi de ses porteurs, il supportait mal d'être soumis à une quelconque autorité.

N'empêche, ce voyage prenait un tour bizarre. Plus les heures s'écoulaient, plus elle se sentait dans la peau d'une espionne exfiltrée en secret.

Après avoir mangé ils sombrèrent dans le sommeil avec un ensemble parfait, et elle comprit qu'on les avait drogués pour les tenir tranquilles.

Elle reprit conscience sept heures plus tard, torturée par une affreuse envie d'uriner.

De sévères turbulences secouant l'avion, elle dut se cramponner aux dossiers des sièges pour gagner les toilettes. Les hublots étaient noirs. Il faisait nuit, seule une veilleuse verdâtre éclairait encore la cabine.

Lorsqu'elle écarta le rideau séparant la première classe de la seconde, elle vit les hommes en bleu, installés à l'arrière, qui jouaient aux cartes en fumant. Elle repéra également deux fusils d'assaut posés sur un siège, près d'une pile de chargeurs.

Elle recula. Dans quoi s'étaient-ils embarqués?

La suite du voyage se déroula selon le même scénario. Parfois l'avion restait plusieurs heures au sol; le pilote échangeant par-delà les ondes des messages codés avec un mystérieux interlocuteur.

Russel paraissait en avoir pris son parti et, renouant avec sa légendaire patience de chasseur, s'était abîmé dans une méditation dont Tracy ne voulait rien savoir.

Enfin, le chef du groupe vint leur annoncer que leur calvaire touchait à sa fin. Dans trois heures, ils se poseraient sur un aérodrome privé, dans la banlieue new-yorkaise. Il neigeait. Au sol la température frisait les quinze degrés au-dessous de zéro. Pour des personnes arrivant en droite ligne de la savane, le choc thermique serait terrible. On allait donc leur distribuer des vêtements chauds. Ils ne devaient pas hésiter à se couvrir.

Puis le train d'atterrissage heurta la piste verglacée.

Le vent glacial suffoqua Tracy. Elle avait oublié qu'il pouvait faire aussi froid. Pendant trois secondes, elle se figea le souffle coupé, les poumons gelés, des aiguilles de glace piquées dans les joues. Derrière elle, Russel lâcha un juron. La nuit et la neige gommaient le paysage. On ne distinguait que des volutes de flocons qui tourbillonnaient dans le vent en hululant tels des djinns en furie. Le chef des hommes en bleu vint lui prendre la main pour l'aider à descendre. Les marches de la passerelle étaient couvertes de glace. En bas, un gros véhicule aux allures de fourgon blindé les attendait. Ils s'y engouffrèrent avec soulagement.

«Où nous conduisez-vous? grogna Russel dont le nez virait au violet.

— Au siège de la compagnie, répondit l'homme. Un appartement vous y attend. C'est plus sûr qu'un hôtel. De cette manière nous pouvons garantir votre sécurité à 100%. Il faut vous y habituer, Miss Adriana vous considère comme des VIP.»

Ils n'échangèrent plus un mot durant le trajet. Le fourgon, dépourvu de fenêtres, ne permettait pas de voir le paysage.

Le véhicule s'immobilisa devant l'un de ces bâtiments aux allures de citadelle qui sont le péché mignon des capitaines d'industrie new-yorkais. Les hommes en bleu, qui avaient revêtu des parkas polaires, escortèrent les transfuges jusqu'au seuil du hall où ils furent réceptionnés par d'autres gardes du corps en costume trois-pièces anthracite. Tous portaient, sous leur veston, un Sig-Sauer pro dans un holster de cuir. Le hall était bien chauffé mais Tracy, qui claquait des dents, mit un moment à s'en rendre compte. Elle s'étonnait d'avoir pu supporter de tels froids durant la majeure partie de sa vie.

Un énorme avion de chrome stylisé, suspendu à la voûte, tenait lieu de lustre.

Une statue de bronze trônait au fond du hall, au pied de l'escalier à double volée donnant accès aux étages supérieurs. Elle représentait un homme robuste, sorte de Teddy Roosevelt en uniforme de

Rough Riders au lendemain de la bataille de San Juan. Tracy supposa qu'il s'agissait d'Edmund Hofcraft, dieu et père fondateur de la compagnie. Le visage massif, carré, défiait l'univers à la façon d'un catcheur cherchant à intimider son adversaire.

«Bonsoir Miss, dit l'un des gorilles dont les cheveux ultracourts avaient la même couleur que la neige recouvrant les trottoirs. Je suis Barney Lovatt. Je serai chargé de votre sécurité durant votre séjour au Hofcraft Building. Si vous voulez me suivre, je vous guiderai jusqu'à vos appartements.»

Il avait la trogne recuite d'un ex-sergent des Marines. Un moignon cartilagineux remplaçait son oreille gauche.

Tracy acquiesça, les quarante heures de vol l'avaient laminée. Elle ne désirait qu'une chose : s'immerger dans une baignoire d'eau brûlante en sirotant un cognac.

L'ascenseur les propulsa au trentième étage. Ils débarquèrent dans un interminable couloir désert, aux portes numérotées et closes. Un silence impressionnant pesait sur les lieux. C'était là quelque chose de nouveau pour Russel car la jungle ne se tait jamais... ou, lorsqu'elle le fait, c'est en prélude à une catastrophe imminente.

Barney libéra l'un des battants au moyen d'une carte magnétique, puis les pria de franchir le seuil d'un appartement immense au luxe ostentatoire. Leur désignant un téléphone blanc, il leur indiqua qu'ils pouvaient l'utiliser pour se faire apporter ce dont ils auraient besoin : nourriture, boissons, vêtements ou autres. N'ayant plus rien à ajouter, il se retira sans bruit et fut avalé par la cabine de l'ascenseur.

Russel se planta devant la baie vitrée qui, de toute évidence, était à l'épreuve des balles. Il regardait, à travers les volutes de neige, les buildings se dressant sur l'autre versant de la rue.

«On dirait des termitières, ricana-t-il sottement. Des termitières géantes, ça doit puer là-dedans, le vent n'y entre jamais. Des centaines et des centaines de gens y habitent, quand ils se mettent tous à péter, je te dis pas l'odeur !»

Il pouffa d'un rire nerveux. Il paraissait soudain désemparé, puéril.

Tracy ouvrit le bar, s'empara d'un flacon de Pappy Van Winkle, remplit deux verres. La fatigue lui rendait toute réflexion pénible. Ses pensées, à peine formulées, coulaient dans les abysses d'un océan de bouillie de manioc.

Elle s'affaissa dans un fauteuil et ferma les yeux pour siroter l'alcool hors de prix qu'elle réchauffait entre ses paumes.

«Bon, se dit-elle. On y est. Quand va-t-on nous présenter l'addition ?»

Comme de coutume elle rêva des hélicoptères en perdition, puis de l'éléphant-prophète.

Lorsqu'elle s'éveilla, trois heures plus tard, elle s'aperçut qu'elle s'était endormie sur l'immense canapé de cuir blanc, encore vêtue de ses sous-vêtements et de sa combinaison. Une migraine atroce lui martelait les tempes. Une chaleur étouffante régnait dans le salon. Elle se redressa avec précaution. Elle se sentait moite, sale... et totalement déplacée dans cet appartement d'un luxe inouï.

Elle prit soudain conscience que la porte donnant sur le couloir était grande ouverte. Russel, vêtu de son seul caleçon reprisé, se tenait debout au seuil dudit couloir, les poings sur les hanches. Inquiète, elle traversa la pièce pour le rejoindre.

«Qu'est-ce que tu fais là? murmura-t-elle.

— J'ai visité tout l'étage, lui répondit-il sans cesser de scruter le fond du corridor, comme si quelque chose allait en surgir.

— Visité?

— Oui, j'ai ouvert toutes les portes. Pour voir. Tous les appartements sont identiques au nôtre. Tous. Et vides. Nous sommes seuls à cet étage. Complètement seuls. Ah! encore un truc: l'ascenseur est verrouillé. On ne peut pas l'appeler. Ce sont les gars du hall qui le contrôlent. En fait, on est tout bonnement prisonniers.»

Tracy poussa un soupir d'exaspération. Elle était trop épuisée pour s'abandonner aux joies égoïstes de la paranoïa.

«Bon, ça suffit, viens te coucher, bâilla-t-elle en tirant Russel par le bras. On y verra plus clair demain.»

Elle s'attendait à plonger dans un sommeil sans fond mais dormit mal, et fit de nouveaux cauchemars où il était question de Blackhawk en flammes.

Elle finit par quitter le lit, s'envelopper dans un peignoir et s'installer sur le canapé. Là, recroquevillée en chien de fusil, elle attendit le lever du jour. La neige recouvrait New York. Dans certaines rues, en raison de ce qu'on nomme « l'effet canyon », le vent atteignait aux proportions d'un ouragan.

Russel s'éveilla maussade. Il fallut l'obliger à se laver, à enfiler des vêtements propres qu'il décréta ridicules.

Dans l'immense penderie, Tracy choisit un tailleur sobre et des talons hauts en se demandant, avec une pointe d'inquiétude, si elle était encore capable de rester en équilibre sur des stilettos.

Enfin, elle décrocha le téléphone et pria qu'on leur monte un breakfast et du café très fort. Elle avait pris goût, en Afrique, au café « tachycardique ».

Navrée, elle découvrit que Russel, en costume trois-pièces-cravate, avait l'air d'un gorille de cirque déguisé. Il était sans doute parvenu à la même conclusion car il affichait une expression de chien battu qui fendait le cœur.

Le téléphone sonna. Barney les prévenait que Adriana Hofcraft les recevrait dans trente minutes.

Une demi-heure plus tard, les nerfs tendus, ils se laissèrent guider à travers un dédale de couloirs déserts jusqu'à un immense bureau encombré de maquettes d'avions disproportionnées et de plans abstrus. Des colonnes doriques soutenaient un plafond couvert de fresques relatant l'histoire de l'aviation, depuis le ptérodactyle jusqu'au bombardier invisible à long rayon d'action. Dans ce décor wagnérien, la femme qui s'avança pour les accueillir paraissait minuscule, comme si l'endroit avait été conçu pour un géant qu'elle n'avait pas la moindre chance de remplacer un jour.

Tracy la trouva d'une beauté sévère. Le genre Junon, épouse de Jupiter, la nana qui n'est pas là pour rigoler. Elle avait tout juste vingt ans – peut-être moins – mais se donnait un mal de chien pour paraître davantage. Les lunettes d'écaille à verres neutres, le chignon et le maquillage y contribuaient férocement.

«Bonjour, dit-elle, je suis Adriana Hofcraft, et je vous remercie d'avoir accepté de traverser la moitié de la planète pour me rencontrer. Prenez place, je vais être très directe car le temps presse. Vous pardonnerez donc ma brutalité.

»Avez-vous entendu parler d'Ernest Schliemann? Non? C'était un personnage curieux. Il a démarré dans la vie en tant qu'employé d'épicerie. Il vendait du poisson fumé, des saucisses, des marteaux, des clous... Mais il avait un sens aigu des affaires et une réelle soif d'aventures. Je vous passe les détails. Il a commencé à spéculer sur l'or, jusqu'à amasser une fortune considérable. Parallèlement, il suivait des cours d'archéologie. Son obsession, c'était la guerre de Troie. Il lisait et relisait L'Iliade jusqu'à connaître le texte par cœur. Il s'est mis en tête de retrouver le site de Troie, en se basant uniquement sur les descriptions données par Homère. Riche, il pouvait s'offrir le luxe d'organiser des fouilles où bon lui chantait. Il a creusé en dépit du bon sens, négligeant d'emblée tout ce qui n'allait pas dans le sens de sa théorie. Pas très scientifique, me direz-vous. C'est vrai, mais il a fini par mettre au jour des antiquités de grande valeur. Ses raisonnements ne tenaient pas debout, mais ils ont néanmoins produit quelque chose de positif...

» Pourquoi suis-je en train de vous parler de lui ? Parce que mon père est en proie à une marotte identique. Il est obsédé par les cités perdues, les ruines mystérieuses. Depuis vingt ans, chaque fois qu'il a le temps, il prend son avion personnel et s'en va survoler la forêt amazonienne dans l'espoir de découvrir un temple aztèque ou maya non répertorié. Cela rendait ma mère folle. Elle tremblait à l'idée qu'il puisse perdre le contrôle de son appareil et s'écraser en pleine jungle. Mais c'est plus fort que lui. Sa bibliothèque déborde d'ouvrages historiques sur les civilisations antiques. Il a dépensé des fortunes pour acheter aux enchères des œuvres d'art précolombiennes qui terrorisaient ma mère par leur laideur... Il est même allé jusqu'à s'offrir une momie qu'il a exposée dans une vitrine, au-dessus de son bureau. Quand j'étais fillette, cette horreur m'amenait au bord de la syncope chaque fois que je l'entrapercevais. Mais c'est son truc... Je suppose que c'est sa façon de lâcher la vapeur, d'oublier les pressions auxquelles il est continuellement soumis. Et puis, il y a un an, cette manie a pris un tour inhabituel... »

Tracy s'ébroua. Perdue dans ses pensées, elle avait cessé d'écouter le discours d'Adriana. Cette dernière s'en était-elle aperçue ? Merde ! Mauvaise élève, elle allait écoper d'un mauvais point.

« J'ai bien vu qu'il était de nouveau surexcité..., poursuivit Adriana. N'ayons pas peur des mots :

qu'il entrait dans une phase maniaque. Bref, ses vieux démons l'avaient repris.

— Vous voulez dire : les cités perdues ? Les pyramides aztèques ?

— Oui, mais cette fois il ne s'agissait plus d'une banale escapade. Le projet avait davantage d'ampleur. Comme je le harcelais, il a fini par me confier qu'il disposait de renseignements confidentiels émanant de vieux espions depuis longtemps à la retraite, d'anciens agents de l'OSS. Des révélations ayant une valeur hautement historique.

— Quel genre de secret ? s'enquit Tracy pour feindre de prêter un quelconque intérêt aux propos de leur hôtesse.

— Selon lui, répondit Adriana, ces informations provenaient d'un dossier secret du IIIe Reich, intitulé Kriegers 3. Elles tendaient à prouver que le fameux suicide d'Adolf Hitler dans les jardins de la chancellerie n'était qu'un leurre destiné à tromper les Alliés. En réalité, le Führer avait été évacué plusieurs mois auparavant, par sous-marin, vers une destination lointaine. »

Cette fois, Tracy dut se mordre la langue pour ne pas laisser échapper un rire nerveux. Elle n'en croyait pas ses oreilles. Mon Dieu ! On leur avait fait traverser la moitié de la planète pour leur servir une histoire à dormir debout ? Une légende vieille de cinquante ans ? Un mythe qui avait, durant des décennies, fait le bonheur des complotistes du monde entier ! C'était à se taper la tête contre les murs ! Une marotte d'homme riche qui aurait mieux fait d'utiliser sa fortune pour venir en aide aux chômeurs américains privés d'aide sociale !

« Mais il est peut-être utile que je vous rappelle les faits ? lança Adriana d'un ton doctoral. Imaginez le tableau : c'est la fin du conflit. Berlin est encerclé par les troupes soviétiques. Tout est perdu. Le 30 avril 1945, Hitler fait savoir à son aide de camp, Otto Günsche, qu'il a pris la décision de se donner la mort, mais qu'il ne supporte pas l'idée que sa dépouille tombe aux mains de l'ennemi et soit profanée. Il exige donc que son corps soit brûlé avant d'être enseveli dans le jardin de la chancellerie. Le même jour, à 15 h 30, il se suicide. L'aide de camp traîne son cadavre dans une fosse qu'il remplit d'essence avant d'y mettre le feu. Le bûcher brûle trois heures... Quand les soldats communistes découvrent la tombe, ils constatent que les débris carbonisés entassés dans la fosse sont inidentifiables, et qu'en réalité, personne ne peut affirmer avec certitude qu'Hitler est bien mort... Au cours des années qui ont suivi, de nombreux agents des services secrets alliés ont émis des doutes identiques. Pour eux, ce bûcher n'était qu'une mise en scène wagnérienne, sortie de l'imagination du Führer, et destinée à nous aiguiller sur une fausse piste. Pour faire court, voilà, en gros, les données du drame...

» Mon père, je l'avoue à contrecœur, est obsédé par ce mystère, comme d'autres le sont par l'identité de Jack l'Éventreur ou celle du véritable assassin de Kennedy. Il s'est toujours montré dubitatif quant au suicide d'Adolf Hitler. L'épisode de l'incinération lui paraît hautement suspect. Aucun cadavre identifiable ! Comme c'est commode ! Au cours des six derniers mois, Daddy n'a cessé de ressasser ce problème.

— C'est alors que quelqu'un lui a mis sous le nez ce foutu plan secret? grommela Russel.

— Oui, soupira Adriana. Tout à coup, le dossier Kriegers 3 éclairait bien des points demeurés en suspens.»

Tracy, pressée d'en finir, lança :

«Vous voulez dire que...

— Oui, trancha son interlocutrice. Selon ces documents, Hitler serait parti se cacher au Congo... Ne faites pas cette tête! Ce n'est pas aussi aberrant que cela paraît. Seuls deux fleuves au monde sont assez profonds pour permettre à un sous-marin de classe militaire de les remonter : l'Amazone et le Congo. Mais l'Afrique constituait la planque idéale parce qu'improbable. Qui oserait imaginer que le Führer, pétri de racisme, obsédé par la pureté aryenne, partirait se cacher "chez les Nègres"! Je vous le demande? Cela confine au génie. Il faut être un foutu stratège pour concevoir un tel plan. L'Afrique! Le territoire des sous-hommes pour tout Aryen qui se respecte!»

Adriana fit une pause le temps de boire un verre d'eau. L'excitation lui avait tatoué deux taches rouges sur les pommettes, cette incongruité donnait l'illusion qu'elle s'était maquillée en dépit du bon sens, comme une racoleuse de bar.

Les paumes de Tracy, devenues moites, collaient au cuir de ses accoudoirs. Quelque chose l'oppressait. Elle aurait aimé ouvrir une fenêtre pour inspirer une grande goulée d'air glacé. Elle aurait donné n'importe quoi pour fuir ce bureau et cette histoire de fou. Le mauvais pressentiment l'assaillait de nouveau, et il s'en fallait de peu pour que ses oreilles s'emplissent du bourdonnement des hélicoptères en péril.

Adriana repoussa brutalement son fauteuil et se mit à arpenter la pièce. Ses gestes étaient plus saccadés à présent; il émanait d'elle quelque chose de mécanique qui laissait présager une crise imminente de haut mal ou d'apoplexie. Tracy se demanda si elle allait s'abattre sur la moquette en bavant, mais rien de tel n'arriva.

«Mon père, dit Adriana d'une voix que la tension faisait trembler, considérait cette hypothèse avec un grand sérieux. C'est pourquoi, repris par sa marotte archéologique, il a commencé à survoler la forêt congolaise qui est immense.

— Qu'espérait-il? demanda Russel. La jungle est un continent à part entière!

— Sa théorie... et je tiens à préciser que je n'y adhère nullement! Sa théorie est que les nazis auraient bâti une base secrète au cœur de la forêt, sur l'un des affluents du grand fleuve. Une base où les nazis disséminés dans le monde entier se seraient peu à peu regroupés en prévision d'une contre-attaque d'envergure. Notamment au moyen d'armes effrayantes qui étaient encore en gestation à la fin de la guerre, mais dont la mise au point n'était plus qu'une question de mois. Depuis Hiroshima, nous savons tous qu'il n'est point besoin d'une immense armée pour remporter une victoire définitive. Il suffit d'un simple avion et d'une bombe à la puissance adéquate. Cette bombe, les États-Unis l'ont fabriquée dans le désert, dans des laboratoires installés au cœur de baraquements délabrés... Pourquoi Hitler n'aurait-il pas fait de même dans la jungle, entouré de savants ravitaillés en matériel par des sous-marins remontant et descendant le fleuve à l'insu de tous? Hein?

— C'est tellement improbable que ça en devient possible, admit Tracy d'une voix mal assurée.

— N'est-ce pas? haleta Adriana.

— C'est bien joli les théories, mais quel est notre rôle dans tout ça? s'impatienta Russel. Je ne suis ni historien ni archéologue. Je monte des safaris, c'est mon seul domaine d'expertise.

— Je pense que mon père a cru découvrir l'emplacement de cette base, mais que son avion est tombé en panne, lâcha Adriana sans tenir compte de l'interruption. Après tout, il s'agissait d'un prototype "invisible" capable d'échapper aux radars les plus pointus. Un appareil ne laissant aucune signature, ni thermique ni magnétique. Et qui dit "prototype" dit engin inachevé. Imparfait.

» Daddy s'est donc crashé quelque part dans la jungle, mais je sens qu'il est toujours en vie. Peut-être est-il blessé, peut-être doit-il se cacher pour échapper aux animaux sauvages qui le traquent... Son appareil est forcément tombé non loin de cette supposée base secrète. Si vous me transmettez ces coordonnées, j'enverrai aussitôt une expédition de secours.»

À cet instant Russel se redressa sur son siège, visiblement irrité.

«Attendez! gronda-t-il, je ne pige pas. Pourquoi n'avez-vous pas commencé par là?

— Je viens de vous l'expliquer, soupira Adriana en ravalant son irritation. Parce que l'épave est indétectable depuis les airs! Elle ne renvoie aucun signal. On ne peut la trouver qu'en quadrillant la forêt à pied, à l'ancienne. Voilà pourquoi je cherche à constituer une équipe privée. Croyez bien que j'ai examiné des montagnes de candidatures, en vain. Et puis un homme de confiance m'a parlé de vous, Russel. LE pisteur par excellence, LE traqueur légendaire célèbre dans tout le Kenya. La réponse vous convient-elle?»

Russel se radoucit, gêné. Il ne s'était jamais douté qu'il jouissait d'une telle réputation. Merde! Et on l'avait quand même viré? La vie était injuste.

Adriana réintégra son fauteuil. La fatigue plombait ses traits.

«Bon, soupira-t-elle, je vous en ai assez dit. Prenez vingt-quatre heures pour réfléchir. Si vous acceptez, je vous ferai rencontrer l'informateur. Je devrais plutôt dire le responsable de tous mes malheurs, le crétin qui a procuré à mon père la copie du dossier *Kriegers 3*. Il vous expliquera l'affaire dans le détail. Je vous préviens qu'il est un peu exalté… et je lui en veux terriblement d'avoir bourré le crâne de Daddy avec ces foutaises, mais il connaît son affaire. C'est un ancien analyste des services secrets de la Navy. Je vous conseille de garder la tête froide et de ne pas vous laisser embobiner à votre tour, car il sait se montrer dangereusement persuasif. Cela dit, j'ai conscience de vous expédier au Congo-Kinshasa au plus mauvais moment. C'est le chaos total là-bas, Mobutu est en fuite et il n'est pas certain que son remplaçant, un certain Kabila, soit capable de mettre un terme au génocide qui a défrayé la chronique ces dernières années.»

Elle consulta sa montre, leur signifiant que l'entretien était terminé.

Alors que Tracy et Russel se dirigeaient vers la sortie, elle ajouta :

«N'écoutez pas ceux qui vous diront que mon père est mort et que tous ces efforts ne servent à rien. Je sais, moi, qu'il est vivant. Je le sens dans tout mon être. Si vous le retrouvez, vous n'aurez plus à vous soucier de l'avenir, je ferai votre fortune.»

Une fois que Barney les eut reconduits dans leur suite, Tracy et Russel restèrent un moment silencieux, face à face.

«Tu crois ça vraisemblable?» murmura enfin Russel comme s'il craignait d'être entendu.

La jeune femme haussa les épaules, avouant son trouble.

«Je n'en sais rien, soupira-t-elle avec lassitude. Logiquement rien ne s'y oppose. Lorsque j'étais dans l'armée, j'ai fréquenté un type des Renseignements. Il avait la même idée fixe et m'a raconté à peu de chose près la même histoire. Le transfert du trésor de guerre, l'exfiltration d'Adolf Hitler vers une destination inconnue. L'OSS, à l'époque, envisageait même l'établissement d'une base secrète au pôle Nord, à cause de la passion pour l'occultisme du Führer. Ultima Thulé, la terre creuse, toutes ces foutaises…

— Mais j'ai entendu dire qu'Hitler était ravagé par la maladie dans les derniers jours de la prise de Berlin, presque mourant.

— Mon copain prétendait qu'il s'agissait d'une mise en scène destinée à accréditer la thèse du suicide. N'oublions pas qu'Hitler adorait l'opéra, et qu'il avait la manie de tout théâtraliser. Il était bien capable d'imaginer ce genre de plan. De toute manière, il est mort depuis longtemps, et je doute que ses partisans soient encore en vie. Ne nous trompons pas d'objectif! Nous n'allons pas là-bas pour résoudre une énigme historique mais pour récupérer un vieux taré de milliardaire qui voulait jouer les Indiana Jones.»

Ils s'assirent, désorientés.

«Qu'est-ce qu'on fait? grogna Russel. On accepte?

— Est-ce qu'on a le choix? répondit Tracy. Il y a beaucoup d'argent à la clef.»

Assez d'argent, songea-t-elle, pour aller se cacher loin, très loin. A l'autre bout du monde, là où le silence de la nature n'était jamais troublé par le vrombissement des hélicoptères.

9. Confidences d'espion

Au début de l'après-midi, Barney vint les chercher pour les conduire auprès de Jared Coffier, l'informateur d'Adriana, qui les attendait dans le bureau personnel d'Edmund Hofcraft. Le saint des saints, en quelque sorte.

L'homme avait dépassé la cinquantaine. Il affichait une tignasse hirsute prématurément blanchie par les épreuves, et un visage émacié qui entretenait une certaine ressemblance avec Peter O'Toole, l'illustre interprète de Lawrence d'Arabie. Bien qu'il fût presque maigre, on devinait en lui l'homme d'action. Il avait ce regard propre aux gens qui ont donné la mort plus souvent qu'à leur tour. Un regard que Tracy avait souvent croisé dans les hôpitaux militaires. Il était vêtu à l'anglaise, d'un complet de tweed aux coudes renforcés de pièces de cuir, comme s'il cherchait à se donner une apparence de rat de bibliothèque. De grosses lunettes d'écaille parachevaient ce déguisement d'intellectuel inoffensif. Il convenait de ne pas s'y laisser prendre.

Tracy, éprouvant un pincement révélateur au bas-ventre, comprit qu'elle était sensible à son charme. Embêtant. Elle devrait s'appliquer à ne pas le montrer. Surtout éviter de compliquer les choses.

Jared les pria de s'asseoir. Les murs étaient tapissés de photographies sous verre montrant Edmund Hofcraft en compagnie de divers maîtres du monde : les présidents Nixon, Carter, Reagan, Bush père et fils, Clinton... Cette galerie tendant à prouver que le patron de Hofcraft Airways avait ses entrées à l'Olympe et tutoyait Zeus en personne.

Tracy surnommait cet exhibitionnisme «le syndrome d'Ozymandias». La mégalomanie n'étant, après tout, qu'un complexe d'infériorité inversé.

Toute la pièce empestait le cigare, et les murs en étaient jaunis de fumée. À part cela, elle offrait le même capharnaüm de maquettes d'avions et de plans incompréhensibles.

«Oui, admit Jared surprenant son regard, nous sommes dans l'antre de l'ogre. Son cabinet de travail privé. Heureusement qu'il n'est pas là, s'il nous surprenait, il nous dévorerait, comme dans les contes de fées.

— Okay, trancha Russel d'un ton où perçait le désir de s'imposer comme mâle dominant. Si on entrait dans le vif du sujet? D'abord, qui êtes-vous?»

Jared supporta cette charge sans broncher ni se départir de son sourire flegmatique.

«Durant le conflit irakien, énonça-t-il, j'ai été recruté par la NSA en raison de mes connaissances linguistiques et de mes talents de cryptographe. Avant les hostilités j'avais en effet secondé plusieurs missions archéologiques afin de les aider à traduire des inscriptions demeurées jusqu'alors hermétiques. Les services secrets avaient besoin de types comme moi pour casser les codes de Saddam Hussein. Mais c'était un travail de bureau, j'en ai eu rapidement assez, et j'ai voulu devenir agent de terrain. On m'a parachuté à six reprises derrière les lignes ennemies. J'aimais ça, j'avais réellement l'impression de servir à quelque chose. Et puis la paix a été signée, et l'on m'a mis au placard.

— Pourquoi? s'enquit Tracy.

— Changement de Direction. J'étais un civil. Les généraux ne voulaient pas de ça. Ils ont

91

réorganisé le service en plaçant des militaires aux postes clés. J'ai compris qu'on me poussait vers la sortie. J'ai donné ma démission. C'est alors que Edmund Hofcraft m'a engagé en tant qu'analyste privé... Edmund était un tyran, soit, mais c'était un vrai patriote, et il avait une conscience aiguë de ce qui se trame dans l'ombre, des complots qu'on cache au bon peuple. Il connaissait assez de gens haut placés pour récolter certaines rumeurs et jeter un œil au dessous des cartes.

— Vous parlez de lui au passé..., souligna Tracy.

— Oui. Contrairement à Adriana qui lui voue un culte aveugle, je pense qu'on l'a tué. Mais c'est sa fille, elle l'adorait et cherche à se masquer la vérité. C'est humain, on n'y peut rien. Je suis plus réaliste. À mon avis il a été assassiné par les néonazis parce qu'il avait découvert leur base secrète. Le danger est réel. On n'a aucune idée de ce que ces pourritures trafiquent là-bas, voilà pourquoi il est capital de localiser leur tanière au plus vite.

— C'était il y a cinquante ans ! contre-attaqua Tracy, exaspérée. Vous croyez sérieusement que cette base – en admettant qu'elle ait un jour existé – est encore occupée par les descendants des nazis de la première heure ? J'ai du mal à y croire. À l'heure qu'il est, ils sont tous morts des fièvres, dévorés par les bêtes sauvages ou massacrés par les indigènes.

— Libre à vous de le croire, fit Jared sans se démonter. Mais là n'est pas la question. Le problème est le suivant : cette base, qu'elle soit ou non occupée, il nous faut la localiser parce que c'est à cet endroit que l'appareil d'Edmund s'est écrasé. Exact?

— Oui, admit Russel.

— Or, pour trouver la base, reprit Jared, il nous faut suivre le trajet du sous-marin qui transporta Hitler jusqu'à ce refuge secret. Toujours exact?

— Okay, coupa Tracy, on a compris. Vous nous invitez à raisonner dans l'absurde pour parvenir à un résultat bien réel.

— C'est cela même. Veillez à ne pas me considérer d'emblée comme un doux illuminé. Je me fais fort, au cours du voyage que nous allons entreprendre, de vous amener à embrasser mes vues. Pour commencer, ne soyez pas naïfs. En 1945, les savants nazis étaient à deux doigts d'expérimenter leur propre bombe atomique. Nous les avons devancés d'une courte tête. Il s'en est fallu d'un cheveu qu'ils ne lâchent leur joujou sur New York avant que l'*Enola Gay* ne mette le cap sur Hiroshima. Cette réalité, on l'a soigneusement dissimulée au public. Nous avions notre Fat Boy, mais ils mettaient la dernière main à leur Grosse Siegfried, ou quel que soit le nom qu'ils lui avaient choisi. La menace était réelle. Pas besoin d'une énorme installation pour fabriquer une bombe atomique. Il suffit d'un solide bunker implanté au cœur de la jungle. Dieu seul sait ce que nous allons trouver là-bas! Je gage que vous ferez une drôle de tête si nous dégottons une bombe atomique oubliée sur son berceau au cœur d'un atelier envahi par les lianes, et où les singes gambadent à leur fantaisie!»

Jared marqua une pause, le temps d'avaler une gorgée de café.

« Bon, soupira-t-il. Êtes-vous convaincus ? Si ce n'est pas le cas, ne me faites pas perdre mon temps. Je dispose d'une liste de postulants longue comme le bras, et vous n'êtes pas mon premier choix. Sans l'insistance d'Adriana, je ne vous aurais même pas reçus. Je ne vous sens pas assez motivés. »

Russel baissa les yeux.

« Nous sommes partants, lança Tracy, mais nous avons besoin d'en savoir davantage. Avez-vous des preuves que cette base est autre chose qu'une légende urbaine ?

— Oui, les transferts d'argent. Les sommes énormes qui se sont évaporées du jour au lendemain.

— Pourquoi, tout simplement, ne pas envisager qu'elles ont été redistribuées dans différentes banques autour du monde ? s'étonna Russel.

— Parce que les nazis craignaient qu'en cas de défaite, les Alliés ne promulguent une ordonnance de saisie générale sur tous les comptes ouverts par des individus liés de près ou de loin au Parti National-Socialiste. Ce n'était pas idiot. Eux-mêmes ne s'étaient pas gênés pour vider les comptes bancaires des Juifs. Ils redoutaient qu'on leur applique le même traitement. La prudence leur commandait d'éviter le système bancaire classique, les comptes numérotés et tout le tralala... Mieux valait se la jouer à la façon des pirates de jadis. Enfouir le magot quelque part, sur une île déserte. Tout convertir en valeurs impérissables : or et pierres précieuses. Et c'est ce qu'ils ont fait dès que l'horizon a commencé à s'assombrir avec la foireuse opération Barberousse. J'ai retrouvé la trace de ce butin au Congo, où certaines transactions ont été effectuées au moyen de lingots frappés de la croix gammée.

— Quel genre de transactions?

— Du matériel de construction, principalement. D'énormes quantités de béton et de poutrelles d'acier. Les ingrédients de base des blockhaus. Des camions sont venus prendre livraison de ces matériaux dans les entrepôts des fournisseurs, puis se sont volatilisés. Paf! comme ça. Malgré mes recherches, je n'ai jamais pu dénicher dans tout le Congo un seul bâtiment à la construction duquel ces fournitures auraient servi. Curieux, non?

— Et quelle est votre hypothèse?

— On les a acheminées par voie fluviale, en utilisant les affluents qui s'enfoncent dans la jungle. J'ai dès lors cherché à savoir si, jadis, quelqu'un avait loué des barges, des péniches en grand nombre, mais je me suis heurté à la loi du silence. Les vieillards que j'ai interrogés mouraient de peur. L'un d'eux a bredouillé quelque chose à propos de convois qui n'étaient jamais revenus, d'un projet architectural baptisé Das Haus des Kriegers. Il faut comprendre que les autochtones sont terrifiés par la jungle, ils n'y mettent jamais les pieds.

» Quand je leur ai mis la pression, ils m'ont parlé des hommes-léopards. Une secte qui fait pas mal de ravages chez eux... Du moins ai-je cru qu'il s'agissait de cela, mais je me trompais. En réalité, ils faisaient allusion à une autre sorte de prédateur : des hyènes noires... c'est alors que j'ai fait le rapprochement avec les Schwarzer Wolf von Hubertus. Les loups noirs, une branche annexe des Werwolf. Et j'ai su que j'étais sur la bonne piste. Vous avez entendu parler des Werwolf, non ?

— Oui, répondit Tracy. Ils ont causé beaucoup de souci pendant le siège de Berlin. Notamment à cause de leurs tireurs d'élite embusqués. Des opérations de harcèlement. Une guérilla désespérée. »

Jared, le regard fixe, ignora cette intervention et continua :

« Le Landsturm Werwolf a été créé dans les derniers mois du conflit à l'initiative de Himmler. Il regroupait des membres de la Hitlerjugend, c'est-à-dire des garçons et des filles très jeunes, fanatisés par les nazis et prêts au sacrifice suprême. Formés par des instructeurs de la Waffen SS, ils savaient tout ce qu'il y a à savoir en matière de tuerie, d'assassinat, de sabotage et de destruction massive.

— Je sais, insista Tracy, mais ils menaient un baroud d'honneur perdu d'avance. De plus, ils n'étaient pas nombreux. On a bâti beaucoup de légendes autour d'eux, mais ce qu'on raconte est exagéré. »

Jared la foudroya du regard.

« C'est là que vous faites erreur, Miss Morgan, siffla-t-il. Contrairement à ce que vous semblez croire, ils ont été très actifs... et le sont peut-être encore de nos jours, qui sait ? Il est fort possible qu'on continue à censurer leurs exploits afin de ne pas inquiéter les populations, et de les persuader,

96

selon l'expression chère aux militaires, que nous sommes définitivement maîtres du feu.

» C'est Goebbels qui les a baptisés Werwolf – loups-garous. Comme je l'ai précisé, c'étaient des jeunes gens à l'époque, parfois même des adolescents débordant de vitalité, et ceux qui ont survécu sont probablement encore vivants aujourd'hui. Le mouvement a rapidement pris de l'ampleur, se subdivisant en diverses branches : les Schwarzer Wolf von Hubertus, les Freies Deutschland... et d'autres plus secrètes encore. »

Tracy serra les dents. En observant Jared, elle avait l'impression d'écouter un fanatique évoquant d'autres fanatiques. Cet homme semblait la proie d'une idée fixe à laquelle il était vain d'espérer le faire renoncer. Aucun argument ne trouverait grâce à ses yeux.

« Oui, fit Jared d'une voix étrangement rêveuse. une légende s'est tissée autour du mythe de la cinquième colonne des jeunes saboteurs. Le chant du cygne des *desperados*. Des louveteaux plutôt que des loups, mais avides de mordre, féroces, et qui n'hésitaient pas à se sacrifier quand le besoin s'en faisait sentir. À force d'en parler, on finissait par les voir partout, leur prêter des pouvoirs surnaturels, à croire qu'ils pouvaient traverser les murs ou changer de forme à volonté... On disait qu'ils se glissaient dans les casernes pour empoisonner la soupe et le pain des Américains, et surtout que leurs rangs ne cessaient de grossir, constituant une armée secrète éparpillée aux quatre coins du pays. Une armée qui, lorsqu'elle se sentirait assez forte, passerait à la contre-attaque. »

Merde! songea Tracy, il déraille complètement. Et c'est ce cinglé qui va nous amener à pied d'œuvre?

Jared parut sentir le poids du regard qu'elle portait sur lui car il s'ébroua et adopta un ton plus mesuré pour expliquer :

«Bref, j'ai fait mon rapport à Edmund, c'est là qu'il a décidé de faire des repérages aériens, comme il en avait déjà pratiqué en Amazonie, lorsqu'il cherchait les ruines précolombiennes. On ne discutait pas avec Edmund Hofcraft; il aurait été vain de tenter de le ramener à la raison. Il avait les couilles comme des boules de bowling. Il ne s'était jamais remis de n'avoir pas pu prendre une part active aux divers conflits auxquels a été mêlée l'Amérique en raison de son âge avancé. Il fallait qu'il se prouve des trucs... Il estimait que le gouvernement – en lui interdisant d'abandonner la direction de ses chantiers aéronautiques – l'avait empêché de se réaliser en tant qu'homme. C'est pour cela qu'il flirtait en permanence avec le danger en prenant part à des vols d'essai sur des prototypes. Il était trop vieux pour ces fantaisies, mais il s'en foutait.»

Dans la bouche de Jared, ce laïus avait l'allure d'une oraison funèbre. Il fut suivi d'un silence gênant, puis l'ex-espion se secoua et, tournant le dos à ses visiteurs, manipula les molettes d'un coffre-fort scellé dans le mur. Il en sortit une vieille boîte métallique, plate, ignifugée, qui contenait un paquet de feuilles dactylographiées en mauvais état.

«Voilà le seul exemplaire existant du dossier Kriegers 3, expliqua-t-il. Tel qu'on l'a récupéré chez un haut dignitaire nazi proche du Führer dans une chambre forte enterrée dans le parc de son château. Un dispositif d'incinération automatique à base de phosphore devait se déclencher au cas où l'on forcerait la porte, heureusement, en raison de l'humidité, il n'a pas fonctionné.»

Tracy ne put s'empêcher de réprimer un frisson de répugnance à la vue du document dont chaque page était estampillée d'un aigle aux serres crispées sur une croix gammée.

«À l'époque, le service de renseignement des forces alliées l'a à peine examiné, commenta Jared avec une grimace désabusée. Pour eux, il s'agissait de l'un de ces délires dont Hitler était prodigue, comme le char d'assaut de la taille d'un immeuble de six étages, l'avion invisible, l'armure décuplant la force des soldats ou le rayon de la mort expédié depuis la lune au moyen d'un miroir parabolique... Tous les regards étaient désormais tournés vers l'URSS, il n'y avait plus que ça qui comptait, l'adversaire du prochain conflit. Parfois je me dis qu'il est vital pour les États-Unis d'avoir un ennemi à haïr, cela maintient la cohésion fédérale et empêche une nouvelle guerre de Sécession.

— Qu'y a-t-il là-dedans? interrogea Russel en désignant le dossier d'un mouvement du menton.

— C'est un recueil de scénarios visant tous à l'évacuation du Führer au cas où les choses tourneraient mal. Tout est prévu, les itinéraires, les moyens de transport, les étapes. Il semble que cette logistique ait été mise en place assez tôt. Plus précisément lorsque l'astrologue d'Hitler a émis l'idée qu'une menace planait sur le grand homme. Les destinations sont multiples : l'Amérique latine, l'Australie, le pôle Sud... mais il n'y est jamais fait mention de l'Afrique et du Congo, ce qui, à mon avis, est révélateur. Cela signifie que ce scénario a été le seul retenu par Hitler. Dès lors il est devenu tellement secret qu'on l'a ôté du dossier. D'ailleurs, la numérotation permet de constater qu'une trentaine de feuillets ont disparu.

— Le protocole d'évacuation fait-il mention d'une base secrète ? demanda Tracy.

— Oui, on trouve des copies de plans d'architecte signés Albert Speer, entre autres. Il s'agit d'une reproduction du fameux "nid d'aigle" du Berghof, dans une version fortifiée. Mais le plus intéressant, ce sont les calculs prévisionnels de construction qui évaluent la quantité de béton et de poutrelles nécessaire à l'édification de cette petite forteresse. Figurez-vous qu'ils correspondent très exactement au matériel acheté au Congo et qui s'est évaporé dans la jungle. Je suis peut-être naïf, mais j'y vois un indice. À mon sens, le Führer, dans sa roublardise coutumière, a trouvé génial d'aller se cacher là où personne ne le chercherait : chez les "sous-humains", les Noirs en qui il voyait le chaînon manquant entre le singe et l'Homme.

» Edmund en était arrivé à la même conclusion, c'est pour cette raison qu'il a commencé à quadriller la jungle congolaise aux commandes de son H-001, un nouvel appareil sortant de ses usines, une espèce de mini-aile volante destinée à l'espionnage des territoires hostiles : la Chine, la Corée du Nord. Un détail qui n'a pas été communiqué à la presse. Il a effectué une dizaine de vols. Au onzième, il a disparu.

— Et les radars n'ont pas localisé le point de chute? insista Russel sans cacher son incrédulité.

— Vous rigolez? s'esclaffa Jared. Il n'y a aucun radar dans cette zone, en outre ils n'auraient servi à rien puisque la particularité de cet avion espion est justement de rester indécelable. La jungle a avalé l'épave comme la mer engloutit un navire. La canopée s'est refermée sur le lieu du crash. La végétation a déjà probablement recouvert la carcasse du zinc. Là-bas, les lianes poussent aussi vite qu'un serpent lancé à la poursuite d'un rat.»

Il se tut et inspira profondément. La fatigue se lisait sur ses traits. Tracy supposa qu'il retournait l'affaire en tous sens depuis des semaines. Pour se donner une contenance, il ouvrit un placard, en sortit une carafe en Waterford contenant un liquide ambré, et remplit trois verres.

«Écoutez, dit-il, je ne vais pas vous supplier à genoux d'accepter le contrat. Mais nous avons un besoin vital d'un spécialiste du terrain. Sans vous, nous ne pourrons pas progresser d'un pouce. Je suis allé au Congo-Kinshasa – au Zaïre, si vous préférez – mais, en dépit de mes efforts, j'ai échoué à vaincre les réticences de la population locale. Je parle très mal leur langue, je ne sais rien de la jungle, j'ignore comment m'y prendre avec eux. Mon domaine d'expertise c'est le Moyen-Orient. L'Afrique, c'est votre truc. Vous êtes un pisteur de premier ordre. Vous saurez comment monter une expédition qui tienne debout sans vous faire arnaquer par les truands du coin. Vous saurez vous faire obéir des porteurs. Vous faites cela depuis toujours, non?

— D'accord, lâcha Russel. Mais quelle sera notre couverture aux yeux de l'administration?

— L'archéologie. Recherche d'une cité perdue. Ils ont l'habitude, et cela les amuse car les scientifiques en reviennent toujours bredouilles... du moins quand ils ont la chance de revenir. Beaucoup meurent en chemin, victimes des serpents, des prédateurs, ou des Pygmées qui détestent qu'on viole leur territoire. Mais il y en a également qui pètent les plombs et décident de se faire adopter par une quelconque tribu, quitte à subir des rites d'initiation barbares. Ceux-là ne font pas de vieux os. L'archéologie c'est bien. Un poil naïf, ça ne mange pas de pain. L'art africain, personne ne prend ça au sérieux, là-bas, à part les touristes anglais, et ils ne sont pas nombreux. »

10. En eau trouble...

Tracy et Russel passèrent une autre nuit sans se toucher. Étendus côte à côte, ils fixèrent longtemps le plafond avant que le sommeil ne daigne les prendre. Tous deux vibraient d'une nervosité que l'alcool n'avait pas réussi à apaiser. À cela s'ajoutait, chez Tracy, une tension sexuelle inattendue. Elle s'en voulait d'avoir réagi avec une telle intensité à la présence de Jared. Elle jugeait la chose inopportune. Cela risquait de compliquer la situation, surtout s'il leur fallait vivre dans la promiscuité d'une caravane. Elle avait la conviction que Russel, avec son instinct de chasseur, avait perçu cette étincelle d'attirance. Elle n'en éprouvait aucune culpabilité, c'était la vie et, de toute manière, il y avait déjà un moment que leur liaison touchait à sa fin. Avait-elle jamais existé, au demeurant? Avait-elle été autre chose qu'une histoire de peau et de solitudes mises en commun? Un dépannage...

Elle n'avait pas envie d'y réfléchir. Surtout au seuil du grand saut dans le vide qui les attendait.

Le lendemain, ils se rassemblèrent dans le bureau d'Adriana pour signer les contrats qui comportaient une clause de non-divulgation. Des chèques leur furent remis à titre d'avance.

11. Sombres nuages

Tracy, Russel et Jared décollèrent deux jours plus tard, dans un avion privé de la compagnie à destination de Nairobi où ils devaient récupérer Diolo.

« Nous avons besoin de lui, expliqua Jared. J'ai fait une enquête approfondie sur le bonhomme. Vous ne le savez peut-être pas, car il joue les imbéciles à merveille, mais c'était quelqu'un d'important au Congo, du moins au niveau tribal. Un sorcier influent, qui connaît la jungle comme sa poche. Il a eu maille à partir avec une secte d'extrémistes, les hommes-léopards, que la police belge a traquée dans les années 1960 sans beaucoup de succès. Il vous est dévoué corps et âme, je pense qu'il aura à cœur de nous sortir vivants de ce merdier. Le temps a passé, mais la sorcellerie est toujours très présente là-bas et, au cours des récents soulèvements, on a vu se multiplier les milices commandées par des féticheurs charismatiques. En Afrique, politique et sorcellerie ont toujours fait bon ménage. »

Tracy, l'esprit ailleurs, laissait Jared monologuer. Au demeurant, il ne lui apprenait rien. Elle savait depuis longtemps qu'en Afrique, l'irrationnel reste indémodable.

Pendant le vol, Jared ne cessa de parler, détaillant à l'infini ses enquêtes. La survie du Führer était son obsession majeure. Durant des heures, il déballa les secrets exhumés des archives accumulées à l'aube du procès de Nuremberg. Un travail fabuleux de rat de bibliothèque errant dans un dédale babylonien de cartons débordant de comptes rendus mal dactylographiés. Certes, il lui avait fallu une patience de moine pour examiner cette paperasse remplie d'horreurs, mais Tracy croyait discerner chez lui une motivation qui n'avait pas grand-chose à voir avec la volonté d'élucider une énigme historique. Il était fasciné. Aussi fasciné que l'avaient été les nazis, victime d'une hypnose malsaine, comme si, chasseur, il avait fini par tomber sous la domination mentale de son gibier.

Elle commençait à se demander si, en dépit de toute vraisemblance, Jared ne croyait pas obscurément à l'immortalité d'Adolf Hitler. Une immortalité que lui aurait procurée un élixir concocté par les savants nazis. On avait raconté tant de billevesées au sujet du savoir occulte du Führer ! Si, aujourd'hui, Jared Coffier tenait à localiser cette base secrète, c'était moins pour venir en aide à Edmund Hofcraft que pour s'assurer que l'ogre autrichien était bel et bien mort et, par là même, pour se libérer de l'emprise que l'antique monstre exerçait sur lui.

Tracy enrageait de se sentir mal à l'aise, Jared l'agaçait et l'excitait tout à la fois. Quand il parlait, elle cessait rapidement de l'écouter pour fixer sa bouche, ses lèvres, qu'elle imaginait sur sa peau, son ventre. Elle s'en exaspérait car ce n'était ni le lieu ni le moment de s'embarquer dans une affaire de lit. Au reste, elle le savait : à peine auraient-ils couché ensemble qu'elle cesserait d'en avoir envie. C'était chaque fois ainsi. Elle se lassait vite de ses partenaires, même s'ils lui donnaient du plaisir.

« Bon, avant que nous atterrissions à Nairobi, reprit Jared, je dois vous parler de Wilfrid Kleimp. Un personnage très important pour nous... »

Et c'est reparti! songea Tracy en faisant crisser ses ongles sur les accoudoirs de son siège.

12. Histoire du Leitender Ingenieur Wilfrid Kleimp

« D'après les documents retrouvés, l'opération a été lancée dès 1944. Les archives de l'U-Boot-Abnahme-Kommando – la commission des essais sous-marins pour les prototypes – en conservent des traces. Notamment des lettres signées par l'amiral Dönitz et l'Oberbefehlshaber der Marine. Pour résumer, il s'agit d'une commande ultra-secrète de trois sous-marins de type XXI d'environ 1 650 tonnes chacun. Des modèles améliorés qui, est-il précisé, devaient être capables de rester longtemps immergés sans que l'équipage en subisse les conséquences néfastes habituelles : narcose, intoxication, torpeur mortelle... Cela laisse supposer que ces submersibles n'étaient pas destinés au combat, mais à de longs trajets en profondeur durant lesquels ils resteraient invisibles et échapperaient aux avions de repérage alliés.

» Le type XXI est un bâtiment qui mesure 77 mètres de long, et dont les diesels développent à peu près 16 nœuds en surface. En plongée, il se déplace grâce à ses moteurs électriques et atteint 18 nœuds. Il peut descendre jusqu'à 400 mètres, et son équipage compte une soixantaine d'hommes. C'était une très belle machine pour l'époque, mais il semble qu'en l'occurrence on l'ait encore améliorée. Il est mentionné qu'aucun des trois bâtiments ne devrait arborer de couleurs ou de marque d'identification. Donc, pas d'aigle à croix gammée ni de matricule.

» Mais le plus intéressant reste le cahier des charges concernant l'aménagement intérieur du bâtiment. Comme vous vous en doutez, un sous-marin est, par définition, un lieu inhabitable où la promiscuité engendre des heurts entre matelots. La cabine du capitaine n'excède pas deux mètres carrés! C'est davantage un placard. N'oublions pas que la machinerie, les tuyaux, les câbles, les pupitres de commandes, occupent 80% de l'espace vital. Un cauchemar de claustrophobe. Être sous-marinier implique un profil psychologique particulier. Pensez que le diamètre d'un U-Boot est de quatre mètres. Les hommes ne sont pas autorisés à se déplacer à leur guise, ils doivent constamment solliciter l'autorisation de bouger – même pour se rendre aux W.-C. – car de la répartition des poids dépend l'équilibre du bâtiment en plongée... Tout cela pour pointer du doigt les aberrations qui ont présidé à la construction des submersibles. Il est fait mention qu'ils devront expressément prévoir une cabine d'au moins six mètres carrés, inso-norisée et équipée d'une climatisation spéciale.

Cette cabine comportera un cabinet de toilette particulier, et sera fermée par une porte blindée. Un système de téléphonie la reliera au carré du commandant de bord. Un passe-plat analogue à celui utilisé dans les prisons permettra de faire parvenir des plateaux-repas à son occupant.

» Cette énumération est en totale contradiction avec les normes en usage chez les sous-mariniers. Elle implique une restructuration complète du bâtiment qui, dès lors, doit être beaucoup plus long. Quoi qu'il en soit, la mise en chantier se fit sans attendre. Un premier U-Boot baptisé *Kriegers 1* coula dès les premiers essais en mer. Il semble que les *Kriegers 2* et *3* aient passé les tests avec succès. À leur sortie d'usine, ces bâtiments ne rejoignirent jamais les unités combattantes. Ils restèrent amarrés, en état d'alerte permanente, dans un bunker côtier, à l'abri des bombardements alliés. Les deux commandants avaient été choisis parmi la flotte d'élite des «Loups gris», c'étaient des vétérans couverts de médailles et dont les torpilles avaient coulé des dizaines de vaisseaux britanniques, militaires, marchands ou paquebots.

» Là encore, il est incompréhensible que de tels combattants aient été retirés du service actif et condamnés à se morfondre avec un équipage hautement qualifié dans une base sous-marine ultra-secrète dont on leur interdisait formellement de sortir! Car c'est ce qu'ils ont fait. Durant presque deux années ils se sont tourné les pouces en espérant qu'un ordre de branle-bas de combat viendrait mettre fin à une routine qui les faisait sombrer dans la neurasthénie ou l'ivrognerie.

» Tandis que la guerre prenait mauvaise tournure pour l'armée allemande, le *Kriegers 2* et le *Kriegers 3* restaient à quai et subissaient des inspections régulières et pointilleuses. La fameuse "chambre secrète" était, paraît-il, visitée avec un soin tout particulier et aménagée selon des instructions d'une rigueur maniaque.

» Voilà, on n'en saurait pas davantage si, en 1945, au large des côtes africaines, un destroyer de l'US Navy, l'*USS Mississippi Warrior*, n'avait repêché un naufragé à demi noyé, qui ballottait inconscient à la crête des vagues, porté par son gilet de sauvetage. Il s'agissait du Leitender Ingenieur Wilfrid Kleimp, autrement dit le chef mécanicien du *Kriegers 3* !

» Représentez-vous la scène : le type est à demi mort. Il a bu de l'eau salée, ses reins sont bloqués. En proie à la fièvre et au délire de l'intoxication, il se met à raconter l'histoire suivante :

» Il était chef mécanicien sur un U-Boot d'un type spécial ralliant la côte africaine en navigation immergée afin de déjouer les radars et les patrouilles aériennes. L'ennui, c'est qu'en eau profonde, la pression exercée sur la coque est terrible. La moindre faiblesse de la tôle, des rivets ou des membrures peut engendrer une catastrophe car la mer s'engouffrera dans ce trou d'épingle avec la puissance d'une lance d'incendie balayant tout sur son passage. C'est ce qui s'est passé. Il semble qu'une infiltration se soit produite autour du scellement de l'antenne. Impossible de réparer sous l'eau. Une sortie en scaphandre n'est pas envisageable, à ces profondeurs, les hommes seraient broyés par la pression. Il a donc fallu remonter. Wilfrid Kleimp est sorti sur le pont pour effectuer une soudure. Hélas, la mer était mauvaise. Une lame l'a emporté en cassant sa ligne de vie, c'est-à-dire le filin de sécurité auquel il était amarré. Sans son gilet, il aurait coulé.

» L'important, c'est ce qu'il a raconté ensuite aux officiers qui l'interrogeaient par l'entremise d'un interprète. Wilfrid leur a révélé qu'il régnait une atmosphère étrange à l'intérieur du bâtiment dont la mission consistait à véhiculer un mystérieux passager qui, durant tout le voyage, n'était jamais sorti de sa cabine. Selon les dires de Kleimp, cette cabine, dans laquelle il avait pu jeter un bref coup d'œil, était aménagée comme "une chambre de prince", ce sont ses mots. Tapissée de rouge, nantie d'une bibliothèque en bois précieux, d'un gramophone dont le pavillon était doré à l'or fin, et – détail significatif s'il en est – d'un chevalet avec son matériel de peinture et ses châssis vierges.

« Bien que ce bunker en réduction fût insonorisé, la musique du gramophone s'en échappait, assourdie. Kleimp assure avoir identifié des airs de Wagner. *La Mort de Siegfried*, notamment. Les repas servis au voyageur inconnu étaient rigoureusement végétariens. Pour finir, des odeurs de peinture à l'huile et de térébenthine flottaient chaque fois qu'on ouvrait le passe-plat.

» Quant à l'embarquement du passager, il s'était lui aussi déroulé selon un protocole bizarre. Après avoir réveillé en sursaut tout l'équipage au beau milieu de la nuit, le commandant avait fait aligner les matelots sur le quai en leur ordonnant de lui tourner le dos et de fixer le mur de béton. Si l'un d'eux commettait l'erreur de jeter un coup d'œil par-dessus son épaule, il serait fusillé sur-le-champ.

» Wilfrid se rappelait avoir entendu des pas remontant l'embarcadère, ainsi qu'une toux catarrheuse. Aucune parole n'a été échangée. Par la suite, les matelots n'ont pas osé en parler entre eux, mais tous avaient la conviction que le bâtiment transportait un haut dignitaire nazi chargé d'une mission capitale. Sans doute d'organiser une contre-attaque massive depuis une base clandestine installée à l'étranger. À cette époque, on parlait beaucoup d'une arme secrète capable d'inverser le cours de la guerre, et l'hypothèse n'avait rien d'invraisemblable.

» Un peu plus tard, au cours de la traversée, le chef mécano a surpris les échos d'une algarade entre le voyageur et le commandant, ce dernier se faisant copieusement engueuler pour son incompétence. En entendant la voix du passager, Wilfrid a été saisi d'une terreur sacrée. Cette voix, il l'avait entendue bien des fois à la T.S.F., et aussi lors de grands rassemblements publics. Cette voix, c'était celle d'Adolf Hitler.

» Bien évidemment, aucun des officiers de l'US Navy n'a cru à cette histoire. D'ailleurs Wilfrid Kleimp est mort quarante-huit heures plus tard, et le dossier a été classé.

» Mon opinion, c'est que le Führer a quitté Berlin bien avant que la ville ne soit encerclée par les troupes soviétiques. L'homme qui s'est retranché dans le bunker de la chancellerie pour s'y donner la mort n'était qu'une doublure.

» Cette version est corroborée par d'autres faits pour le moins curieux. Comme vous le savez, Hitler était fou de l'actrice-réalisatrice Leni Riefenstahl à qui il faisait une cour assidue, et parfaitement vaine. Or, il arrive ceci : en 43, le Führer convoque la jeune femme au Berghof, à Berchtesgaden. Elle débarque avec un impressionnant matériel cinématographique, mais sans le moindre assistant caméraman. La chose a été rapportée par les domestiques. Hitler et Leni s'enferment en tête à tête des heures entières. Pas pour ce que vous croyez, non. En fait Leni filme le Führer sous tous les angles et se livrant aux occupations les plus familières. Elle imprime sur la pellicule le moindre de ses tics, ses manies, ses attitudes, ses postures. Elle le fait marcher, se gratter la moustache, s'asseoir, se coiffer, et il obéit comme un pantin ou un singe savant. Curieux, non ? Puis elle enregistre sa voix. Et c'est là que ça devient véritablement passionnant, parce qu'elle n'enregistre pas des discours ou ces déclarations philosophico-prophétiques interminables dont Adolf – célèbre pour ses soliloques – est prodigue, non, elle lui fait dire des choses comme : "Bonjour, j'ai mal dormi…", ou "Pourrais-je avoir une autre tasse de thé ?", "Où sont mes pantoufles ?"

» Et ainsi de suite. Des phrases de la vie quotidienne qui permettent d'entretenir un semblant de vie sociale. Des phrases destinées à l'imitateur qui va avoir la charge de contrefaire la voix du Führer et de le remplacer.

» J'ai pu rencontrer d'anciens agents de l'OSS, aujourd'hui nonagénaires, ils étaient nombreux à penser qu'Adolf avait supplié Leni de lui trouver une – ou plusieurs – doublure. De les recruter parmi les comédiens qu'elle fréquentait. Vous imaginez? Pour un acteur c'était comme d'interpréter le rôle de Dieu le père ! Quant à moi, je suis certain que l'une de ces doublures s'est fait sauter la tête dans le bunker de Berlin.

» Tout le monde s'accorde pour dire que dans les derniers mois du conflit, Hitler avait beaucoup décliné, qu'il était méconnaissable. Je pense que cette pseudo-maladie, ce maquillage, servait en réalité à masquer les failles de l'imitateur dont le jeu laissait parfois à désirer. On a dit qu'à la fin de sa vie, Hitler radotait et souffrait de pertes de mémoire. J'y vois plutôt les limites d'un acteur qui, faute de mieux, se contente de répéter les seules phrases qu'il sait imiter à la perfection. Quant aux trous de mémoire, il est évident que le pauvre gars n'était pas au courant de tout, et qu'il improvisait du mieux possible, quitte à accréditer la thèse d'un Führer devenu gâteux.

» Cette thèse est corroborée par plusieurs constatations pour le moins dérangeantes. Ainsi, lorsque le général Paulus, encerclé par les troupes soviétiques dans Stalingrad, décide de se rendre à l'ennemi, Hitler ne peut faire autrement que de s'adresser au peuple allemand en un long discours. Au terme de cette péroraison, beaucoup de gens affirmeront ne pas avoir reconnu la voix du Führer ! Voix à laquelle ils ont eu pourtant le temps de s'habituer au fil des ans et des interminables interventions publiques de leur chef bien-aimé. Curieux, non?

» En outre, plusieurs généraux confieront à leurs proches – je cite – que l'épuisement avait à ce point transfiguré le Führer qu'ils avaient eu l'impression de se trouver en présence d'un inconnu!

» Ajoutons à cela qu'Hitler a brusquement congédié les deux médecins civils qui le suivaient depuis des années, pour les remplacer, comme par hasard, par un médecin militaire de haut rang qui, à mon avis, appartenait au cercle restreint du complot.

» Je le répète, il est pour moi indéniable que cette mystérieuse maladie – dont le symptôme le plus évident serait un tremblement prononcé de la main droite – n'était qu'un écran de fumée destiné à masquer les failles de l'acteur chargé de donner le change.

» Ce comédien, membre du Parti et fanatisé, s'est suicidé avec fierté pour la survie de son Maître, et c'est lui qu'on a incinéré dans les jardins de la chancellerie.

» Notons, à ce propos, que les Soviétiques n'ont jamais – au grand jamais! – cru au suicide d'Adolf Hitler et qu'ils ont longuement torturé les survivants du bunker de la chancellerie pour leur faire avouer où s'était enfui leur chef.

» Quant au recours aux doublures, il a été suggéré au Führer par son propre état-major après l'attentat raté de Stauffenberg qui avait failli lui coûter la vie.

» Le problème qui se pose aujourd'hui est le suivant : le *Kriegers 3* a-t-il réussi à atteindre les côtes du Congo et à s'insinuer dans la partie navigable du fleuve… ou bien a-t-il sombré en mer ?

» Je crois, moi, qu'il a rempli sa mission, et remonté l'un des affluents pour s'enfoncer aussi loin que possible à l'intérieur de la jungle. C'est-à-dire tant que sa coque n'a pas raclé le fond. J'ignore ce qui s'est passé ensuite. Edmund Hofcraft, lui, l'a découvert ; à partir de là, nous pouvons tout imaginer.

— Même l'existence d'une colonie nazie cachée au cœur de la jungle depuis cinquante ans ? ricana Russel.

— Pourquoi pas ? rétorqua Jared. Savez-vous que dans les années 1960 on trouvait encore, dans les îles perdues du Pacifique, des soldats japonais ignorant que la guerre était terminée ? On ne peut exclure d'emblée la possibilité que l'avion de Edmund ait été abattu par les petits-fils de ces soldats perdus… J'insiste sur le fait que nous ne savons pas où nous allons mettre les pieds. Si vous connaissiez mieux les États-Unis, vous sauriez que les sectes les plus folles y pullulent en toute impunité et que les groupes néonazis sont légion. Vous n'avez donc jamais entendu parler de l'Aryan Brotherhood ? Ils se préparent pourtant à la guerre raciale, vénèrent le Führer, s'entraînent dans des camps secrets, et n'ont rien à envier au fameux Landsturm Werwolf cher à Himmler. Et tout cela sur le territoire américain où ils sont nés. Ce paradoxe vous paraît invraisemblable ? Je puis pourtant vous assurer qu'il est tout à fait réel.

DEUXIÈME PARTIE

TERRITOIRES HAUTEMENT HOSTILES

13. Territoires de fièvres

Trois semaines plus tard

La barge dérivait au milieu du fleuve en une course prudente, équidistante des deux rives, dans l'espoir de se prémunir contre les flèches qui jaillissaient de la végétation ou du haut des arbres, à un rythme imprévisible. On ne voyait jamais qui tirait mais on entendait des cris de guerre, longs hululements qu'aucun gosier humain ne semblait en mesure d'émettre.

Jusqu'à présent, l'ennemi invisible n'avait pas osé mettre une pirogue à l'eau pour tenter l'abordage. Sans doute attendait-il que l'envahisseur blanc soit suffisamment affaibli pour passer à l'attaque.

Depuis le premier assaut, Tracy, Jared et Diolo ne se hasardaient plus à découvert, sur cette partie du radeau qu'ils surnommaient «le pont». Quant à Russel, qui avait eu la malchance d'être blessé dès les premières minutes du combat, il gisait sur une paillasse, en proie à une fièvre tenace que la quinine échouait à vaincre. La faute en incombait

119

à la flèche venue se ficher dans son épaule droite alors qu'il déchargeait son fusil sur les rideaux de lianes de la mangrove, dans l'espoir de mettre en fuite leurs agresseurs fantômes.

Tout d'abord, Tracy n'en avait conçu aucune inquiétude. Le projectile, en bout de course, n'avait pas pénétré. Il s'agissait d'une blessure en séton, qu'elle avait saupoudrée de désinfectant. Avant le départ de l'expédition, lorsqu'elle avait demandé à Jared de lui remettre la trousse médicale complète, nantie des nouveaux remèdes issus des laboratoires de pointe qu'elle avait commandés à New York, elle avait eu la mauvaise surprise de découvrir que l'ancien espion avait négligé cette partie du programme. Elle avait dû se contenter d'une sacoche bourrée de médications classiques, en quantité insuffisante, et pour certaines périmées.

« Désolé, avait-il grommelé en guise d'excuse, mais c'est tout ce que j'ai pu trouver, vous auriez dû y penser avant qu'on ne quitte les États-Unis. Ici, c'est encore le xixe siècle. »

Tracy avait reçu ce reproche comme une gifle. Jared Coffier estimait sans doute qu'un chef de mission (en l'occurrence lui-même) n'avait pas à se soucier de vulgaires problèmes d'intendance ?

Quoi qu'il en soit, Russel avait été blessé dès le début du voyage, lui qui avait affronté lions, léopards et éléphants sans jamais écoper d'une égratignure. Il y avait là quelque chose de dérisoire, un pied de nez du destin qui, à sa manière, lui faisait payer des années de chance insolente.

Tracy ne cessait de se repasser mentalement la scène en boucle. La flèche se fichant dans l'épaule. Russel accusant le coup, reculant de deux pas, puis l'arrachant d'un geste rageur. Sans se soucier du sang qui imbibait la manche de la saharienne, il s'était remis à tirer mécaniquement. Sur quoi? Sur rien peut-être... La mitraille vomie par le shotgun émiettait le rideau de lianes sans jamais qu'un corps ne bascule dans l'eau. À croire qu'ils étaient encerclés de purs esprits.

Diolo les avait prévenus. Ce qu'ils allaient entreprendre était dangereux. Au fil des siècles, les maîtres successifs du pays n'avaient jamais réellement réussi à «pacifier» ce territoire immense. Dès qu'on s'éloignait des grosses agglomérations comme Vivi ou Kinshasa (l'ancienne Léopoldville des Belges), la menace était partout. Les milices hutus rwandaises infestaient l'est et continuaient à harceler les Tutsis congolais. Un peu partout, des alliances étranges se formaient, conspirant contre les gouvernements en place, fomentant rébellion sur rébellion. Le Congo, à l'image des volcans qui le parsèment, couvait une énième éruption meurtrière. Une explosion de violence qui ferait des centaines de milliers de morts. Des tribus – endoctrinées par des sorciers ayant réussi à les convaincre que la magie les rendait invulnérables – multipliaient les raids suicidaires contre l'ennemi du moment. Certaines d'entre elles, qui vivaient au cœur de la jungle, n'avaient même jamais vu un Européen et, lorsque la rencontre se produisait, les féticheurs s'empressaient de décréter que cette créature dépourvue de couleur était un démon. Un génie maléfique à éradiquer au plus vite.

C'est ce qui venait de se produire pour les occupants de la barge…

Le tonnerre des fusils n'avait tenu en respect les assaillants invisibles qu'une brève demi-heure. Très vite, ils avaient compris que leurs armes primitives pouvaient faire du dégât, et ne s'en étaient pas privés. D'où les salves de flèches que la barge essuyait depuis qu'elle avait quitté le cours du grand fleuve pour s'engager dans l'un de ses nombreux affluents. En l'occurrence, le Balawi, de sinistre réputation, et que les colons se gardaient d'explorer.

«Vous ne le trouverez sur aucune carte, avait expliqué l'un des fonctionnaires de l'ambassade des États-Unis, ce n'est pas un oubli, c'est délibéré. On essaie ainsi de dissuader les explorateurs de s'y engager. Il y a déjà eu trop de pertes humaines. Remonter le Balawi, c'est s'enfoncer en territoire fanatisé. Je vous le déconseille.»

Jared n'avait pas tenu compte de l'avertissement. Ils n'étaient pas là pour jouer la carte de la prudence, n'est-ce pas? Voilà pourquoi Russel gisait maintenant sur une paillasse, à l'intérieur de l'abri cubique occupant le centre de la barge.

L'aspect de sa blessure devenait inquiétant. Rouge violacé. En dépit des injections d'antibiotiques, le pus s'obstinait à suinter. La fièvre grimpait, elle aussi, multipliant les pics à 40°. Quand cela se produisait, Russel s'agitait. Comme il était musclé, Tracy devait requérir l'aide de Diolo pour le maintenir sur sa couche et l'empêcher de s'emparer d'un fusil.

« C'est le poison, avait expliqué Diolo. La plaie, elle est pas profonde, mais la flèche était empoisonnée. Les sorciers sont très forts pour cuisiner les venins. La tambouille de la mort, ça les connaît. Difficile de savoir comment guérir ça... c'est fait pour tuer, pas vrai ? Il existe pas beaucoup de remèdes... et pour se les procurer faudrait aborder, cueillir des baies, des herbes, et ça, c'est pas recommandé en ce moment si on ne veut pas finir découpés en petits bouts. Ton homme, donne-lui toutes les médecines de ta trousse à malice, on verra bien. Il est fort comme un gorille des montagnes, il en réchappera peut-être. Ça arrive. L'ennui, c'est que, des fois, ceux qui survivent ils deviennent fous. Dans les tribus, on les proclame devins. On leur demande de faire des prédictions... Tout ça, quoi. Les Nègres d'ici, les Blancs ont pas réussi à les domestiquer. Ils s'accrochent fort à leurs croyances. Je sais que c'est dur à admettre pour toi, mais c'est la vérité vraie. »

Tracy souffrait de la chaleur moite de la mangrove, très différente de l'atmosphère sèche de la savane, au Kenya. Depuis leur arrivée à Vivi – sur la rive droite du fleuve, face à Matadi – elle avait l'impression de cuire au court-bouillon dans un hammam où l'air respirable se serait amenuisé au fil des heures. Quand elle parvenait à s'endormir, elle se réveillait en proie à la suffocation. La jungle fonctionnait à la façon d'une serre où il fallait se méfier de tout, des mouches qui vous pondaient des larves dans les oreilles pendant votre sommeil, des vers qui, se glissant dans vos orifices naturels, se promenaient dans votre organisme et finissaient par ramper sous votre épiderme comme des taupes sous une pelouse. À peine commencé, le voyage tournait au cauchemar. Il avait fallu instaurer des tours de garde pour s'assurer que le radeau, capturé par un courant, ne se rapprochait pas de la berge, devenant une proie facile pour leurs agresseurs.

Tracy ne cessait de repenser à ce que lui avait dit un descendant de colon belge, alors qu'elle prenait un verre au lounge de l'hôtel où ils étaient descendus :

«Ma petite dame, vous êtes trop charmante pour vous embarquer dans une histoire aussi pourrie. Je sais de quoi je parle, mes parents ont été massacrés en 1962, lors de la rébellion katangaise. J'en ai réchappé par miracle. La révolte des partisans de Lumumba, j'ai connu… et je n'étais qu'un mioche à l'époque. Des atrocités, je m'en suis mis plein les mirettes. Viols et démembrements en veux-tu en voilà. Les prêtres crucifiés sur la porte de leur église, j'en ai vu plus qu'assez.

— Et pourtant, vous êtes encore là…, avait souligné Tracy.

— Ouais, rigola le quinquagénaire replet. Sans doute parce que ce foutu Congo est la terre de toutes les richesses : les diamants, l'ivoire, le minerai de cuivre… Je crois que c'est le dernier endroit sur terre où l'on peut encore faire fortune. Je parle d'une fortune qui ferait passer les Texans du pétrole pour des SDF. Mais c'est aussi un morceau de Préhistoire préservé. Vous seriez étonnée du nombre de missions scientifiques qui ne sont jamais ressorties de la jungle. Tous de grands naïfs, persuadés que les indigènes allaient les accueillir à bras ouverts et leur livrer leurs secrets. Ils ont fini châtrés, écorchés, démembrés, cuits, bouillis, mangés... Ne nourrissez aucune illusion. Là où vous allez, c'est *Jurassic Park*! Ces gens-là continuent à vivre comme on le faisait il y a des millions d'années. Indiana Jones n'y survivrait pas un quart d'heure. Les Nègres de la jungle refusent obstinément d'être civilisés. C'est pour cette raison que, du bon temps de la colonie, les Blancs étaient forcés de leur couper une main ou un pied pour se faire obéir. Il fallait leur montrer qu'on pouvait être aussi sauvages qu'eux. Les tenir en respect, c'est capital. La jungle, c'est une machine à voyager dans le temps qui ne fonctionne que dans un sens, elle vous offre un aller simple dans le passé. Et une fois là-bas, pas question de revenir. Restez donc ici. Je me fais fort de vous trouver un bon emploi à Stanleyville... oups! pardon : à Kisangani ou à Léopoldville... re-oups! je voulais dire à Kinshasa. En ce qui me concerne, je possède une manufacture d'ivoire. Sculptures en tous genres, statuettes, bijoux. Je vous engage comme secrétaire de direction, au tarif que vous souhaiterez... Je ne vous fais pas la cour, non, j'essaye simplement de vous sauver la vie.»

Le négociant était blond, rougeaud, pourvu de cette sorte de bedaine qu'on surnomme «œuf colonial». Il transpirait par tous les pores la bière qu'il s'obstinait à boire par «barons» entiers en dépit de la chaleur ambiante. Sa veste en seersucker montrait de larges disques sombres sous les aisselles. Tracy l'avait trouvé répugnant, et pourtant elle avait failli dire oui. Une brusque terreur de l'inconnu, la peur du cheval qui renâcle au pied de l'obstacle, désarçonnant son cavalier. Elle ne savait pourquoi. Peut-être devenait-elle trop vieille pour affronter les mystères ? Ou alors un pressentiment, un avertissement obscur transmis par l'instinct. Un S.O.S primal émis par son cerveau reptilien, celui qui avait justement permis aux hommes des cavernes de survivre en territoire hautement hostile. Un message en morse traversant les limbes de la conscience : Tip-tiptip-tip-tip... Si- tu-vas-là-bas-tu-mourras...

Ce pressentiment, la jeune femme l'avait éprouvé dès leur descente d'avion. Elle en ignorait la raison. À cause de l'estuaire, sans doute, cette embouchure énorme où le fleuve Congo se jetait dans la mer. Oui, le fleuve l'avait impressionnée. Jared n'avait pas cessé d'en rajouter : le deuxième plus grand fleuve au monde après l'Amazone... la forêt la plus vaste, la plus grande concentration de volcans... le visage que devait avoir la Terre au commencement des âges...

Et cela se sentait au premier regard, une puissance énorme qui semblait déjà les défier, se moquer de leurs prétentions d'hommes blancs.

«Quoi ? vous voulez me remonter ? Savez-vous combien des vôtres j'ai déjà englouti dans mes eaux ? Combien d'expéditions j'ai fracassées dans mes cataractes ? Tournez les talons tant qu'il est encore temps. Grimpez dans votre oiseau de fer et repartez d'où vous venez, dans ce royaume lointain que vous avez domestiqué, asservi, abâtardi. Dans ce qui fut jadis un grand pays et que vous avez rétréci par vos ambitions petites et mesquines. L'Afrique ne vous appartiendra jamais.»

Diolo, soucieux de faire son éducation, lui avait révélé qu'en swahili ce pays se nommait Jamhuri ya Kidemokrasia ya Kongo.

«Les Blancs, eux, disent RDC ou Congo-Kinshasa... Faut pas confondre avec l'autre rive du fleuve. Eux, c'est Congo-Brazzaville. C'est pas pareil.»

Sur chaque berge, une ville s'élevait au gré des coteaux, couvrant les flancs de ce qui constituait les contreforts d'une montagne habitée par les gorilles. La brume de chaleur noyait tout dans un fog alourdi d'odeurs puissantes, intimes. La jungle, masquant l'horizon, lui fit l'effet d'un pubis de femme en chaleur. Alors qu'ils quittaient l'aéroport, elle sentit la tête lui tourner et se raccrocha au bras de Russel pour ne pas défaillir. Elle s'étonna de cette brusque faiblesse qui n'était pas dans ses habitudes. C'était comme si, face à un adversaire gigantesque, elle s'avouait d'emblée vaincue et ployait le genou pour faire allégeance.

La cité, avec son paysage où les bidonvilles alternaient avec les carcasses de buildings inachevés que séparaient des rues semées d'ornières géantes, ne fit qu'accroître son malaise.

Aujourd'hui, la blessure de Russel venait confirmer cette prémonition. Elle croyait discerner dans ce trop-plein de malchance une volonté occulte, maléfique. Une force œuvrant à les rejeter à la mer.

Une image la hantait, celle d'un jeune sous-lieutenant qu'elle avait bien connu. Un garçon formé à West Point, surentraîné. La première fois qu'il avait sorti la tête de son Humvee pour conduire ses hommes à l'assaut, il avait été foudroyé d'une balle entre les yeux avant d'avoir pu tirer un seul coup de fusil. La guerre l'avait rayé de la liste des vivants sans lui laisser le temps de devenir un guerrier.

«D'une certaine façon, il est mort puceau...», avait confié à Tracy l'un de ses camarades, au soir d'une triste beuverie.

Russel n'était pas loin de connaître un sort identique. Le Congo lui avait d'autorité confisqué le droit de jouer l'aventurier sur son territoire. Ici, sur cette terre sauvage, être un banal tueur de fauves ne suffisait plus. À bien y réfléchir, il était fort possible qu'aucun d'entre eux ne soit à la hauteur. D'ailleurs, Diolo – bien qu'il se tînt la bride courte sur le sujet – en semblait convaincu.

Il n'y avait pas que cela. Au fond d'elle-même, Tracy sentait que Russel, depuis son éviction, n'était pas au mieux de ses capacités. Plus le temps passait, plus il se relâchait. Elle finissait par se demander s'il ne voyait pas dans cette mission une certaine forme de suicide.

Oui, dès leur arrivée la mécanique s'était enrayée, les signes néfastes avaient proliféré, leur enjoignant de rebrousser chemin sans plus tarder. C'était à croire que la malédiction de l'éléphant fou les poursuivait.

L'ambassade américaine avait pour adresse une bicoque minable aux murs tachés d'humidité. Le fonctionnaire qui les reçut était un type immense, roux, fatigué, au teint jaunâtre d'hépatique, nommé Wilbur O'Shaugnessy. Tracy se fit la réflexion que tous les Blancs de ce pays semblaient rongés par une forme lancinante d'épuisement, d'où leurs traits affaissés, leurs yeux cernés, pochés, leur sueur malsaine, leurs mains tremblantes, leur odeur de maladie.

«C'est un sale coin, avait grommelé Wilbur en s'écroulant entre les bras de son fauteuil de cuir moisi. Depuis toujours. Les Portugais, les Belges... et même les autochtones ont mis le Congo en coupe réglée, avec toutes les exactions que cela suppose. Léopold II alimentait sa cassette personnelle avec l'exploitation des mines de diamants, et ça continue aujourd'hui avec les milliers de trafiquants qui sillonnent la jungle, rançonnent les villageois, amassent des tonnes d'ivoire qu'ils sortent en contrebande. Le Congo est une région de volcans, or, c'est dans la cheminée des volcans que se forment les diamants, par compression du carbone. Le diamant, ce n'est que du charbon purifié, rien d'autre. Ces trésors ont bien sûr attiré la racaille du monde entier. C'est ainsi que les Blancs se sont fait détester, en torturant les indigènes pour leur faire avouer où se cachent les mines diamantifères. Mobutu a fait de même trente années durant, acculant son peuple à la pauvreté, érigeant pillage et brigandage en système économique, et cela avec la bénédiction des Français qui furent les derniers à le soutenir.

» Ajoutez à cela les milices katangaises dont les seigneurs de guerre se sont approprié des portions entières de jungle sur lesquelles ils règnent en tyrans absolus. Sans oublier les haines tribales qui remontent à la nuit des temps. Selon l'expression consacrée, nous sommes assis sur un baril de poudre. Le Zaïre a déjà connu deux guerres fratricides qui ont été l'occasion d'une effroyable épuration ethnique... Rien n'est réglé. Sous couvert de revendications politiques, tout le monde n'attend que l'occasion de se remplir les poches, comme l'ont fait Mobutu et sa clique. Un jour prochain, tout nous pétera à la gueule et ce sera un nouveau bain de sang. L'assassinat politique est considéré, ici, comme un sport national. Je ne miserais pas un dollar sur la longévité de Kabila.»

L'attaché d'ambassade avait fait une pause, le temps de chasser la grosse mouche verte qui pompait ardemment la sueur imprégnant sa joue, puis il avait repris, d'une voix atone :

«L'affluent que vous voulez remonter, personne n'en connaît ni la longueur ni le tracé exact. La densité de la forêt interdit les relevés aériens. D'ailleurs, peu de gens ont envie de survoler la jungle. Edmund Hofcraft est venu me voir. Il se tenait exactement là où vous êtes assis quand je l'ai supplié d'abandonner son projet. Il n'a pas voulu m'écouter. Il se croyait plus fort que tout le monde... S'il est tombé dans la forêt, il est mort à l'heure actuelle. En admettant qu'il ait survécu au crash, les sauvages l'ont bouffé. Les cannibales n'existent pas seulement dans les aventures de Tarzan. Pensez-y. Ici, les poncifs des romans d'aventures prennent vie. Il y a une femme parmi vous, songez à ce qu'elle subira si elle tombe entre les mains d'un chef de tribu. Soit on la considérera comme une sorcière et on la brûlera vive, soit elle servira de jouet à un roitelet sanguinaire... Inutile de vous faire un dessin. Le Congo était déjà une région maudite au xve siècle, quand les Portugais se livraient à la traite des esclaves. On estime aujourd'hui que deux millions de Noirs ont été déportés vers différentes colonies. Après cela, on s'étonnera que les gens du coin ne nous aiment pas.»

Au terme d'interminables tergiversations, l'homme avait accepté de leur donner copie d'une carte non officielle du fameux affluent.

«C'est tout ce dont on dispose, soupira-t-il. Elle date du début du siècle et elle a été tracée par un explorateur géographe dépêché par le célèbre Bureau des Longitudes. Pourri de fièvres, il est mort peu de temps après avoir regagné Vivi. Il a rendu l'âme au dispensaire des sœurs de Saint-Goetz. Il était à peine mort depuis cinq minutes que des vers longs de vingt centimètres lui sortaient par tous les orifices.

«Dix autres l'ont imité, des géographes qui rêvaient de marcher sur les traces de Burton et Spike. Un fantasme courant dans la profession. On ne les a jamais revus. C'est comme ça ici. On disparaît facilement. La jungle attire ceux qui se sentent une vocation de martyrs.»

Ils avaient quitté l'ambassade, l'estomac noué. Jared s'obstinant à faire preuve d'un optimisme outré, Russel lui avait vertement ordonné de « fermer sa gueule ». Fatigués et inquiets, ils avaient gagné le Grand Hôtel Tropicalia – à la façade écaillée – où des chambres leur avaient été réservées. Diolo dut se contenter du dortoir des employés de couleur. Jared n'arrêtait pas de parler, à croire qu'il avait gobé de la benzédrine. À peine leurs bagages posés dans la chambre, Russel sonna le service d'étage pour se faire monter du cognac et de l'eau de Seltz. Sa consommation d'alcool avait grimpé en flèche dès leur départ de New York.

Le ventilateur paresseux tournant au plafond ne contribuait en rien à rafraîchir l'atmosphère. La salle de bains grouillait de cafards géants, les serviettes éponges affichaient de larges macules de moisissure, la plupart des lampes étaient grillées, et les interrupteurs muraux avaient fondu sous l'effet d'un court-circuit. Déprimée, incapable de supporter une minute de plus cet homme maussade et mal embouché dont elle avait trop longtemps partagé la couche, Tracy descendit au bar, et se fit servir une vodka glacée. Ce soir, elle avait envie de s'enivrer, ce qui lui arrivait rarement. Comme elle aurait dû s'y attendre, Jared la rejoignit.

« Ne vous inquiétez pas, lança-t-il avec un aplomb effrayant. Ce type de l'ambassade n'est qu'un rond-de-cuir qui a peur de son ombre. Ici, les légendes sont plus nombreuses que les cafards, il ne faut pas s'y laisser prendre. Vous dénicherez toujours un pauvre bougre qui, si vous acceptez de lui payer un verre, vous expliquera comment il a failli être dévoré par les cannibales, où comment il est devenu roi d'une tribu de Pygmées qui le vénérait à l'égal d'un dieu et le fournissait en vierges à peine nubiles. Les pochards du coin ont l'imagination fertile. En ce qui nous concerne, je vais dès demain m'employer à faire l'acquisition d'une barge solide, et l'équiper en prévision de la remontée du Balawi.

— Pourquoi êtes-vous fixé sur cet affluent? demanda Tracy.

— Parce que la navigabilité du fleuve est nulle au-delà de Matadi, à cause des sept rapides et cataractes qui brisent son lit, cette configuration a beaucoup contrarié la colonisation à l'époque de Stanley et contraint les explorateurs à de multiples détours par la terre. Le Balawi est le seul affluent suffisamment profond pour qu'un sous-marin s'y engage et navigue en immersion périscopique sans courir le risque de s'échouer. C'est aussi le seul qui s'enfonce aussi loin dans la jungle, et traverse des territoires encore inexplorés. Je suis certain que le *Kriegers 3* l'a emprunté. Ce n'est pas possible autrement.»

Un long silence s'ensuivit. Tracy comprit que Jared avait quelque chose sur le cœur. Elle craignit, un instant, qu'il ne lui propose de partager son lit, mais il murmura :

«J'ai un souci. Je me demande si Russel est au mieux de sa forme. Je le trouve... déprimé, absent. Depuis que nous avons débarqué, il se traîne comme un somnambule. C'est fâcheux. Notre sécurité va dépendre entièrement de ses réflexes de chasseur professionnel. Inutile de vous farder la vérité, notre intrusion dans la jungle sera mal accueillie par les autochtones. Pour tout dire, ils y verront une franche déclaration de guerre. Nous allons pénétrer en plein Moyen Âge, vous savez... La forêt, c'est un autre monde. En marge, hors du temps. Ces gens-là se contrefichent du gouvernement en place, ils en ignorent totalement l'existence. Ils ne savent même pas que l'électricité existe.

— Ça ira, coupa Tracy. Russel est très professionnel. Quitter le Kenya lui a fichu un coup de blues, mais il va se reprendre.

— Je l'espère pour nous, car ce ne sera pas une partie de plaisir. Pour dire la vérité, Russel n'était pas mon premier choix. J'avais quelqu'un d'autre en vue, mais Adriana a insisté pour le prendre, parce que son père en disait grand bien et, comme vous le savez, mieux vaut ne pas contrarier Adriana Hofcraft. »

La jeune femme jugea préférable de clore la conversation sur ce dernier échange. Elle n'aimait pas mentir, or il lui serait difficile de soutenir plus longtemps que Russel était en pleine forme puisque c'était faux, et qu'elle partageait les doutes de Jared.

Pour se changer les idées, elle décida d'explorer la cité, ce Vivi que les Blancs avaient jadis proclamé capitale du Congo sans demander leur avis aux autochtones. Par mesure de sécurité, elle pria Diolo de l'accompagner. Elle ne tarda pas à s'apercevoir que les rues étaient sillonnées de bérets rouges qui patrouillaient, le visage fermé, la kalachnikov à la bretelle. Les soldats tutsis de Laurent-Désiré Kabila, le nouveau maître du royaume.

«Quand Mobutu a pris le pouvoir, expliquait Diolo, il a changé le nom du pays en Zaïre. Il voulait effacer le souvenir de la colonisation. Il nous a interdit de porter des vêtements de Blancs. Ceux qui avaient reçu des prénoms français en baptême ont été obligés d'en changer... Avant, je m'appelais Jean-Marcel Bonaventure, après, je suis devenu Diolo.»

Il parlait à mi-voix, pour ne pas être entendu des soldats qui jetaient à ce couple mixte des coups d'œil désapprobateurs.

Tracy avait été atterrée d'apprendre qu'au taux de change, un dollar valait cent cinquante mille «nouveaux zaïres». Les prix affichés dans certaines boutiques étaient exprimés en millions de NZ! Cela lui rappelait fâcheusement l'inflation galopante dont souffrait l'Allemagne juste avant la déclaration de guerre.

Elle fut également frappée par la prolifération des statues mutilées se dressant au coin des rues. Certaines avaient été décapitées, d'autres criblées de balles jusqu'à devenir méconnaissables. Parfois ne subsistait de l'œuvre originelle qu'une paire de jambes sciées à mi-mollet. Elle finit par comprendre que ces monuments équestres, ces bustes ou reproductions en pied, avaient jadis magnifié le roi des Belges, Léopold II. Le colosse barbu surgissait à chaque coin de rue, chevauchant de géantes cavales, chevalier teutonique décidé à broyer le pays dans sa poigne de fer comme on extirpe la dernière goutte de jus d'une orange. Cette omniprésence devenait vite oppressante. C'était autant de sentinelles de pierre postées aux carrefours de la cité, des statues prêtes à s'animer pour partir en guerre et écraser les rebelles sous les sabots de marbre de leurs palefrois.

Tracy savait que les Noirs portaient une haine viscérale à Léopold II et l'accusaient d'avoir pillé le pays avec l'aide d'une police qui n'avait reculé devant aucune atrocité. Le compte rendu de ces exactions faisait froid dans le dos.

« Ces bonshommes, philosopha Diolo, ça remonte au temps des Belges, c'est très vieux. Mobutu les a fait casser en morceaux quand il a lancé sa campagne d'"Authenticité", y'en a plein les terrains vagues. Beaucoup ont été jetés dans le fleuve... ça, et les machines à écrire. Les révolutionnaires, ils n'aimaient pas les machines à écrire, ça non ! »

Très vite, Tracy eut le sentiment d'être épiée, suivie. Cette crainte n'avait rien d'irréaliste, lui confirma Diolo : la police secrète voyait en chaque étranger un trafiquant de diamants potentiel. Selon lui, les flics corrompus étaient légion. Ils se faisaient payer pour fermer les yeux.

« C'était devenu une habitude sous Mobutu, expliqua-t-il, tout le monde rançonnait tout le monde. Plus personne ne touchait de salaire, même pas les fonctionnaires. Les soldats, qui n'étaient pas payés, ont pillé plusieurs villes... Ou alors ils rançonnaient les commerçants. »

Les effigies de pierre représentant Stanley – le journaliste-explorateur, « découvreur » du Congo, et dont une ville avait célébré le nom – étaient plus rares. Près du fleuve, une unique statue se tenait, le bras levé, généralissime invitant sa troupe à monter à l'assaut de l'inconnu. Les oiseaux avaient conchié le casque colonial dont il était coiffé, et les tireurs l'avaient tant de fois pris pour cible que son ventre et sa poitrine offraient l'aspect d'une passoire. Des ordures s'amoncelaient autour du piédestal, si bien qu'il émergeait du monceau de détritus à la façon d'un épouvantail.

Vaincue par la chaleur moite, Tracy dut se résoudre à regagner l'hôtel. Dans le hall, elle croisa Jared qui l'admonesta vertement.

«Vous ne devriez pas traîner comme ça, grogna-t-il. Les néonazis peuvent avoir des espions en ville.»

La jeune femme se sentait trop lasse pour répliquer. Plus le temps passait, plus grandissait sa conviction que l'ancien espion n'avait plus toute sa tête.

Russel, assommé par l'alcool, dormait nu sous la moustiquaire enveloppant son lit. Dans son sommeil il avait adopté la posture classique des gisants.

Le lendemain, Jared et Diolo se mirent en quête d'une barge. Pour cela, il leur fallut écumer la rive du fleuve et, plus particulièrement, la zone délabrée des installations portuaires. Trois cargos rouillaient à l'amarre. Les grues, oxydées jusqu'au dernier boulon trônaient, girafes de fer rouges, au milieu d'un paysage de hangars vides. L'activité commerciale – en dépit de l'immense richesse naturelle du pays – avoisinait le zéro absolu. Dans les banques, pillées par les anciens dirigeants du Zaïre, les coffres étaient vides.

Diolo servait d'interprète. Il s'était vêtu de manière à dissimuler les scarifications tribales zébrant sa poitrine et qui le dénonçaient comme sorcier dissident. Jared disposait d'un crédit illimité qui lui aurait permis d'acheter une barge neuve. Il préférait éviter cette solution afin de ne pas éveiller la convoitise des pirates sévissant sur le fleuve. L'astuce consistait donc à se procurer une barge usagée mais qu'on équiperait d'un moteur neuf. Hélas, les tractations s'engagèrent mal. Les vendeurs éventuels, croyant avoir affaire à des trafiquants de pierres précieuses ou d'ivoire, refusaient tout net les offres de Jared. L'arrivée des soldats, garants du nouvel ordre moral, incitait à la prudence. Après tout ce Blanc inconnu et son boy, trop pressés d'embarquer, pouvaient être des provocateurs dépêchés par la police secrète.

Il leur fallut une semaine pour dénicher une embarcation, encore s'agissait-il d'une semi-épave dont on s'étonnait qu'elle pût flotter. Quand Jared demanda à un mécanicien de changer le moteur, l'homme lui répondit que la livraison ne s'effectuerait pas avant deux ou trois mois. Il était hors de question d'attendre si longtemps.

Tracy, résignée, voyait grossir le spectre de l'enlisement typique aux affaires africaines : dilatation infinie des délais, pots-de-vin multiples, matériel perdu ou volé, corruption à tous les niveaux... Elle commençait à penser qu'ils ne partiraient jamais, que l'expédition censée secourir Edmund Hofcraft allait s'encalminer à Vivi, à l'image de ces rafiots pourrissant à quai, la coque plus rouge qu'un cul de singe. Et pendant qu'elle buvait du thé glacé au lounge du Tropicalia, Russel s'enivrait dans leur chambre au cognac à l'eau.

« Bon, y'en a marre, trancha un soir Jared. On ne peut pas différer plus longtemps. J'ai fait réviser le moteur d'origine. Le mécano m'assure qu'il tiendra le coup pourvu qu'on ne charge pas la barge. Une fois le ravitaillement effectué on lève l'ancre. Ça laisse trois jours à Russel pour dessaouler. »

Lorsque Tracy monta à bord, elle fut consternée par l'état de délabrement de l'embarcation, cabossée, rafistolée en dépit du bon sens, et qui empestait le gasoil. Le poste de pilotage se dressait au centre du radeau, étroite guérite qu'on aurait facilement pu prendre pour des W.-C. de jardin. On y avait adjoint un abri en tôle auquel une bâche blanchie tenait lieu de toit. Le ravitaillement était assujetti à l'arrière au moyen de sangles.

« *Le Radeau de la Méduse...* », songea-t-elle en s'accoudant au bastingage dont la peinture bleue, écaillée, lui colla aux doigts.

L'ancien propriétaire se tenait là, assis sur un rouleau de cordage. Un métis d'une soixantaine d'années, habillé de guenilles et coiffé d'une casquette de lieutenant de l'armée portugaise du XIXe siècle, véritable pièce de musée aux dorures éteintes. On l'avait amputé du bras droit à mi-longueur de l'humérus. Un capuchon de cuir couvrait son moignon. Il chiquait salement, le jus de

tabac lui dégoulinant à la commissure des lèvres.
Il adressa un clin d'œil canaille à Tracy avant de
lui lancer :

«Holà! ma jolie, j'espère que vous ne comptez
pas vous embarquer sur cette coque de noix? Le
Balawi c'est le trou du cul du diable. Je m'y suis
risqué une fois, une seule, quand j'étais jeune. J'y
ai laissé un bras.

— Infection? s'enquit poliment la jeune femme.

— Infection, mes couilles! ricana le vieux. Gourmandise, oui! Mon équipage et moi on a été capturés par des sauvages. Des cannibales aux dents
limées en pointe. Ils ne nous ont pas tués, non.
Leur truc, c'était de nous garder en vie le plus
longtemps possible, pour nous prélever un morceau par-ci, un morceau par-là. Leur religion leur
interdisait de manger du cadavre. La viande, ils
devaient obligatoirement la tailler sur une proie
vivante, sinon elle était considérée comme impure.
Alors ils prenaient soin de nous. Le sorcier venait
nous panser chaque fois qu'on nous coupait
quelque chose : un avant-bras, une cuisse... Pas
question qu'on crève trop vite, vous voyez? Quand
deux de mes copains sont morts d'hémorragie, ils
les ont incinérés sur un bûcher, bien poliment. Ils
manifestaient un grand respect pour la nourriture.
Mais ça les mettait de mauvaise humeur, toute
cette bonne viande gâchée parce qu'on était des
femmelettes incapables de survivre à nos blessures. Le sorcier est même venu nous sermonner
et nous administrer des potions fortifiantes. Il a
eu le culot de nous expliquer qu'on devait faire
un effort, parce que si on mourait, toute la tribu

crèverait de faim, et que cette faute nous poursui-
vrait dans le monde des esprits.

— Et comment en avez-vous réchappé? demanda
Tracy, pressée d'abréger les confidences du marin.

— J'ai eu de la chance. Un soir, une averse terrible s'est abattue sur le village. Un vrai déluge
qui a démantibulé les cases et mis les cannibales
en fuite. J'ai pris la poudre d'escampette. Un
prêtre m'a recueilli. Le père Joos Van Boekke, qui
tient une mission sur l'une des rives. Il était jeune
à l'époque. Aujourd'hui, s'il est encore en vie, ce
doit être un vieux crocodile dans mon genre. Rap-
pelez-vous, Joos Van Boekke, de la mission de
Saint-Goetz. Ça pourrait vous être utile, ce serait
dommage qu'on vous coupe les nichons.»

Il aurait été facile de taxer le pauvre bougre de
mythomanie, la jeune femme s'en garda bien. Elle
savait que certaines tribus du Congo, notamment
les Bapoto et les Bangala, avaient eu coutume d'organiser de grands banquets au cours desquels ils
dévoraient la chair d'esclaves achetés ou capturés
dans cet unique but. Les ethnologues assuraient
que ces pratiques avaient disparu depuis cinquante ans, mais pouvait-on leur faire confiance?

Le lendemain ils embarquaient.

Russel, livide, plombé par une atroce gueule de
bois, s'efforçait de donner le change en vérifiant et
revérifiant les containers renfermant les armes et
les munitions. Jared prit possession de la timonerie, Diolo servait de pilote.

L'amarre larguée, Tracy eut l'illusion de prendre
la mer tant le fleuve était large. Cédant à un

réflexe de petite fille, elle se retourna pour jeter un dernier coup d'œil à Vivi. Elle eut la désagréable surprise de rencontrer le regard de Léopold II, dont la statue équestre mutilée dominait le port. Il était là, installé pour l'éternité en dépit des offenses publiques, commandeur de pierre manchot, éborgné, au visage de grand inquisiteur. La barbe étalée en éventail sur le poitrail, à la manière des conquistadores de jadis. Et s'il avait ouvert la bouche, c'eût été pour crier : «Ceci est à moi, ceci m'appartiendra de toute éternité. Vous aurez beau faire, vous êtes mes sujets, car je suis à jamais votre roi.»

Voilà, c'est ainsi que le voyage avait commencé.

Un peu plus tard, Diolo vint rejoindre la jeune femme et, esquissant un geste vague en direction de l'horizon, expliqua :

«Là-bas, c'est les palais que Mobutu s'était fait construire. De l'or, du marbre et des miroirs à n'en plus finir. Des châteaux d'empereur. Il n'en reste plus qu'un tas de ruines aujourd'hui. Tout a été pillé, et les singes chient et baisent dans la salle du trône... Y'a aussi la pyramide de fer où sont cachés les tombeaux de sa femme et de ses fils. C'est tout cassé, tout rouillé. C'est des endroits de grande tristesse. Oui, oui, oui...»

Tracy connaissait la mégalomanie infantile de Mobutu, ce délire de grandeur qui l'avait conduit à ériger des palais d'un luxe grotesque, outrepassant en mauvais goût les œuvres des pires décorateurs de casino de Las Vegas. Des châteaux s'étendant sur plusieurs kilomètres carrés, aux murs tendus de peaux de panthères et où l'objet le plus banal était en or pur. Une monstruosité d'un kitsch absolu, digne d'une opérette décadente. Il s'était retranché dans ce Versailles caricatural, perdu dans la jungle, tandis que grossissaient les rangs des révoltés réclamant sa tête. Oui, il s'était réfugié à la frontière du pays pour préparer une fuite devenue inéluctable. On racontait qu'il s'était échappé de justesse, à la tête d'une flottille de pirogues chargées de valises bourrées de diamants, de lingots, de liasses de dollars, et menaçant de chavirer au moindre coup de pagaie maladroit. Une équipée de bande dessinée, tout à la fois grotesque et pathétique.

Sur l'eau, il faisait plus frais.

« On bifurquera lorsqu'on aura dépassé Matadi, expliqua Jared. Si on continuait, on se retrouverait au pied d'une cascade gigantesque. Pas question de s'en approcher, le rideau d'eau nous percuterait avec la force d'une avalanche. La barge coulerait. »

Tant qu'ils naviguèrent sur le fleuve tout se passa bien. Trop bien, peut-être. Cette atmosphère de carte postale aurait dû éveiller la méfiance de Tracy qui, accoudée au bastingage, observait le vol des balbuzards. Les oiseaux plongeaient dans les eaux pour en ressortir, un poisson argenté et gigotant coincé dans le bec.

Elle fut surprise par la gentillesse de la population des deux rives. Plusieurs fois par jour, des adolescents, à bord de leurs pirogues, pagayaient avec une rare vigueur pour les aborder et leur proposer des fruits ou de la nourriture locale, la plupart du temps délicieuse. Souvent, ils dédaignaient l'argent, préférant troquer leur marchandise contre du chocolat, des cigarettes ou des lames de rasoir qui, à leurs yeux, avaient valeur de trésor. Ils souriaient, dévoilant une denture précocement pourrie par l'abus de la canne à sucre, la confiserie africaine par excellence. Le troc achevé, ils repartaient, pagayant en cadence au rythme d'un chant d'une étrange beauté.

Ces visites venaient rompre la monotonie de la traversée, et Tracy les attendait avec impatience. Ces rires, cette joie de vivre, contrebalançaient les sinistres avertissements dont on l'avait abreuvée à Vivi, et elle commençait à croire que leur équipée ne tournerait pas obligatoirement au tragique.

L'éléphant fou aurait pu lui souffler à l'oreille qu'elle se laissait berner par les apparences. Il ne le fit pas, par malignité sans doute?

Hélas, cette parenthèse se referma lorsqu'ils bifurquèrent pour embouquer l'affluent qui les mènerait au terme de leur quête. Quand la barge s'enfonça dans le tunnel d'ombre formé par la canopée, Tracy éprouva un pincement à l'estomac. Ils tournaient le dos à la lumière, à la vie, pour plonger dans les ténèbres. Au-dessus de leurs têtes, les perroquets gris – seigneurs incontestés des branches – se livraient à une bataille de jacassements assourdissante. Sur les deux berges, des crocodiles, la gueule entrebâillée, sommeillaient. Des oisillons colorés picoraient des débris de chair corrompue entre leurs dents. Tracy eut l'illusion de feuilleter la bande dessinée que Burne Hogarth avait adaptée des aventures de Tarzan.

Il ne fallut pas longtemps pour que les forces mauvaises se déchaînent sur le radeau. Dès le lendemain, une pluie de flèches s'abattit sur la timonerie, achevant de fracasser les rares vitres encore en place. Par miracle, ni Jared ni Diolo ne furent blessés. Il n'en alla pas de même pour Russel.

14. Saint-Goetz des jungles inhospitalières

Tracy s'agenouilla une fois de plus au chevet de Russel et posa la paume de sa main droite sur le front du blessé. La fièvre n'avait pas baissé. Russel semblait à peine conscient. Il émanait de son corps une odeur désagréable, annonciatrice de gangrène, que la jeune femme avait trop souvent flairée dans les salles communes des hôpitaux militaires. Dans l'espoir de combattre les effets d'un poison dont elle ne savait rien, elle multipliait les injections d'antibiotiques sans même savoir si cette médication était d'une quelconque utilité.

Ils étaient tous épuisés par la tension de cette veille interminable. À l'intérieur de l'abri, la chaleur frôlait l'insoutenable. Tracy aurait voulu couvrir Russel de linges imbibés d'eau froide, hélas il était hors de question de se risquer à découvert pour plonger un seau dans le fleuve. Dès qu'on faisait mine de mettre le nez dehors, une nouvelle grêle de flèches s'abattait sur la barge, trouant la capote rapiécée qui couvrait la casemate. En prévision de ces assauts, ils avaient pris l'habitude d'utiliser les sacs de riz et de manioc comme boucliers. La jeune femme faillit néanmoins être blessée à trois reprises. Depuis, on avait renoncé à sortir. Isolé dans la timonerie, Jared pilotait en aveugle après avoir occulté les fenêtres au moyen de couvertures et de papier goudronné. Recroquevillé dans ce bastion dérisoire, il s'efforçait de tenir la barre en s'exposant le moins possible, ce qui les mettait à la merci d'un écueil. La réserve d'eau potable diminuait à vue d'œil, il avait fallu se rationner en dépit de la chaleur qui les desséchait sur pied.

Malgré tout, Tracy conservait son calme. La guerre l'avait habituée à ces coups de malchance, ces revirements ironiques du destin. Il n'y a rien de pire pour le moral des hommes qu'une infirmière qui cède à la panique car, quelque part, elle incarne une certaine image de la mère protectrice. Néanmoins, elle ne pouvait s'interdire de serrer les mâchoires lorsque retentissait le bruit mat des pointes de flèches s'ébréchant sur la coque.

« Ils nous suivent, expliqua Diolo. Ils courent le long de la rive, à l'abri du rideau de lianes. Comme le bateau avance pas vite, c'est facile.

— Qu'attendent-ils ? demanda la jeune femme.

— Qu'on s'échoue. Quand y'aura plus de carburant, le moteur va s'arrêter. Pour remplir le réservoir, faudrait traverser le pont, ouvrir l'écoutille... et ça, c'est pas possible parce que celui qui essayera, il se fera clouer sur place. Alors la barge elle va s'arrêter et partir à la dérive. Les courants vont la rabattre vers la rive où elle s'échouera. C'est ça qu'ils attendent. Sont sûrement pas à leur coup d'essai ces salopards. Z'ont qu'à patienter. Tu entends le moteur, Memsahib? Déjà il commence à tousser. La panne, elle va plus tarder. Notre seule chance, c'est qu'elle se produise pas avant la nuit.

— Pourquoi?

— Ils ne nous attaqueront pas la nuit. Z'ont trop peur des démons. Dès que le soleil sera couché, ils se regrouperont autour d'un feu pour faire des incantations et tracer un cercle protecteur. La nuit appartient aux esprits mauvais. Ces sauvages-là, ils vont rester cramponnés à leurs gri-gri en priant pour que les diables les oublient.

— Et nous?

— Pour nous, ce sera le moment d'abandonner le bateau et de s'en éloigner aussi vite qu'on pourra. Si ces Nègres-là sont pas cannibales, ils se contenteront de piller la barge et chercheront pas à nous rattraper. Mais c'est juste une supposition. Je sais pas à qui on a affaire, les flèches portent pas de marques. Y'a de tout dans la jungle. Du bon et du pire. Comme on sait pas à qui on a affaire, faudra galoper, en se chargeant le moins possible. Sans compter qu'il faudra remorquer Bwana Russel qu'a pas l'air en bon état.

— Tu crois qu'on peut le guérir?

— Possible. Si on se trouve un coin tranquille j'essayerai de cueillir des herbes que je connais. C'est plus fort que la médecine des Blancs. C'est des secrets qu'on se transmet entre Nègres depuis mille générations. Les docteurs blancs ils peuvent toujours s'aligner avec leurs pilules, seront jamais aussi efficaces.»

Tracy comprit qu'il tentait de la réconforter et lui en fut reconnaissante.

Durant l'heure qui suivit, elle focalisa son attention sur les bruits du moteur dont elle auscultait la respiration comme celle d'un malade pulmonaire.

Par chance, la nuit tombe vite sous ces latitudes. Les lentes transitions crépusculaires chères à la vieille Europe n'ont pas cours en Afrique, et l'on passe de la lumière aux ténèbres en l'espace de deux minutes.

Le moteur se mit à tousser alors que la visibilité diminuait. S'ensuivit un épisode de ratés spasmodiques au terme duquel la machinerie cala, abandonnant la barge aux caprices du courant.

«Ça va être le moment, souffla Diolo. Faut pas se charger. Un fusil chacun et des munitions. La nourriture on en trouvera à terre. Je vais aller en tête, j'ai plus l'habitude de la jungle que vous. Jared et toi, Memsahib, vous porterez Bwana Russel. Faudra faire vite.»

Tout en parlant il garnissait des cartouchières, enfournait des poignées de balles dans des musettes. puis il sélectionna deux fusils à éléphant, et une carabine légère pour Tracy. On n'y voyait presque plus. La barge dérivait, tanguait. Prise dans les courants, elle avait tendance à tourner sur elle-même tel un manège de chevaux de bois.

148

«On va toucher la rive, annonça Diolo. Surtout on allume pas de lampe, hein?»

Tracy avala sa salive avec difficulté. À cause de la canopée, l'obscurité était complète. Impossible de distinguer la lune ou les étoiles.

Un long moment s'écoula pendant lequel ils demeurèrent silencieux, puis un choc les rejeta en arrière. La barge venait de s'empaler sur les rochers bordant le rivage.

«Vite! Vite!», haleta Diolo.

La suite ne fut que confusion et terreur.

Il fallut, à tâtons, évacuer l'embarcation. Dès qu'elle fut immergée dans l'eau jusqu'à la taille, Tracy mesura la puissance du courant. Si, secondée par Jared, elle n'avait pas soutenu Russel, elle n'aurait pas pesé assez lourd pour résister à l'attraction du flot. Elle priait pour que ces tourbillons tiennent les crocodiles à l'écart. Quand ses yeux se furent accommodés aux ténèbres, elle distingua le contour des choses. Coincée entre deux rochers, la carcasse de la barge grinçait en continuant à se disloquer. Par chance, le vacarme de cette agonie métallique couvrait les clapotis de leur débandade. Une fois sur la berge, ils s'efforcèrent de marcher dans le sillage de Diolo qui donnait l'impression de savoir où il allait.

Soutenant Russel, Tracy eut l'occasion de vérifier la justesse de l'expression peser plus lourd qu'un âne mort. Entre deux halètements, Jared ne pouvait s'empêcher d'égrener des jurons. Des animaux hurlaient, çà et là. Probablement parce qu'un prédateur nocturne travaillait à les égorger.

La jeune femme s'efforça de ne pas penser aux félins qui chassent de préférence la nuit.

«Bordel de merde! s'emporta soudain Jared. Est-ce qu'on sait où on va?»

Tracy se posait la même question. Elle titubait. Si elle n'avait pas porté des leggins, les herbes tranchantes lui auraient cisaillé les mollets, elle aurait perdu son sang par des dizaines d'entailles.

«Tout droit, souffla Diolo. Je pense qu'on n'est pas loin de la mission.

— Quelle mission? éructa Jared.

— La mission du prêtre belge, répondit leur guide. J'ai regardé sur la carte. Si on ne l'a pas dépassée, on a une chance qu'il nous accueille... Enfin, peut-être, s'ils sont pas tous morts. J'y suis allé, quand j'étais petit. Mais le prêtre il doit être très, très vieux aujourd'hui.»

Tracy se rappela avoir entendu parler de cette mission. Par qui? Ah! Oui... par le marin manchot qui leur avait vendu la barge. La mission de Saint-quelque chose... Un nom flamand ou germanique. Goethe? Non, Goetz! Saint-Goetz.

Ils avancèrent en aveugle un long moment. De temps à autre, Diolo leur commandait de s'arrêter et de prêter l'oreille, afin de déterminer s'ils étaient suivis. Mais la jungle bruissait de crissements et de craquements, de cris étranges, proches ou lointains. Tracy eut l'impression que des millions de carabes travaillaient des pinces et des mandibules dans l'obscurité. On lui avait souvent répété que les véritables maîtres de la forêt n'étaient pas les grands fauves mais, bien au contraire, l'armée minuscule des prédateurs à carapace qui pouvaient vous recouvrir tout entier en l'espace de trois secondes. Les fourmis de feu constituaient un exemple parmi tant d'autres. Déjà, elle se sentait la proie de mille démangeaisons suspectes, trahissant l'avance de bestioles infiltrées dans ses vêtements. À plusieurs reprises elle fut frôlée par des chauves-souris hématophages que l'odeur de sa sueur attirait. Des rats de palmier se cognaient à ses chevilles. Elle devinait leur chassé-croisé à la double luciole de leur regard phosphorescent.

Ils reprirent leur marche tâtonnante. Diolo, né dans la jungle, savait mieux qu'eux interpréter les sons de la nature. Sans lui, ils auraient tourné en rond.

«Là-bas! haleta soudain Jared. Une lumière!»

Il disait vrai. À dix mètres au-dessus du sol brillait l'éclat jaunâtre d'une lampe-tempête.

«C'est la mission! exulta Diolo. On est sauvés!»

Au même instant, un éclair aveuglant explosa au-dessus d'eux, éclairant la forêt a giorno.

«Une fusée de détresse», songea Tracy. Une fusée tirée depuis le bâtiment de la mission pour leur indiquer le chemin à suivre.

Alors qu'elle se tournait vers Russel, elle poussa un cri. À seulement dix pas en arrière se tenaient deux guerriers presque nus qui brandissaient des sagaies. Sans la fusée, elle n'aurait pu détecter leur approche. «Ils nous ont suivis depuis que nous avons abandonné la barge», pensa-t-elle confusément. Oui, elle s'était crue en sécurité alors que l'ennemi ne cessait de se rapprocher.

Mais déjà Diolo avait fait volte-face, épaulé et ouvert le feu. Les Nitro Express 600, conçues pour arrêter un éléphant en pleine charge, firent littéralement exploser le torse des guerriers. Chairs, poumons et os pulvérisés aspergèrent la végétation à vingt pas de distance. Lorsque les corps s'abattirent, ils étaient sectionnés à la hauteur du bassin.

Les détonations avaient rendu Tracy sourde. Ses tympans ne percevaient plus qu'un sifflement continu et lancinant, le son d'une scie circulaire tournant à plein régime.

Une autre fusée craqua au-dessus d'eux.

Tracy vit la bouche de Jared articuler des mots inaudibles. Sans doute la suppliait-il de réagir. La jeune femme s'ébroua et, mobilisant ses dernières réserves d'énergie, entreprit de traîner Russel vers le curieux fortin qui se dressait à une cinquantaine de mètres. Un clocher en rondins, surmonté d'une croix, émergeait des remparts. Ce poste avancé de la Foi semblait bâti en dépit du bon sens. Aucune des parois n'était d'équerre, mais la faute en incombait sûrement à l'humidité qui finit par déliter les bois les plus résistants.

Alors qu'ils se trouvaient à une dizaine de pas de la palissade, la grande porte s'ouvrit, manœuvrée par deux nonnes portant chasuble et voile blanc. La plus corpulente des deux leur cria, dans un anglais mâtiné d'accent belge : « Dépêchez-vous ! S'il vous plaît. Il y en a d'autres. »

Sans se faire davantage prier, ils s'engouffrèrent dans le fortin. Des torchères, fixées au sommet de pylônes, éclairaient tant bien que mal une cour intérieure qu'entouraient des baraquements de rondins aux toits couverts de feuilles de palme. Le plus important d'entre eux était flanqué d'un clocher aux allures de tour de Pise, et que soutenaient des étais de fortune.

«Je suis sœur Marieke, précisa la forte nonne en se dépêchant de refermer le vantail. Le père Van Boekke est sur les remparts. C'est lui qui tire les fusées de détresse. C'est le seul moyen dont nous disposons pour tenir les indigènes en respect. Ils s'imaginent que nous commandons au tonnerre et à la foudre. C'est certes une duperie, mais ce petit subterfuge nous a permis de rester en vie. Sans lui, il y a belle lurette que cette mission aurait été saccagée et que nos têtes pourriraient au bout d'une pique.»

Elle s'exprimait sans détour, avec cette assurance que Tracy avait souvent constatée chez les aumôniers militaires officiant sur les champs de bataille et qui, agenouillés dans le sang et les tripes, donnaient l'absolution aux mourants tandis que balles et éclats d'obus sifflaient autour d'eux.

«Je vois que votre compagnon est blessé, releva sœur Marieke. Suivez-nous jusqu'à l'infirmerie, nous verrons de quelle façon soulager ses maux.»

Ayant recouvré ses esprits, Tracy s'empressa de préciser que Russel souffrait d'un empoisonnement du sang dû à une blessure par flèche.

«Ne vous inquiétez pas, coupa la nonne, nous avons l'habitude. Nous connaissons les ruses de ces sauvages, nous vivons en assiégés depuis si longtemps…»

153

Tout à coup, un géant en soutane blanche parut dans la lumière. Il était chauve, une longue barbe grisonnante s'étirait en éventail sur sa poitrine. Avec son visage raviné et ses mains de charpentier, il avait davantage l'air d'un aventurier que d'un homme de Dieu. Comme Tracy n'allait pas tarder à le constater, son accent belge était si prononcé qu'il rendait la plupart de ses propos incompréhensibles.

« Bonsoir, déclara-t-il, soyez les bienvenus dans notre humble forteresse où nous nous efforçons de repousser l'ennemi avec les moyens les plus pacifiques qui soient. Je suis le père Joos Van Boekke. Allons au réfectoire, vous y serez plus à l'aise pour me conter vos aventures. »

Il s'exprimait dans un anglais désuet, appris à la lecture de Shakespeare, ce qui donnait à ses propos un tour involontairement comique.

Une fois Russel étendu sur un lit de fortune, les sœurs s'empressèrent de le dénuder sans la moindre gêne.

Tracy proposa de les aider, mais le missionnaire la saisit par l'épaule et dit :

« Laissez, Sœur Marieke connaît son affaire. Elle dirigeait notre hôpital de campagne lors des affrontements entre Tutsis et Hutus. Elle en a vu de toutes les couleurs, croyez-moi ! Elle a l'habitude de ce genre d'empoisonnement. Avec l'aide des *natives*, nous avons élaboré des remèdes en mesure de les combattre. »

Ils durent donc se résoudre à suivre Joos Van Boekke dans un bâtiment annexe où s'alignaient une dizaine de tables de réfectoire. Tracy remarqua que de nombreux visages noirs se pressaient aux fenêtres pour les observer avec curiosité.

«Ce sont nos protégés, expliqua le prêtre. Nous leur avons accordé asile quand les sorciers des tribus voisines ont décidé d'exterminer ceux de leurs semblables qui avaient commis l'erreur d'embrasser la foi catholique. C'est pour cette raison qu'ils nous assiègent. Ils exigent que nous leur livrions ces renégats. Si nous le faisions, ces pauvres bougres subiraient les plus affreux tourments. Comme nous nous refusons à employer de vraies armes pour les repousser, notre situation devient précaire. J'ignore combien de temps nous pourrons tenir. Mes réserves de fusées de détresse s'épuisent. De toute manière, nos assaillants commencent à s'habituer à ces démonstrations pyrotechniques, et comme aucun d'entre eux n'a encore été foudroyé, j'ai grand peur qu'ils décident un jour de passer outre et de donner l'assaut à notre fortin.

— Nous pouvons vous laisser un fusil et quelques munitions..., proposa Tracy au grand dam de Jared qui ne se donna pas la peine de réprimer une grimace de désapprobation.

— Je vous en remercie, ma fille, répondit de Boekke d'un ton patelin, mais ce serait contraire à nos principes de non-violence. Nous nous contenterons de prier avec davantage de force, et le Seigneur nous viendra en aide.

— Oui, grinça Jared avec empressement, je pense aussi que c'est la meilleure solution.»

Un serviteur noir apparut, portant un broc d'une tisane tiède dont il emplit des gobelets de terre cuite.

«Buvez sans crainte, fit le prêtre, c'est un excellent désinfectant qui tuera dans l'œuf les germes potentiels dont vous êtes déjà porteurs à votre insu.»

Tracy, soucieuse de montrer sa bonne volonté, obéit. Le breuvage, amer et épicé, évoquait le gingembre.

«Puis-je vous demander ce qui vous a poussés à remonter le Balawi? s'enquit le religieux. Êtes-vous là, comme tant d'autres, pour mettre la main sur les fameux diamants du Congo?»

Il souriait, mais son regard inquisiteur n'avait plus rien de bienveillant.

Jared se pressa de clarifier la situation et d'expliquer qu'ils étaient à la recherche d'un aviateur dont l'appareil s'était écrasé dans la jungle.

Joos Van Boekke eut une moue dubitative.

«Une entreprise fort louable, marmonna-t-il, mais irréaliste. Ne croyez pas que je fasse montre de cynisme, mais chez nous on a l'habitude de l'expédition de secours qui se perd à son tour, et à la recherche de laquelle on envoie une autre expédition de secours dont, encore une fois on ne reçoit plus de nouvelles... C'est un peu le système des poupées gigognes, voyez-vous. Je crois que ceux qui vous ont expédiés ici n'ont pas mesuré l'ampleur de la difficulté. Vous arrivez directement des cités de l'embouchure, des centres commerciaux de l'estuaire. Ces agglomérations donnent une fausse image de ce qui se passe dans l'arrière-pays. Les rives du fleuve, jusqu'à la première cataracte, sont relativement civilisées. Les choses se gâtent dès qu'on s'enfonce au cœur du territoire. Kinshasa et Kisangani abritent une élite indigène qui a fort bien compris le bénéfice qu'elle pouvait tirer des séquelles de la colonisation. Elle s'efforce de gérer les miettes d'un savoir-faire ancien. Pour l'heure, elle affecte de respecter l'aspiration de tous à la réconciliation nationale, cela ne durera pas. Bientôt les vieilles dissensions ethniques remonteront à la surface, et les massacres reprendront de plus belle... On recommencera à violer les femmes avec des épieux taillés en pointe ou à leur couper les seins. Pardonnez ces détails, mais c'est ainsi que les choses se passaient il n'y a pas si longtemps.

» Ici, nous sommes coupés du monde. Nous vivons comme en 1885, quand Stanley descendait le fleuve, armé jusqu'aux dents, bataillant à chaque escale avec les tribus des deux rives, et fusillant sans hésitation ceux qui n'appréciaient pas son arrivée. C'est un autre monde où règnent les minawatas, ces sirènes démoniaques qui attirent les garçons nubiles dans les eaux pour les noyer. Les kisimbas sont partout. On croit aux crocodiles volants, aux singes qui prennent forme humaine les nuits de pleine lune pour s'accoupler avec les femmes et engendrer des démons. Les sorciers embrigadent les jeunes guerriers en leur faisant fumer du chanvre, et les manipulent en les gavant de sornettes. Ils forment ainsi des milices d'assassins fanatisés. Dans les années 1960, les Blancs constituaient la cible principale, et certains agitateurs politiques utilisaient la secte des hommes-léopards en ce sens. Aujourd'hui, ils se livrent à des luttes fratricides entre chefferies ennemies, mais viendra le moment où l'incendie se propagera jusqu'à embraser le pays une fois de plus. Alors recommenceront les horreurs qui ont trop souvent fait du Congo une gigantesque boucherie.»

Tracy se fit la réflexion qu'on lui avait déjà tenu ce discours. Tout le monde semblait au courant de ce qui se tramait dans l'ombre et, pourtant, très peu se décidaient à plier bagage. Tout se passait comme si la communauté blanche du pays refusait de regarder la réalité en face. Victime d'une étrange apathie, les derniers colons cultivaient l'espoir d'une improbable cohabitation pacifique et soignaient leurs angoisses en ayant recours à leurs médications préférées : chanvre, siestes crapuleuses, et cognac à l'eau de Seltz.

«Mais vous êtes épuisés, conclut abruptement Van Boekke, je vais vous conduire au dortoir. Votre boy se trouvera une place dans le baraquement des gens de couleur, bien entendu. Nous réfléchirons, demain, à ce qu'il convient de faire.»

Comme elle s'y attendait, Tracy se retrouva logée avec les sœurs. Jared, lui, allait probablement partager les quartiers du prêtre... et ses ronflements.

Elle décida de ne plus y penser. Elle se sentait sale et si fatiguée qu'elle ne parvenait plus à aligner deux pensées cohérentes.

Une certaine sœur Freya (maigre et jaune) lui montra le cabinet où elle pourrait se décrasser sommairement (car l'eau était rationnée), et lui prêta une chemise de nuit virginale en coton si usagée qu'elle en était transparente, ce qui lui donnait un aspect érotique pour le moins paradoxal.

Elle s'endormit dès que sa tête toucha l'oreiller, et fut réveillée, six heures plus tard, par les jacassements des perroquets gris et le parfum entêtant des frangipaniers.

Il lui fallut trois secondes pour se rappeler où elle se trouvait. Son premier souci fut de demander des nouvelles de Russel. Sœur Marieke, sa voisine de lit, lui répondit que la fièvre était tombée et qu'il semblait aller mieux.

« L'influence du poison recule, énonça-t-elle. Je pense qu'il s'en tirera. Physiquement, tout au moins, car je ne peux rien garantir en ce qui concerne sa santé mentale. Ces toxines s'attaquent au cerveau. Nous avons déjà eu des cas de ce genre. Il arrive que ceux qui survivent deviennent aphasiques, souffrent d'amnésie... ou sombrent dans la démence. Cela dépend des aires cérébrales touchées. Je vous conseille de prier. Avec l'aide de Notre Seigneur, ses maux connaîtront assurément une fin heureuse. »

Tracy jugea que mieux valait s'abstenir de toute réaction critique et suivit Marieke au réfectoire où une soixantaine de personnes déjeunaient bruyamment. Il y avait là des femmes, des enfants, des vieillards, quelques adolescents, mais très peu d'hommes adultes. La plupart en haillons.

« Ce sont les rescapés de trois villages tombés sous la tyrannie des sorciers, commenta Marieke. Les maris ont été tués, souvent dans des conditions atroces, car ici l'on pratique volontiers la mutilation sexuelle. Les adolescentes ont été incorporées au harem du chef tribal. Leur unique défaut était d'avoir embrassé la foi catholique. Les sorciers ne

159

peuvent tolérer cela, c'est une atteinte directe à leur pouvoir occulte.»

Tracy s'assit sur un banc, à côté de la sœur. Une fille de cuisine se dépêcha de leur apporter du porridge à base de mil, quelques bananes-cochon frites dans l'huile de palme, et un bol de tisane.

«Le rationnement, énonça simplement Marieke. Le siège s'éternise. Nous avons envoyé un messager à Matadi pour réclamer du secours, mais je doute qu'il soit arrivé à bon port. Les hommes-léopards l'ont probablement intercepté. Vous connaissez le dicton des vieux broussards, je suppose : il est plus facile d'entrer dans la jungle que d'en ressortir. Du moins entier.»

Tracy découvrit qu'elle mourait de faim, elle dévora sa ration de mil bouilli et ses bananes plantains. Marieke l'imita, mais avec davantage de retenue. Alors qu'elles quittaient le réfectoire, la religieuse s'immobilisa un instant sur le seuil et dit :

«Soyez prudente si vous grimpez sur les remparts. Les archers dissimulés dans les arbres sont habiles. Je vous conseille de ne pas sortir des échauguettes et d'observer l'extérieur depuis les meurtrières.»

Tracy acquiesça. Quand elle manifesta son désir de se rendre au chevet de Russel, Marieke refusa avec fermeté :

«Cela ne servirait à rien. Il est inconscient. Si vous voulez l'aider, allez à la chapelle et priez avec toute la ferveur dont vous êtes capable.»

Il n'y avait pas à tergiverser. Tracy la laissa s'éloigner en direction de l'infirmerie. Alors qu'en dépit de l'interdiction qui venait de lui être signifiée elle se préparait à lui emboîter le pas, une lamentation enfantine s'éleva de l'autre côté de la palissade. C'était une supplique ponctuée de sanglots qui ne pouvait qu'éveiller la compassion. Un gosse malade, probablement blessé, fuyant ses tortionnaires...

Sans plus réfléchir, obéissant à un réflexe professionnel, Tracy se précipita vers l'échelle conduisant au chemin de ronde. Alors qu'elle prenait pied sur la passerelle faisant le tour du fortin, une poigne solide se glissa sous son aisselle, la soulevant de terre. Avant qu'elle ait pu réagir, on la tira à l'intérieur de l'échauguette, cette casemate en rondins dont trois autres exemplaires se trouvaient plantés aux angles de la palissade. C'était le père Joos Van Boekke qui venait de l'attraper au collet comme un vulgaire lapin. Elle voulut protester, mais il leva une main péremptoire, lui intimant le silence. Il était toujours vêtu de sa soutane blanche, malpropre, et d'un casque colonial à l'ancienne mode. Ainsi affublé, il aurait pu poser aux côtés de Stanley, en 1886.

«Taisez-vous, ma fille, souffla-t-il, je vous sauve la vie.

— Mais cet enfant...», se plaignit Tracy.

Sans ménagement, il la poussa à l'angle d'une meurtrière d'où elle put découvrir un gosse en guenilles, agenouillé devant le portail, et qui montrait les signes d'une terrible affliction. Il se frappait la poitrine et, de temps à autre, levait son visage baigné de larmes vers les remparts. Il débitait un discours incompréhensible entrecoupé de hoquets et de reniflements.

«Que dit-il? s'inquiéta la jeune femme.

— Il réclame l'asile, énonça Van Boekke d'un ton froid. Il me supplie de l'exorciser.

— Quoi?

— C'est un enfant-démon. Un spécimen courant dans ces parages. Il prétend qu'un diable s'est glissé en lui le forçant à commettre des crimes atroces. Il me supplie de l'en débarrasser.

— Et qu'allez-vous faire?

— Rien. Je suis moins naïf que ne l'imaginent ceux qui l'envoient. C'est un cheval de Troie. Si je le faisais entrer, il feindrait d'être guéri et joue-rait les moutons reconnaissants pendant vingt-quatre heures puis, une nuit, il se glisserait hors du dortoir pour aller ouvrir la porte aux guerriers embusqués à l'extérieur. Guerriers qui, bien évi-demment, profiteraient de notre sommeil pour nous massacrer. J'ai failli m'y laisser prendre une fois, Sœur Marieke nous a sauvés en interceptant le petit salopard de justesse.

— Et qu'a-t-elle fait?

— Elle lui a fendu le crâne avec une hachette. En certaines occasions il faut savoir devenir le bras armé de la colère divine.»

Tracy ne fit aucun commentaire. Elle ne parve-nait pas à démêler si le vieux crabe lui inspirait de la sympathie ou du dégoût.

Ils regagnèrent la cour intérieure où Jared et Diolo les attendaient. Jared ne cherchait pas à dis-simuler son impatience. On eût dit qu'il brûlait de se remettre en chasse à l'instant même.

«Il faut que nous parlions sérieusement, lan-ça-t-il au prêtre.

— Je ne fais jamais autrement, rétorqua celui-ci. Quel trouble vous agite donc, mon fils? Asseyons-nous sur ce banc, à l'ombre, et parlons-en. Je vous écoute.»

Agacé, l'ex-espion s'empressa de lui demander s'il avait recueilli auprès de ses ouailles les échos d'un crash.

«Un avion…, répéta-t-il, un avion qui serait tombé il y a un peu plus de trois mois. La chose est assez extraordinaire pour avoir frappé les esprits des *natives*, non?»

Joos Van Boekke haussa les épaules.

«Je ne voudrais pas vous attrister, mon fils, soupira-t-il, mais la jungle est immense. C'est un océan de troncs et de feuillage, et un avion est bien petit poisson en comparaison. Non, je n'ai rien entendu de tel… La seule fable qui revient dans les bavardages de mes protégés est celle du crocodile de fer.

— Mais encore? insista Jared, en éveil.

— C'est un conte fantaisiste. Quelque part, à une dizaine de kilomètres en amont, serait échouée depuis des siècles la carcasse d'un crocodile géant. Un crocodile de fer. Comme il semble dormir, personne n'ose s'en approcher de peur de le réveiller. L'endroit est tabou, et tout le monde l'évite. Des légendes de ce genre j'en ai entendu des dizaines. Parfois, il y est même question de crocodiles volants se déplaçant d'arbre en arbre. Certains scientifiques croient qu'il s'agit d'une variété de ptérodactyles ayant survécu à la disparition des dinosaures. Une foutaise, bien sûr.»

Mais Jared avait cessé d'écouter. Se tournant vers Tracy, il lui adressa un coup d'œil d'intelligence. La jeune femme comprit ce que cela signifiait. Le crocodile de fer n'était autre que l'épave du *Kriegers 3* échouée dans le labyrinthe de la mangrove. Ils savaient désormais dans quelle direction porter leurs pas. C'était la carcasse du U-Boot que Edmund Hofcraft avait repérée du haut des airs, juste avant de s'écraser... ou d'être abattu par les « néonazis » chers à Jared.

Le lieu du crash se trouvait, de facto, à proximité. Et si le vieux lion avait survécu à l'atterrissage en catastrophe, il avait forcément trouvé refuge non loin de là.

Cela impliquait également que les descendants des nazis ayant accompagné Hitler dans sa fuite étaient toujours maîtres du terrain. Du moins si l'on adhérait aux théories de Jared Coffier.

15. Dans le ventre de la bête

Joos Van Boekke ne fit guère d'efforts pour les dissuader de quitter la mission. Tracy eut même l'intuition que leur départ le soulageait, comme s'il flairait en eux un ferment de discorde susceptible d'affaiblir la foi de ses fidèles.

«Votre résolution est admirable, déclara-t-il un peu trop rapidement. Et je ne me hasarderai pas à vous en dissuader. La seule stratégie qui s'offre à vous est d'emprunter le fleuve. Je dispose de plusieurs pirogues. Je puis vous prêter l'une d'elles. Je vous conseillerai, à la faveur de la nuit, de la transporter jusqu'à la berge. Ici, les courants sont moins puissants, en pagayant vous pourrez gagner le mitan du cours d'eau et vous y maintenir. Soyez silencieux. Les guerriers n'oseront pas vous suivre à la nage; ils ont trop peur des minawatas, ces démons des profondeurs. De toute manière, neuf Congolais sur dix refusent d'apprendre à nager à cause des crocodiles. Il est toutefois possible qu'ils mettent leurs propres embarcations à flot et tentent de vous rattraper... Il vous faudra être plus rapides qu'eux. Je ne sais si vous en serez capables, mais je prierai pour que ce soit le cas. Et je ne doute pas que Notre Seigneur m'exauce.

— Et Russel? s'inquiéta Tracy.

— Il n'est pas en état de vous suivre. Nous continuerons à lui prodiguer des soins jusqu'à votre retour. Je ne puis rien vous offrir de mieux. Mes propositions vous semblent-elles acceptables?»

Ils répondirent par l'affirmative. Jared, pressé de lever le camp, aurait accepté n'importe quel compromis.

«Nous touchons au but, expliqua-t-il lorsqu'ils se retrouvèrent seuls. Je n'ai pas l'intention de moisir ici, Edmund Hofcraft est peut-être à trois kilomètres, blessé, nous devons le secourir et le récupérer. C'est pour cela qu'on nous paye. Chaque minute compte, et je ne m'imagine pas rentrer aux

États-Unis pour annoncer à Adriana que son père est mort parce que nous avons lambiné.»

Tracy n'y était pas opposée. La parenthèse congolaise lui devenait insupportable. Elle avait hâte de regagner New York. Elle n'avait pas encore décidé si elle continuerait de partager la vie de Russel. Elle estimait qu'il était peut-être temps pour elle de tourner la page et d'entamer une nouvelle existence, plus stable, dans un cabinet médical ou un hôpital... Elle n'avait encore rien arrêté.

«D'accord, soupira-t-elle, qu'on en finisse. Prenons cette fichue pirogue et tentons le tout pour le tout. Je sens que si nous nous incrustons ici, Marieke va s'acharner à me convaincre de prendre le voile.

— Faudra faire vite, grogna Diolo. Les pagayeurs ils sont plutôt rapides, et on n'a pas idée de ce qui nous attend au bout.»

Il avait raison, ils en avaient tous assez de cette expédition qui, comme tant d'autres, menaçait de s'enliser.

«C'est décidé, conclut Jared. On rassemble les munitions, les fusils, et on tente le coup cette nuit.»

Une mauvaise surprise les attendait toutefois. Quand ils voulurent récupérer leurs armes, celles-ci demeurèrent introuvables. Inquiets, ils se précipitèrent dans la chapelle pour interroger Van Boekke. Celui-ci leur opposa son éternel sourire angélique.

«Ho! fit-il, pardonnez-moi, j'ai oublié de vous le dire. J'ai jeté les fusils et les munitions dans le fleuve, du haut des remparts. Il n'était pas tolérable que des instruments de mort souillent une enceinte sacrée. Mais n'ayez crainte, mes prières vous accompagneront. J'ai la certitude qu'elles suppléeront à ces armes barbares.»

Jared esquissa un mouvement pour sauter à la gorge du prêtre. Diolo et Tracy durent s'interposer. Durant l'échauffourée, le missionnaire demeura impassible.

Quand le calme fut revenu, la jeune femme prit le temps de s'interroger sur les motivations réelles de Van Boekke. Croyait-il vraiment au pouvoir de ses prières... ou avait-il pris un plaisir coupable à leur jouer un mauvais tour ?

Un peu plus tard, Diolo lui fournit une solution plus réaliste :

«Il a jamais cru à votre histoire de sauvetage. Il nous prend pour des trafiquants de diamants. L'a voulu nous donner une leçon. Nous punir... Nous donner l'occasion de racheter nos fautes. C'est les mots qu'ils emploient, les prêtres, quand ils envoient quelqu'un à la mort.

— Ça ne m'étonne pas, ragea Jared. Il n'y a que des fanatiques pour accepter de s'exiler au milieu d'un tel enfer.»

Ils restèrent à l'écart jusqu'à la tombée de la nuit. Le petit peuple du fortin les regardait avec curiosité sans chercher à lier connaissance. Même les enfants se tenaient en retrait. Tracy se faisait l'effet d'une pestiférée. Une heure avant le crépuscule, Sœur Marieke les mena à la remise où s'entassaient une dizaine de pirogues taillées dans un bois résineux.

«Choisissez, dit-elle abruptement. Et n'oubliez pas d'envelopper les pagaies de chiffons afin qu'elles fassent moins de bruit quand vous les plongerez dans l'eau.»

Elle leur remit également un sac contenant une poignée de baies et des galettes séchées, puis tourna les talons sans leur souhaiter bonne chance.

La pirogue était lourde, comme toutes les pirogues congolaises, à tel point qu'on se demandait comment elles parvenaient à flotter. Ils eurent du mal à la traîner jusqu'à la porte. Personne ne vint les aider.

Ils attendirent en silence et, soudain, l'obscurité fut là, au terme d'une transition si rapide qu'on avait à peine le temps de la remarquer.

Sœur Freya s'avança vers le vantail et, d'un signe, les pria de la suivre. Ils soulevèrent la pirogue, le cœur battant. Faisant preuve d'une étonnante force musculaire, la maigre femme retira la barre de sécurité puis entrebâilla le battant juste ce qu'il fallait pour leur permettre de sortir. D'une voix effrayée, elle les pria de se dépêcher.

Ils s'élancèrent sur la pente menant à la berge en essayant de coordonner leurs mouvements. La déclivité du terrain n'arrangeait rien. Arrivés sur la rive, ils mirent le canot à l'eau le plus silencieusement possible, puis, une fois embarqués, pagayèrent en cadence pour s'éloigner du rivage. À cet endroit – en raison de la courbe qu'amorçait le Balawi – le courant était moins fort.

Ils s'appliquèrent à positionner la pirogue au milieu du fleuve, pour s'éloigner au maximum des rochers festonnant les rives. L'obscurité compliquait la manœuvre. Toutes les dix minutes, Diolo leur commandait de suspendre la nage et tendait l'oreille pour déterminer si on les avait pris en chasse.

«Ça va, annonçait-il, on dirait qu'ils nous ont pas vus ficher le camp... ou alors ils s'en foutent. C'est possible, leur vrai gibier, c'est les gens de la mission. Et puis z'auraient pas eu grand-chose à nous voler. Ils aiment pas les habits des Blancs et encore moins leurs chaussures. Les supportent pas. Et puis, aussi, on n'a pas de fusils... ça, ça les intéresse. Si ça se trouve, le prêtre, il nous a sauvé la vie en confisquant les armes, hein? Va savoir?»

Il réfléchissait à mi-voix, n'attendant pas de réponse. Au-dessus de leurs têtes, la canopée devenue moins dense laissait voir la lune et les étoiles. Cette luminosité, quoique réduite, leur permit de discerner la découpe des berges. Les moustiques s'en donnaient à cœur joie et s'engouffraient dans leurs oreilles avec des vrombissements insupportables. Anesthésiée par l'angoisse, Tracy ne portait plus attention à leurs piqûres. Elle se demandait si le U-Boot serait suffisamment émergé pour qu'ils puissent détecter sa présence. Au cours des cinquante dernières années, n'avait-il pas rouillé jusqu'à faire eau de toutes parts? C'était plus que probable. Dans ce cas, ils risquaient fort de dépasser le lieu du naufrage sans repérer son kiosque perdu dans le fouillis de la mangrove et de son labyrinthe de palétuviers. La jungle n'avait-elle pas la réputation de digérer les artefacts humains?

Elle n'avait aucune idée du temps nécessaire pour parcourir dix kilomètres en pagayant. Elle craignait par-dessus tout que les crocodiles ne s'intéressent de trop près à la pirogue, la prennent en chasse et la fassent chavirer. Au Kenya, elle avait assisté à un tel drame. Il n'y avait eu aucun survivant. Les morsures de crocodiles étaient neuf fois sur dix fatales, parce que sectionnant les artères et broyant les os. En outre, le saurien a coutume d'entraîner sa proie dans les profondeurs pour la cacher dans son garde-manger sous-marin. Si bien que, même légèrement blessée, la victime meurt noyée.

À son grand regret, ils n'avançaient pas vite. Pagayer à contre-courant s'avéra si pénible qu'elle eut bientôt les paumes tapissées d'ampoules. Elle n'avait aucun moyen d'estimer l'écoulement du temps, le cadran de sa montre militaire s'étant brisé lorsqu'ils avaient évacué la barge. Des pensées incohérentes ou grotesques lui traversaient l'esprit. Elle songea qu'il n'y avait pas si longtemps, les 3 et 4 octobre 1993 très exactement, lors du fiasco catastrophique de Mogadiscio, elle avait réagi avec davantage de maîtrise tandis que la tente-hôpital se remplissait des blessés de la Task Force Rangers pissant le sang. Quatre-vingt-dix jeunes gars en bien mauvais état, si elle se souvenait bien...

Sans doute vieillissait-elle? Les années passées aux côtés de Russel, dans une relative quiétude, l'avaient ramollie. Si elle continuait dans cette voie, elle finirait au coin d'une cheminée, à tricoter des chandails pour les orphelins, des lunettes à double foyer perchées sur le bout du nez.

La voix de Diolo la sortit de son hébétude.

«On arrête, disait-il. Je crois qu'on y est... Le sous-marin. Il est là, pris dans la mangrove. On va s'en approcher doucement.»

Tracy plissa les paupières dans l'espoir d'accroître sa vision nocturne. La lumière de la lune lui permit de distinguer une protubérance végétale en forme de cigare géant, accolée à la rive droite. Ils manœuvrèrent pour l'aborder. Un écho sourd se produisit lorsque la proue de la pirogue heurta l'obstacle.

«C'est creux, constata Jared. Il y a du métal sous la mousse. Le métal de la coque!

— Qu'est-ce qu'on fait? s'enquit Diolo. On essaye de monter à bord? J'ai pris une torche électrique à la mission. C'est pas un péché, le prêtre il nous a bien volé nos fusils. Alors chacun son tour, hein?

— Je n'en sais rien, avoua Jared. Il n'y a pas de sentinelles, ça semble abandonné depuis une éternité. De toute manière on ne peut pas rester là jusqu'au lever du jour. Les crocodiles vont finir par s'intéresser à nous, et la pirogue est si basse sur l'eau qu'ils n'auront aucun mal à la faire chavirer.»

Cette précision eut raison des réticences de Tracy. Le U-Boot étant prisonnier de la mangrove, un réseau végétal le recouvrait à la manière d'un filet aux mailles étroites. Les lianes entrecroisées avaient fini par tricoter une échelle naturelle qui leur permit d'escalader le flanc du submersible qu'on distinguait à peine. C'est gagnée par un sentiment d'irréalité que Tracy prit pied sur le pont, non loin du canon de proue que la mousse et la moisissure enveloppaient d'une gaine duveteuse.

Elle avait du mal à se persuader de la réalité du moment car elle n'avait jamais accordé le moindre crédit à la théorie du sous-marin clandestin acheminant Hitler au Congo. Elle découvrait soudain que le *Kriegers 3* existait bel et bien, et qu'il avait pleinement rempli sa mission avant d'être abandonné par son équipage, cinquante ans plus tôt. Debout à la proue de l'antique machine de guerre, elle avait l'impression de piétiner sans vergogne la carcasse d'un dinosaure. Elle fut bientôt rejointe par ses compagnons.

D'instinct, ils chuchotaient, comme s'ils s'apprêtaient à violer un sanctuaire païen, un temple voué à l'idolâtrie d'un dieu barbare. Une sorte de Baal Moloch que ses prêtres auraient suivi en exil.

Diolo allumait la torche par intermittence afin de leur permettre de distinguer où ils mettaient les pieds. Il aurait été stupide de marcher sur un serpent.

À force de tâtonnements, ils contournèrent le canon de 37 mm et arrivèrent au pied du kiosque qui avait maintenant l'aspect d'un donjon enveloppé de lianes. C'était la seule partie de l'épave qui n'eût pas totalement disparu sous la prolifération des plantes d'eau.

Jared dut tâtonner dans l'épaisseur du feuillage pour localiser les échelons incorporés au blindage, et qui permettaient d'accéder à ce que les sous-mariniers surnomment «la baignoire», c'est-à-dire le sommet du kiosque, là où le commandant – lorsque le submersible fait surface – s'installe pour scruter l'océan à la jumelle.

«Alors on y va? demanda-t-il. Si l'intérieur a été colonisé par les serpents, on risque de gros ennuis.

— On y va, décida Tracy. On ne va pas rester plantés là jusqu'à l'aube.»

Jared s'exécuta. Diolo le suivit, puis vint le tour de la jeune femme. Une fois en haut, la lampe électrique leur permit de constater que l'écoutille, si elle était rabattue, n'en était pas moins déverrouillée. Lentement, Jared souleva le lourd panneau d'acier bordé de caoutchouc émietté. Un relent pestilentiel s'échappa des profondeurs du U-Boot.

«Y'a des charognes là-dedans, constata Diolo. Peut-être des bêtes qui sont tombées dans le trou et n'ont pas réussi à ressortir... ou alors des hommes crevés depuis longtemps. C'est pas une odeur de cadavres frais. Ça, pourriture ancienne. Je vous le dis, oui, oui.

— Passe-moi la lampe, ordonna Jared. J'ai déjà voyagé à bord d'un sous-marin, je sais comment m'y déplacer.»

Ayant glissé la torche électrique dans la ceinture de son pantalon, il empoigna les échelons et disparut dans l'ouverture. Dix minutes durant, Tracy et Diolo restèrent penchés sur le trou béant de l'écoutille, observant le pinceau lumineux qui allait et venait dans les profondeurs du submersible. Les déplacements de Jared au long du caillebotis métallique produisaient d'étranges échos. On eût dit que des chevaliers en armure ferraillaient dans l'obscurité.

«Alors? s'impatienta la jeune femme.

— C'est bon, répondit la voix lointaine de l'espion. Il n'y a personne, à part la carcasse d'un singe mort. Il a voulu explorer le sous-marin, mais l'écoutille s'est accidentellement refermée derrière lui et il n'a pas été capable de retrouver son chemin. Vous pouvez descendre.»

La gorge nouée, Tracy se laissa glisser le long des échelons. Jared l'attendait en bas, près du périscope.

«Attention, fit-il, goguenard, ne marchez pas sur le singe.»

Et, abaissant sa lampe, il fit courir le halo sur le sol, éclairant une charogne recroquevillée dans un coin.

«Je pense qu'il a cédé à la panique, commenta-t-il. Perdu dans l'obscurité, il s'est cogné partout et s'est fendu le crâne. De toute manière on s'en fout. C'est le seul occupant du bateau. Le matériel est relativement en bon état si l'on considère le temps qu'il a passé ici, mais il faut faire attention aux visiteurs indésirables qui ont pu suivre le même chemin que le singe : mygales, serpents...»

Tandis qu'il parlait, Diolo les avait rejoints. Il examinait les lieux avec une méfiance non dissimulée.

«On se croirait dans le ventre d'un crocodile, c'est sûr, grogna-t-il. Y'a même pas une fenêtre pour regarder dehors.

— Je propose de dormir ici, lança Jared. On fait le ménage, et on referme l'écoutille. De cette manière on sera en sécurité, si les *natives* se

174

lancent à notre poursuite, ils se casseront les dents sur le blindage du U-Boot.

— Ça pue le moisi…, fit valoir Tracy.

— Ne jouez pas les duchesses, grogna l'espion. D'ici dix minutes votre nez se sera habitué à cette puanteur. Vous n'avez jamais visité l'enclos des fauves, dans un zoo? Au début, c'est à vomir, puis, au bout d'un moment, on ne sent plus rien. D'ailleurs, Diolo va nous débarrasser de ce foutu singe pendant que je vous ferai visiter le palace. Okay? Le vrai danger, ce sont les serpents, il faut s'assurer qu'ils n'ont pas fait de nids.»

La perspective de dormir en paix emporta l'adhésion générale. Et plus particulièrement celle de Tracy qui n'avait nulle envie de passer une nuit blanche à craindre une attaque surprise des hommes-léopards.

Jouant les guides professionnels, Jared l'entraîna dans une visite éclair du U-Boot. La machinerie occupant 75 % de l'espace intérieur, le volume habitable était réduit. En fait, il se résumait à un étroit couloir voûté. Un chemin rectiligne courait de la poupe à la proue, de la chambre des machines à celle des tubes lance-torpilles. Des portes hermétiques divisaient ce fuseau encombré de canalisations et de fils électriques; elles permettaient, en cas de voie d'eau, d'isoler les compartiments submergés. L'installation relevait du cauchemar de claustrophobe.

«Regardez, lança Jared en balayant l'obscurité du halo de sa grosse lampe. Là, c'était le quartier de l'équipage. Les couchettes superposées ne sont pas trop rouillées. Aucune photo collée sur la paroi. Aucun livre ou revue. Autant d'indices qui prouvent que le bâtiment n'a pas été évacué en catastrophe. Les marins ont soigneusement bouclé leur paquetage avant de descendre à terre. Ils sont tous partis… et pas un n'est revenu. Je pense que le bateau est vide depuis un demi-siècle, ça se voit au degré de pourrissement des étoffes. Venez, continuons.»

Ils traversèrent la coquerie où s'entassait une impressionnante réserve de conserves tavelées de rouille. Dans l'arsenal, au râtelier presque vide, dormaient encore cinq fusils Mauser 98K enduits de graisse rance, ainsi qu'une caisse de munitions 9 mm Parabellum. Puis ce fut le tour du quartier réservé au commandant, avec ses cartes, ses manuels techniques, et l'inévitable coffre-fort dont le battant blindé était ouvert. Tracy nota qu'une grosse araignée en avait fait son logis, y tissant une toile épaisse.

«Manifestement, grogna Jared, ils ont emporté tous les documents importants. Je me suis livré à une fouille rapide sans pouvoir mettre la main sur le journal de bord. Regardez dans cette corbeille… elle est pleine de cendres. On y a brûlé des papiers confidentiels. Il faudra tout de même regarder cela de plus près, il n'est pas exclu que quelque chose leur ait échappé.»

Tracy inspira. L'atmosphère était confinée, certes, mais pas au point de générer l'hypoxie. Devinant ses craintes, Jared entreprit de la rassurer :

«Ne vous en faites pas, il y a ici assez d'air pour que nous puissions verrouiller l'écoutille sans risquer de nous asphyxier en dormant. Je reconnais que ça pue le caveau, mais une nuit en sécurité vaut bien cet inconvénient. À présent suivez-moi. Le plus beau est à venir. Préparez-vous à avoir le souffle coupé. Carter, découvrant la tombe de Toutankhamon, a dû éprouver la même chose. Vous allez visiter le palais de celui qui fut surnommé par son propre peuple : le Blutsauger. »

Devinant à quoi il faisait allusion, la jeune femme se raidit. Ils sortirent du carré du commandant, fermé par un simple rideau, pour se diriger vers une porte métallique. On y avait découpé, à mi-hauteur, l'ouverture d'un passe-plat, comme dans les prisons. Une serrure monumentale la fermait.

« Elle est ouverte, précisa Jared. Celui qui occupait cette pièce ne comptait pas revenir. À vous l'honneur... »

Tracy hésita. C'était comme si on lui demandait de pénétrer de son plein gré dans le château de l'ogre. Elle ne possédait pas la décontraction de la journaliste de guerre Lee Miller qui n'avait pas hésité, jadis, à se faire photographier en train de procéder à ses ablutions dans la baignoire personnelle du Führer. En ce qui la concernait, elle en eût été incapable. Elle aurait eu l'impression de participer à une cérémonie de magie noire.

Retenant sa respiration, elle poussa le battant blindé. Le halo dansant de la lampe accentuait l'aspect tragique de la visite. La chambre, tendue de velours rouge et agrémentée de moulures dorées, avait tout du décor d'opéra. Le lit, la table de chevet, le secrétaire étaient majestueux, incongrus dans l'enchevêtrement technologique du U-Boot. On s'était donné beaucoup de mal pour créer, dans cet espace réduit, un univers impérial. Un aigle, tenant dans ses serres l'inévitable svastika, avait été fixé au-dessus du lit. Les étagères de la bibliothèque étaient vides, comme les tiroirs béants du secrétaire ou de l'étroite penderie. L'ogre – en admettant qu'ogre il y ait eu – avait déménagé avec ses possessions.

« L'oiseau s'est envolé, ricana Jared. Mais tout cela nous permet de constater que j'avais vu juste. Le *Kriegers 3* a bel et bien transporté Adolf Hitler jusqu'ici. Il a donc posé le pied sur ce sol il y a cinquante ans, quand les choses ont commencé à mal tourner pour lui. Le finale de la tragédie berlinoise a été assumé par un sosie. Ce dont les Soviétiques n'ont jamais douté. »

Tracy demeura silencieuse, victime d'une étrange paralysie mentale. Sa présence en ce lieu la souillait. Elle avait beau savoir que cette réaction était puérile, elle s'avouait incapable de la surmonter. Il lui semblait que les meubles, les étoffes restaient imprégnés d'un magnétisme nocif dont les émanations pénétraient sa chair. Certes, il n'était plus là, mais son aura perdurait, telles ces radiations atomiques, invisibles et pourtant hautement mortelles dont l'effet se fait encore sentir cinquante ans après l'explosion.

« Tu délires… », songea-t-elle. Mais elle battit en retraite.

« Fermez cette foutue porte ! lança-t-elle à Jared qui obéit.

— Je sais ce que vous ressentez, fit-il d'une voix sourde. La guerre est finie depuis longtemps mais il continue à hanter les lieux qu'il fréquentait. À Berlin, aujourd'hui encore, beaucoup de personnes âgées assurent le voir la nuit, errant parmi les ruines. Lorsque j'étais là-bas, on m'a souvent dit : Il va revenir... Un homme comme lui ne peut pas mourir. Il ne nous abandonnera pas. On aurait dit qu'ils parlaient d'un dieu. »

Tracy frissonna.

« Qu'est-ce que vous envisagez de faire ? s'enquit-elle, soucieuse de changer de conversation.

— On va d'abord se reposer. Enfin, lorsqu'on sera d'attaque, on explorera les environs. Je suis persuadé que l'avion d'Edmund a été abattu à proximité. Grâce aux fusils Mauser de l'arsenal, on ne se lancera pas dans l'aventure les mains vides. Bien évidemment, le grand point d'interrogation, c'est la présence éventuelle des Werwolf... ou si vous préférez des néonazis. Ont-ils engendré une quelconque descendance ? Leurs enfants ont-ils installé des postes de surveillance dans les parages ? Patrouillent-ils aux abords de la maison du guerrier ? Nous le découvrirons bien assez tôt. »

Tracy haussa les épaules.

« Je crois que vous vous montez la tête, soupira-t-elle. À mon avis ils sont morts depuis longtemps. Les fièvres et les hommes-léopards ont eu raison d'eux. L'état du sous-marin aurait tendance à le prouver. C'étaient des soldats, jamais ils ne l'auraient laissé se dégrader à ce point...

— Sauf si l'idée était de le camoufler, riposta Jared. Vous les enterrez un peu trop vite. Un sous-marin comme celui-ci peut transporter une soixantaine de marins. S'ils avaient l'intention de fonder une colonie, l'équipage était forcément mixte et comportait un certain nombre de *gretchen*. D'autres ont pu les rejoindre par la suite, à la fin des hostilités, par voie de terre. Au final il est difficile d'évaluer l'importance de la population qui nous attend derrière ces arbres.»

Tracy ne jugea pas utile de répondre. Elle restait persuadée que Jared délirait.

«La visite s'arrête ici, soupira l'ancien espion. Mieux vaut ne pas nous hasarder dans la chambre des torpilles. J'ai vu qu'on avait verrouillé la porte étanche, ce qui laisse supposer que l'eau a pénétré par les tubes et l'a inondée. D'ailleurs, si le sous-marin n'a pas sombré, c'est parce qu'il s'est échoué sur les rochers qui lui tiennent lieu de socle.

— Je m'étonne que la rouille n'ait pas changé la coque en passoire...

— Pas moi. Tout ce que fabriquaient les nazis était fait pour durer mille ans. C'était de la foutue bonne camelote.»

Quand ils regagnèrent la coquerie, Diolo avait fait le ménage. La carcasse du singe mort avait disparu.

«J'ai ouvert l'écoutille du pont, expliqua-t-il, avec celle du kiosque, ça fait courant d'air. On respire mieux.»

Il avait raison, l'atmosphère semblait plus saine. L'affreuse odeur avait presque disparu.

«Y a plein de conserves, reprit-il, mais c'est écrit dans une langue que je sais pas lire. J'ai pas osé y toucher, les boîtes sont rouillées et toutes gonflées comme si elles allaient exploser. Je crois pas que ce soit très bon à manger.

— Moi non plus, fit Jared. il faudra se serrer la ceinture. Demain, nous tenterons de pêcher ou de chasser.»

C'est dans la lumière incertaine de la lampe torche qu'ils grignotèrent les provisions parcimonieusement octroyées par sœur Marieke.

Jared ne quittait pas des yeux les conserves rouillées entassées dans la coquerie.

«De la choucroute, grogna-t-il. Les marins allemands en consommaient beaucoup. C'est un aliment souverain contre le scorbut.»

Fatigués et inquiets, ils restèrent face à face, silencieux, prisonniers de leurs angoisses.

«OK, soupira l'espion. Fermons les écoutilles et essayons de dormir. Secouez bien les paillasses avant de vous y allonger, cela mettra en fuite la vermine qui y a fait son nid. Demain sera un autre jour.»

Avant de gagner le dortoir des hommes d'équipage, Jared tint à leur indiquer le fonctionnement des toilettes.

«Sur un sous-marin, expliqua-t-il, c'est l'endroit de tous les dangers, à cause de la pression extérieure. Si l'on commet la moindre erreur de manipulation, on provoque une inondation. Il est avéré que plusieurs submersibles ont coulé à la suite d'une avarie de W.-C. Ce n'est certes pas glorieux, mais c'est la vérité. Comme nous sommes en surface, le risque est moindre, mais il vous faudra tout de même respecter le maniement des leviers et des clapets.»

La leçon achevée, ils s'installèrent sur les étroites couchettes du carré des équipages. Dès qu'ils éteignirent la lampe l'obscurité fut totale, oppressante.

On n'y verrait pas moins dans un cercueil, songea Tracy. Étendue sur le dos, elle crevait de chaud et, pour un peu, se serait mise nue. En d'autres circonstances, ce projet exécuté à proximité d'hommes qui ne pouvaient la voir l'aurait excitée, ce n'était pas le cas ce soir. Les yeux grands ouverts, elle sondait inutilement les ténèbres en se remémorant chaque détail de la chambre de l'ogre. Elle essayait de l'imaginer, emmuré volontaire dans cette geôle grandiloquente. Empereur en exil déménageant au milieu des bibelots d'une gloire révolue. Comment avait-il occupé la traversée ? Songeait-il parfois à Eva Braun qu'il avait poussée au suicide ? Ou bien pleurait-il sa chienne Blondie que son sosie avait supprimée avant de se donner la mort ? À moins… À moins que Blondie n'ait eu, elle aussi, un sosie canin ? Avait-elle accompagné son maître dans son périple au fond des mers ? Avec l'ogre, tout était possible, y compris les hypothèses les plus folles. Surtout les plus folles !

Elle s'efforça de bannir ces pensées de son esprit. La guerre lui avait appris qu'au-delà d'un certain état de tension nerveuse, la frontière entre l'imaginaire et le réel devenait dangereusement poreuse. D'où le recours à la superstition chez les soldats, leur obsession des objets porte-bonheur, des rituels de protection. Si elle ne voulait pas tomber dans ce travers, il lui fallait se reprendre avant que ne s'entrouvrent les fameuses portes d'ivoire chères aux Grecs de l'Antiquité, celles qui laissent s'échapper mirages, leurres et mystifications concoctés par des dieux méchants désireux de s'amuser aux dépens des humains.

Peut-être divaguait-elle déjà? Elle ferma les yeux, bien décidée à profiter de cette nuit où elle allait enfin pouvoir dormir en sécurité.

Elle fut réveillée à l'aube par un vent coulis qui lui arracha un frisson. À la pénombre qui régnait autour d'elle, elle comprit que Diolo avait ouvert les écoutilles pour renouveler l'air. Elle prit le temps d'apprécier cette brise rafraîchissante puis, avec un soupir, résolut de se lever. Les perroquets gris avaient entamé leur concert de jacassements quotidien. Elle rejoignit Jared dans la coquerie, assis devant une table pliante, il était occupé à démonter et graisser les fusils. Du doigt il lui désigna un petit plateau métallique sur lequel reposaient un gros flacon de désinfectant et des boules de coton.

« Si vous désirez faire votre toilette, dit-il, je vous conseille d'utiliser la méthode des sous-mariniers. Vous connaissez le parcours : aisselles, parties intimes et pieds. On ne prend pas de douche quand on navigue à soixante mètres de profondeur. J'ai également déniché une flasque de schnaps. Prenez-en une gorgée pour vous rincer la bouche. Ça tuera les parasites. En ce qui concerne le petit-déjeuner, je n'ai rien d'appétissant au menu. Seulement des biscuits de marin durs comme la pierre, à ramollir dans un peu d'eau. Miracle, les charançons ne les ont pas colonisés, si le cœur vous en dit... Je dois avouer que nos ennemis ont le sens de l'emballage hermétique et de la conservation. Ah! j'ai également mis la main sur une cuiller en argent... regardez! Le monogramme d'Adolf Hitler est gravé sur le manche. Elle était tombée derrière une caisse. Songez que cette canaille l'a glissée dans sa bouche à maintes reprises. Ça ne vous tente pas d'essayer? Ce serait comme si vous mangiez avec les couverts d'Attila, non?

— Arrêtez de déconner, souffla Tracy que le cynisme masculin avait toujours exaspérée. Dites-moi plutôt ce que vous avez prévu pour la suite des événements.»

Jared se rembrunit. En mâle accompli, il n'appréciait guère d'être remis à sa place. De mauvais gré, il extirpa un papier froissé de la poche de sa chemise.

«Je me suis livré à une perquisition en règle du bateau, fit-il. J'ai tout retourné, tout examiné. J'ai dégotté ça, coincé au fond d'un tiroir, dans le carré du commandant. C'est une ébauche d'itinéraire agrémenté de coordonnées géographiques, longitude, latitude... Manifestement nos copains nazis savaient où ils allaient, mais ils craignaient de se perdre en chemin. Regardez... Là, ce carré, c'est le but de l'expédition : Das Haus des Kriegers. C'est écrit en toutes lettres. Le nouveau Berghof du Führer. Sa résidence d'été, si l'on peut dire...»

Tracy, du tranchant de la main, avait entrepris de défroisser la feuille jaunie. Elle n'y vit tout d'abord qu'un gribouillis au crayon gras. Les taches de moisissures n'arrangeaient rien.

« On a dessiné un cercle au-dessus du carré, vous avez une idée de ce que ça signifie?

— Sans doute un lac. Ce serait logique. Je pense que la réflexion du soleil sur le plan d'eau a attisé la curiosité d'Edmund alors qu'il survolait la zone. Il a piqué sur l'objectif pour s'en rapprocher. C'est alors qu'il a vu le bâtiment. Sûrement une espèce de bunker hérissé de canons... Il a compris trop tard de quoi il s'agissait. Les Werwolf l'ont allumé. »

Tracy hocha la tête, dubitative. La démonstration ne la convainquait pas. Si d'improbables néonazis avaient installé une base secrète au cœur de la jungle congolaise, pourquoi avaient-ils laissé le U-Boot à l'abandon? Le submersible ne constituait-il pas leur seul moyen d'évacuation? Il lui semblait qu'à leur place, elle aurait posté une sentinelle en permanence à l'intérieur du bateau et maintenu ce dernier en état de marche, au cas où il aurait fallu battre en retraite.

« Vous... vous ne pensez pas qu'ils sont morts depuis longtemps? hasarda-t-elle.

— Qui? grommela Jared, les nazis? Vous rigolez?

— Non. Je pense aux fièvres... aux indigènes qui les ont peut-être massacrés. Après tout, l'équipage ne comptait qu'une cinquantaine de marins, et les hommes-léopards, en sus d'être nombreux, ont la connaissance du terrain...

— Vous déconnez. Vous croyez peut-être que les indigènes ont abattu l'avion d'Edmund Hofcraft

185

avec leurs arcs et leurs flèches ? Je comprends que vous tentiez de vous rassurer en niant l'évidence, mais ne vous faites aucune illusion. Les Werwolf existent bel et bien. Cinquante années se sont écoulées depuis la chute de Berlin, mais ici, bien cachés, ils ont continué à se reproduire. Et il nous faudra être très prudents dès que nous pénétrerons sur leur territoire. Vous savez ce qu'on dit : la plus grande ruse du diable c'est de nous avoir convaincus qu'il n'existait pas.»

Tracy comprit qu'il était inutile d'insister.

«Inutile de polémiquer, capitula Jared. De toute manière nous ne sommes pas là pour anéantir une colonie nazie. Cela, c'est du ressort des autorités internationales. Notre job, c'est de récupérer Edmund Hofcraft et de l'exfiltrer en restant invisibles aux yeux de l'ennemi. C'est tout. Si vous apercevez Hitler en slip de bain en train de bronzer sur son balcon, détournez les yeux et persuadez-vous qu'il s'agit d'un mirage. Lui régler son compte n'entre pas dans le cadre de notre mission.»

La jeune femme leva les mains en signe de reddition. Elle découvrit tout à coup que Jared avait cessé de l'attirer sexuellement. Elle ignorait pourquoi. L'alchimie érotique était un domaine dont elle n'avait jamais percé les mystères. Quoi qu'il en soit, elle accueillit cette constatation avec soulagement, cela simplifiait les choses.

L'ancien espion se préparait à reprendre la parole quand un concert de hurlements éclata à l'extérieur, accompagné de chocs sourds contre la coque.

« Les *natives*, haleta-t-il, ils nous attaquent... Bon sang ! il faut fermer les écoutilles. Je m'occupe de celle du kiosque, filez à la proue et bouclez celle du pont. Que Diolo vous prête la main... »

Sans plus réfléchir, la jeune femme s'élança dans l'étroit couloir menant à l'avant. Elle trouva Diolo, grimpé sur l'échelle, et qui scrutait l'extérieur par l'écoutille entrebâillée.

« Pas la peine d'avoir peur, Memsahib, dit-il d'un ton rassurant. C'est juste des jeunes qui viennent défier le crocodile de fer pour prouver que leur juju est plus fort que celui de la bête. Font les intéressants. Doivent faire ça de temps en temps, histoire de se raconter qu'ils sont de grands guerriers. Tu veux voir ? »

Il descendit, cédant la place à Tracy qui le remplaça au poste d'observation. Une pirogue occupait le milieu du cours d'eau. Des adolescents au visage peint en blanc y gesticulaient en hurlant des invectives en langue bantoue. Entre deux jets de flèches, ils soulevaient leur pagne pour exhiber leurs parties génitales en manière de défi, et pissaient en direction du U-Boot. Leurs projectiles, après s'être émoussés en heurtant la coque métallique, disparaissaient dans les profondeurs du Balawi.

« C'est rien, répéta Diolo. Mascarade de gamins qui se sentent pousser les couilles. Vont partir. »

Tracy descendit de son perchoir.

« Sais-tu s'il y a un lac, plus loin, sur cette rive ? demanda-t-elle en songeant à la carte que lui avait montrée Jared. Un lac ou un plan d'eau ? »

Le cercle dessiné au-dessus du carré symbolisant la maison du guerrier continuait à l'intriguer.

Diolo secoua négativement la tête.

« Non, fit-il. Pas de lac. Mais un volcan, oui. Il y a longtemps, les Blancs ont essayé d'installer une mine de diamants ici, mais se sont tous fait massacrer. Ont fini par renoncer. On trouve toujours des diamants près des volcans. Dans les anciennes cheminées de lave. Les Nègres d'ici, ils disent que ce sont les larmes des dieux de la terre. Quand ils souffrent ou sont pas contents, elles remontent. Elles leur sortent du corps, comme quand on pleure ou qu'on vomit. C'est tabou, faut pas y toucher. Sinon c'est grands malheurs pour tout le monde. Oui, oui, oui. »

Un volcan ? Tracy se mordilla l'ongle du pouce. Était-ce la raison pour laquelle les nazis avaient choisi d'ériger la maison du guerrier à cet endroit ? Pour reprendre l'exploitation de la mine abandonnée et disposer d'une source d'autofinancement naturelle ? Probablement. La guerre coûtait cher, la revanche davantage. Dans ce cas, pourquoi ne pas implanter le nouveau Berghof à l'orée d'une veine diamantifère sous-exploitée en raison de l'animosité des indigènes ? Les fiers soldats aryens n'allaient tout de même pas s'en laisser imposer par une poignée de cannibales !

Les apprentis guerriers finirent par se lasser et rebroussèrent chemin. Jared avait mis ce délai à profit pour confectionner trois paquetages à partir de ce qu'il avait déniché dans les réserves du sous-marin. Il faudrait s'élancer à travers la brousse en se contentant de ce bric-à-brac mal adapté aux situations d'urgence. Le seul point positif était l'excellent état des fusils Mauser, et l'abondance des cartouches.

Tracy s'interrogeait toutefois sur la suite des événements. S'ils avaient la chance de récupérer Edmund Hofcraft en «bon état», comment s'y prendraient-ils pour regagner Matadi ou Vivi sans le secours de la barge? Jared envisageait-il sérieusement de descendre le Balawi en pirogue? Si c'était le cas, ils finiraient criblés de flèches avant d'avoir parcouru le tiers du trajet! À moins qu'il n'envisageât de se déplacer uniquement de nuit?

Plus elle y réfléchissait, plus cette expédition lui paraissait receler des zones d'ombre pour le moins gênantes. Elle n'entrevoyait qu'une solution : se rabattre vers le fortin du père Joos Van Boekke et y attendre l'arrivée d'éventuels secours.

Tout cela restait fumeux et témoignait, soit d'une impréparation crasse... soit d'une stratégie qui lui échappait.

Se tournant vers Jared, elle lança :

«Qu'est-ce qui se passe si l'on découvre le cadavre d'Edmund?

— On l'emballe du mieux possible et on le ramène, répondit l'espion. On aura besoin d'une preuve. Adriana ne se satisfera pas de notre seule parole.

— Et comment regagnera-t-on Matadi? En pirogue?

— Mais non, j'ai trouvé deux canots gonflables dans la soute à matériel, un petit moteur pas trop rouillé et suffisamment de carburant pour filer à bonne vitesse. Si l'on navigue de nuit, les sauvages n'oseront pas s'en prendre à nous, ils ont trop peur des esprits. Croyez-moi, c'est jouable.»

Tracy ne chercha pas à contester cette stratégie sans pouvoir s'empêcher de demeurer dubitative.

«Tenez! lança Jared en lui tendant un coffret métallique. C'est une trousse de secours teutonne, la plupart des médicaments sont périmés mais on ne sait jamais. De toute façon, le nécessaire de chirurgie est en bon état. Vous pourrez toujours recoudre le vieux s'il n'a pas déjà avalé son bulletin de naissance.»

Ils quittèrent le U-Boot au milieu de la matinée. Ayant escaladé la rive, ils se faufilèrent à travers le dédale des palétuviers pour s'engager dans la brousse. La moiteur les enveloppa de son suaire invisible et moisi, les faisant suffoquer.

«On cherche à localiser le lieu d'un crash, expliqua Jared dont les sourcils dégoulinaient d'une sueur plus épaisse que l'huile. Je ne vais pas vous faire un dessin. Vous savez à quoi vous attendre. Il y aura des débris éparpillés sur un kilomètre carré, des arbres scalpés et, finalement, une longue tranchée s'ouvrira au milieu de la forêt. L'épave, ou du moins ce qu'il en reste, se trouvera au bout de ce sillon.

— Rappelez-moi quelle sorte d'appareil pilotait Edmund? interrogea Tracy.

— Il s'agissait d'un prototype d'avion espion commandé par l'armée. Normalement Hofcraft n'aurait pas dû le sortir de son hangar, mais bon, c'était lui le patron, n'est-ce pas? Vous le savez, ce type d'engin ne peut pas être repéré par les radars. Il ne laisse aucune signature dans son sillage. C'est la raison pour laquelle l'équipe de secours qui a survolé la jungle n'a pu localiser les débris. Ici, la végétation pousse à une vitesse hallucinante. La canopée s'est refermée une semaine après le crash. On ne pouvait donc rien voir depuis le ciel. Les recherches ont vite été abandonnées. Quant à expédier des équipes au sol, personne n'était chaud pour tenter l'aventure.»

Tracy lui trouva l'air d'un général haranguant ses troupes. Elle en conçut de l'agacement. Elle avait hâte que cette expédition grotesque prît fin.

Diolo se déplaçait en tête. Il avançait prudemment, jetant de fréquents coups d'œil aux alentours, comme s'il devinait la présence d'une menace invisible. Il leur fallut s'ouvrir un chemin au coupe-coupe, ce qui ralentit d'autant la progression. Les marins allemands avaient-ils suivi le même itinéraire cinquante ans plus tôt? Où se cachait le volcan? Pour l'heure, il était impossible d'en repérer le cône tronqué tant les arbres bouchaient l'horizon. Tracy avait l'impression de respirer la vapeur s'échappant d'une bouilloire, ou de subir l'une de ces affreuses inhalations qu'on lui infligeait lorsque, fillette, elle souffrait d'angine ou de bronchite. Ses vêtements trempés l'enveloppaient comme autant de torchons mouillés.

Elle titubait au milieu d'un brouillard d'insectes qui – quand ils ne la piquaient pas – s'engluaient dans sa sueur et restaient collés à ses joues.

Pour finir, elle mourait de soif.

Il leur fallut piétiner une heure avant qu'apparaissent les premiers débris métalliques. Certains étaient fichés dans le sol, d'autres à mi-hauteur, dans le tronc des arbres telle une lame de hache détachée du manche. Tordus, noircis, ils ne ressemblaient à rien de connu.

«L'éparpillement indique une explosion en vol...», commenta Jared.

Tracy avait vu suffisamment de F-16 américains ou de Mig-23 irakiens abattus pour savoir de quoi il retournait. Un appareil touché à mort – à condition que ses ailes soient intactes – peut planer des kilomètres avant de s'écraser. Il était donc possible que l'épave fût fichée dans le sol, à une heure de marche de l'endroit où ils se trouvaient présentement. Était-il envisageable que Edmund Hofcraft ait survécu à un tel crash? La jeune femme ne se serait pas risquée à émettre un pronostic. Pendant la guerre, elle avait assisté à des miracles défiant l'imagination : des pilotes émergeant indemnes de leur appareil fracassé qui, une aile en moins, le train d'atterrissage rentré, parvenaient à se poser sans casser du bois... Alors, pourquoi pas? Edmund avait peut-être survécu au crash, mais avait-il pu échapper aux fauves... et puis, il y avait les blessures, les hémorragies, l'infection, la gangrène. En vérité, les chances de le récupérer en vie semblaient minces.

Avant leur départ, elle avait pris le temps d'inventorier la trousse médicale dénichée par Jared. Elle savait assez d'allemand pour déchiffrer les noms des remèdes inscrits sur les étiquettes en lettres gothiques. Il y avait là des sulfamides périmés, de la morphine, pas mal de fil à suture, des aiguilles recourbées, de la graisse désinfectante contre les brûlures, hélas moisie... Un assortiment basique de matériel chirurgical. Cela suffirait-il? Impossible de le prévoir. Il n'était même pas certain que Edmund Hofcraft fût transportable.

De toute manière, il était vain de se mettre martel en tête. Ils découvriraient probablement son cadavre carbonisé dans le cockpit d'une épave encastrée dans le tronc d'un kapokier et tout serait dit.

Alors qu'ils faisaient une pause, ils furent encerclés par une troupe de chimpanzés en colère qui grognaient en leur montrant les dents. C'étaient de grands mâles adultes qui entendaient défendre leur territoire. Après avoir frappé le sol, ils entreprirent de bombarder les trois humains d'excréments frais. Tracy n'en fut pas étonnée, elle savait que les indigènes voyaient dans les chimpanzés ce qu'ils nommaient de «la viande de brousse», un mets goûteux.

«On se sert pas des fusils, insista Diolo. Pas la peine de signaler qu'on est là. On baisse les yeux et on s'éloigne. Des fois, ça suffit... Ils attendent pas autre chose. On ne tire que s'ils passent à l'attaque.»

Ils firent ainsi, et les singes, calmés, disparurent entre les troncs.

«Faut faire un détour..., annonça Diolo, philosophe. Ces bestioles-là, elles sont assez fortes pour nous arracher bras et jambes. J'ai déjà vu ça.»

Ils décrivirent donc un large cercle. Au bout d'une nouvelle heure de piétinement, la jungle s'éclaircit. C'est alors qu'ils aperçurent la tranchée creusée par le crash. Le sillon avait labouré le sol sur un kilomètre. Les ailes de l'appareil, avant de se détacher, avaient scalpé des dizaines d'arbres un mètre au-dessus des racines. Les coupures étaient si nettes qu'elles semblaient résulter d'un coup de faux gigantesque.

Ils étaient trop fatigués pour avoir la force de pousser un soupir de soulagement, encore moins un cri de victoire.

En temps normal, ils auraient couru vers l'amas de ferraille, au lieu de cela ils se contentèrent d'avancer au même rythme clopinant. Les branches cassées, les troncs sectionnés constituaient autant d'obstacles que l'épuisement leur faisait paraître insurmontables.

Quand ils furent à une vingtaine de mètres du corps de l'appareil, Tracy s'étonna de son relatif état de bonne conservation. Si l'on faisait abstraction de l'empennage de queue arraché par l'explosion, le reste avait supporté le choc sans se tordre ni se disloquer.

«Fuselage en titane, expliqua Jared d'une voix altérée. Super-résistant et ne pesant presque rien. La couleur bleue provient du revêtement antiradar constitué de nanoparticules. Elles absorbent et digèrent les ondes magnétiques au lieu de les réfléchir... C'est ce qui rend l'appareil invisible...»

Il s'exprimait mécaniquement, l'esprit ailleurs. Tout son être trahissait une tension extrême. Il paraissait redouter ce qu'il allait découvrir dans le poste de pilotage. L'impact frontal avait à peine gauchi le nez de l'avion, mais la verrière était ouverte. Cela laissait supposer que le pilote avait réussi à s'extraire de la carcasse.

Tracy s'avança. Le siège était maculé de sang séché, noir, ainsi que le tableau de bord, mais en quantité raisonnable. Rien de commun avec une hémorragie artérielle majeure.

«Il n'a pas été tué par le choc, annonça-t-elle. Il est quelque part aux alentours, il faut chercher. Il a pu se traîner à l'abri des arbres pour se protéger d'une éventuelle explosion.»

Jared s'ébroua. Durant trois secondes, la vision du poste de pilotage vide l'avait statufié. On eût dit qu'il aurait préféré découvrir Edmund Hofcraft à l'état de cadavre.

«Il saignait, marmonna-t-il. Il n'a pas pu aller bien loin…»

Dans sa bouche cela prenait l'allure d'un souhait. En avait-il assez? Voulait-il, comme Tracy, en finir au plus vite avec cette mission de sauvetage?

Aidés de Diolo, ils explorèrent les broussailles sans trouver trace du blessé. Edmund Hofcraft s'était volatilisé.

«L'a pu être emporté par un léopard, fit Diolo. Ces bêtes-là, ça a beaucoup de force dans les mâchoires. Peuvent traîner un gnou en s'arc-boutant sur leurs pattes de derrière. Les panthères mangent jamais sur place… elles emmènent la proie dans leur repaire. Se font un garde-manger dans un arbre.

— Tu crois cela possible? s'inquiéta la jeune femme.

— Oui, surtout s'il saignait. L'odeur du sang, les léopards la flairent à des kilomètres. Votre bonhomme, l'est peut-être déjà bouffé et digéré présentement.»

Tracy ne savait que penser. Par expérience, elle savait que les blessures à la tête saignent d'abondance sans être, de facto, d'une extrême gravité, le phénomène tenant à l'extrême vascularisation du tissu facial. Il n'était pas exclu que Edmund Hofcraft, choqué, désorienté, soit parti au hasard, tel un somnambule lâché en pleine jungle.

«Ou bien, songea-t-elle, il a été capturé par les foutus Werwolf dont Jared nous rebat les oreilles...»

Ils rebroussèrent chemin. L'espion se tenait près de l'épave, bredouille.

«Bon, lança Diolo, c'est vous les patrons. Alors qu'est-ce qu'on fait? On patrouille jusqu'à ce qu'on trouve le bonhomme ou quoi?»

Jared, indécis, ouvrit la bouche... à la même seconde, un coup de feu retentit, étouffé par la végétation. Tracy entendit miauler la balle qui frappa le fuselage de l'épave à trois centimètres de sa tête. Une parcelle métallique lui griffa la joue droite, elle n'y prêta pas attention.

«Derrière! hurla Diolo. Derrière l'avion, vite!»

Dominant leur surprise, ils se jetèrent sur le sol, rampant pour passer sous la carcasse. Un nouveau projectile s'écrasa sur la tôle.

«Les Werwolf! haleta Jared. Ils nous ont repérés.»

Tracy retint son souffle. Ce n'était pas la première fois qu'elle se retrouvait au cœur d'une fusillade mais, dans le cas présent, la surprise avait failli la clouer sur place. Bon sang! Il avait donc suffi de trois années de paix pour affaiblir ses réflexes! Elle n'en revenait pas. La vie bourgeoise ne mettait pas longtemps à vous transformer en gibier.

Le silence était revenu. Elle songea : «Soit ils sont en train de nous encercler, soit ils économisent leurs munitions... ou alors ils ont ordre de nous capturer.»

Elle était néanmoins stupéfaite qu'on l'ait prise pour cible. Dans le milieu de la soldatesque, une femme avait une indéniable valeur sexuelle, elle était porteuse d'un potentiel de distraction non négligeable, et il était rare qu'on la considère comme une cible prioritaire. Pourquoi ne pas avoir visé Jared ou Diolo? Il y avait là une incohérence qui la chiffonnait.

«Je vois pas d'où le coup est parti, grommela Diolo. Il tire plus. C'est pas bon. L'est sûrement en train de nous contourner par le flanc droit pour nous prendre à revers.

— Merde! gronda Jared, on ne va pas rester couchés toute la journée derrière ce zinc. Le mieux c'est de s'y glisser. À l'intérieur du fuselage on sera à l'abri. Les balles ne perceront jamais le titane.»

De la main, il avait désigné l'arrière de l'avion. Là où aurait dû se trouver l'empennage de queue, l'explosion avait transformé le corps de l'appareil en une sorte de pipeline à l'intérieur duquel il était possible de se glisser en rampant.

«D'accord, on y va...», fit Diolo.

Mais, alors qu'ils se mettaient en mouvement, un nouveau coup de feu claqua, les clouant sur place. La balle ricocha pour aller se perdre dans la nature.

Tracy s'immobilisa, le dos collé au flanc métallique de l'appareil. C'est alors qu'elle remarqua une anomalie. Les tôles étaient déchiquetées vers l'extérieur... Or, si l'avion avait encaissé un tir de mitrailleuse provenant du sol, elles auraient dû se recourber vers l'intérieur. Cela semblait indiquer – au contraire – qu'une bombe, dissimulée à l'arrière, avait explosé en plein vol, arrachant la queue de l'avion. Privé d'empennage, Edmund Hofcraft n'avait pu maintenir son altitude et s'était écrasé.

Une bombe... Cela changeait l'éclairage de l'affaire. Il avait fallu l'installer avant le décollage, l'équiper d'un détonateur à minuterie réglé pour qu'elle explose au-dessus de la jungle, de préférence à la verticale d'un lieu inhospitalier, impénétrable. Les Werwolf fantômes chers à Jared n'avaient rien à voir là-dedans. Il s'agissait d'un attentat prémédité à l'aéroport de Matadi.

Tracy s'aperçut qu'elle s'hyperventilait sous l'effet de l'angoisse, et s'appliqua à reprendre le contrôle de sa respiration. Sa vision des choses venait de se modifier du tout au tout. Que devait-elle comprendre? Qu'ils s'étaient fait rouler dans la farine depuis le début?

«Mon Dieu! comprit-elle. Adriana ne nous a pas engagés pour sauver son père. Notre rôle consistait à conduire Jared sur les lieux du crash... Jared est venu jusqu'ici pour vérifier que Edmund Hofcraft était bien mort, pas pour le secourir. Adriana lui a donné pour mission de s'assurer que son père n'avait pas survécu à l'attentat, et qu'elle ne risquait pas de le voir réapparaître! Ils étaient tous les deux de connivence pour liquider le vieux, mais ça n'a pas marché aussi bien qu'ils l'espéraient. Ils ont éprouvé la nécessité d'une confirmation...»

Elle ferma les paupières avec l'espoir que Jared mettrait sa pâleur sur le compte de la peur. Il ne fallait à aucun prix qu'il se devine démasqué.

Elle comprenait mieux, maintenant, pourquoi il avait paru décontenancé lorsqu'ils s'étaient retrouvés face à l'épave du U-Boot. Le dossier Kriegers 3, exhumé des archives de l'OSS, n'avait servi qu'à appâter Edmund Hofcraft, patriote acharné, frustré de n'avoir pu physiquement participer aux divers conflits mondiaux. Un appât, oui... Auquel le nabab de l'aéronautique, obsédé par la survie du Führer, avait mordu à pleines dents.

Jared n'avait jamais cru à la fable de l'évasion miraculeuse d'Adolf Hitler. Pour lui, il s'agissait d'une légende absurde, analogue à la survie de Raspoutine ou de Napoléon devenu planteur en Louisiane sous une fausse identité. Mais, en l'occurrence, cette affabulation servait ses desseins. Voilà pourquoi il avait perdu pied lorsque le spectre du *Kriegers 3* avait soudain surgi de la mangrove. D'un seul coup, tout ce qu'il avait tenu jusque-là pour imaginaire était devenu réel. Le U-Boot, les Werwolf, Hitler, la maison du guerrier... C'était trop lourd à digérer, et cela changeait la donne.

Quant à savoir pourquoi Adriana l'avait chargé d'assassiner son père, c'était une autre histoire dont, pour l'heure, Tracy ne se souciait guère.

«Si par miracle Edmund a survécu, pensa-t-elle, il va devoir l'achever. Et comme il est hors de question que nous soyons témoins de ce meurtre, il nous liquidera au préalable.»

Mais où se trouvait Edmund Hofcraft? Détenu à la maison du guerrier? Réduit en pièces par un léopard?

Elle tenta de l'imaginer, prisonnier des néonazis. Plus le temps passait, plus elle s'étonnait que leurs adversaires n'aient toujours pas tenté de les encercler. Étaient-ils si peu nombreux? Ou beaucoup trop âgés pour crapahuter à travers la jungle?

Une image grotesque lui traversa l'esprit : celle de vieillards revêtus d'uniformes allemands reprisés, défraîchis, qui se déplaçaient en fauteuil roulant et brandissaient des fusils que leurs mains arthritiques ne parvenaient plus à manipuler... Elle faillit pouffer d'un rire nerveux.

Certes, la présence du U-Boot confirmait la présence d'une colonie nazie au cœur de la jungle, mais qu'étaient devenus les cinquante ou soixante matelots constituant l'équipage originel? Combien avaient survécu? Quel âge avaient-ils? Les plus jeunes devaient frôler les soixante-dix ans, quant aux autres... Cette poignée de vieillards constituait-elle la garde prétorienne veillant sur le mausolée du Führer? Car Il était mort, n'est-ce pas? Le contraire était impossible! À moins que les savants du Reich n'aient trouvé le moyen de le maintenir en vie ou de le cloner? Non! C'était absurde, on n'était pas dans un film de science-fiction!

Malgré elle, la jeune femme ne put s'empêcher de scruter la ligne d'horizon, comme si elle allait soudain apercevoir Hitler, gavé de sérum de jouvence, en train d'observer la jungle du haut du Berghof en échafaudant d'improbables stratégies de reconquête.

«Je perds les pédales», diagnostiqua-t-elle.

Une demi-heure s'écoula sans qu'aucun autre coup de feu ne retentisse. Le tireur invisible avait-il décidé de rivaliser de patience avec son gibier?

«On est à découvert, murmura Diolo. Dès que la nuit tombera, faudra courir se cacher dans la forêt. Derrière les arbres, il aura du mal à nous prendre dans sa ligne de mire.»

Tracy aurait voulu informer Diolo de sa découverte, hélas, la présence de Jared rendait la chose impossible.

Elle n'avait aucune idée de la manière dont il convenait de s'organiser. Elle savait toutefois que Jared ne battrait pas en retraite avant d'avoir obtenu l'assurance qu'Edmund était bien mort. Adriana avait-elle exigé qu'il lui rapporte sa tête? Ce n'était pas à exclure.

«Je ne dois surtout pas lui laisser deviner que j'ai tout pigé, pensa-t-elle. Il nous liquiderait sur-le-champ. Pour le moment, il a besoin de nous. Diolo et moi représentons deux fusils supplémentaires en cas d'attaque des Werwolf. Ce n'est pas négligeable.»

Ils durent attendre en plein soleil que la nuit daigne tomber. Quand elle fut là, Diolo donna le signal de la retraite. Alors, luttant contre les crampes dues à l'immobilité, ils clopinèrent vers le rideau d'arbres et plongèrent dans les broussailles.

Dès lors, dans l'impossibilité d'allumer un feu de camp, ils constituaient des proies idéales pour les prédateurs nocturnes qui hantaient la jungle.

16. Sniper

Ils marchèrent le plus longtemps possible. La lune brillait, haute et claire, étonnamment grosse. La forêt, dont les arbres s'espaçaient, leur permettait de discerner à peu près où ils mettaient les pieds. Au fur et à mesure, la texture du sol se modifia sous leurs semelles. À présent, ils ne piétinaient plus dans l'humus fourmillant d'insectes mais se déplaçaient au contraire sur une surface sèche, rocheuse. Un étrange désert de pierre aux ondulations figées. Tracy eut bientôt l'impression d'enjamber des vagues mourantes pétrifiées par un inexplicable sortilège.

« Là ! Devant ! haleta Diolo. Des maisons... un camion... »

Ce n'était pas un mirage. Dans la clarté lunaire, Tracy distingua les contours de plusieurs baraquements ainsi qu'un lourd véhicule. Le campement semblait abandonné. Aucune lumière ne brillait aux fenêtres. Nulle odeur de cuisine ou de tabac ne flottait dans l'air.

«L'ancien camp des mineurs, souffla Jared. Il date des premières tentatives d'exploitation diamantifère... avant que les pauvres bougres ne se fassent massacrer par la tribu voisine.»

Dès qu'ils s'engagèrent entre les bungalows, le délabrement de ces derniers devint évident. Jared, qui s'était approché du camion, laissa échapper un cri de stupeur. Tracy ne tarda pas à comprendre pourquoi. Les roues du véhicule disparaissaient jusqu'au moyeu dans une boue durcie formant un socle gigantesque. Elle s'agenouilla, tendit la main. Ses doigts effleurèrent une surface rugueuse qui avait probablement connu l'état liquide avant de se solidifier, d'où son aspect pâteux.

«Ce n'est pas de la boue, murmura-t-elle, c'est de la lave durcie... Le volcan est entré en éruption, sa lave a coulé jusqu'ici, submergeant l'exploitation.»

Oui, cela s'était produit bien des années auparavant. La coulée avait dévalé les pentes du cratère pour combler les galeries, les tranchées. Tout le travail des mineurs était enfoui sous cette chape de basalte noir, comme les villas de Pompéi après l'éruption du Vésuve.

«Ces abrutis devaient croire le volcan éteint, grogna Jared. Ils ont sans doute travaillé à la dynamite, l'onde de choc a réveillé le cratère... Bon, de toute manière on s'en fout. Essayons plutôt de nous barricader dans l'une des casemates, ça nous protégera au moins des fauves.

— Les bêtes ne viendront pas, intervint Diolo. À cause de l'odeur. Le soufre. Les animaux ne reviennent jamais là où il y a eu une catastrophe naturelle. Leur instinct leur dit que c'est pas bon pour eux. Et puis il n'y plus d'herbe, pas d'arbres... C'est tout mort. Et ils aiment pas ça. On sera tranquilles. »

Ils firent rapidement le tour des baraquements dont les portes, prises dans le socle de lave, restaient obstinément closes. Ils se glissèrent par une fenêtre dans le moins délabré.

« Ils sont en bois, remarqua Tracy, ils auraient dû s'enflammer, non ?

— Pas forcément, grogna Diolo. La lave, quand elle est en bout de course, devient beaucoup moins chaude. Pas assez pour mettre le feu aux baraques très humides. Mais les pneus du camion, eux, ils ont fondu. J'ai regardé, c'est un très vieux modèle. Le moteur, il est sûrement tout rouillé. »

Ils se trouvaient dans un dortoir. Autour d'eux s'alignaient des couchettes superposées, rudimentaires. Les paillasses avaient fini par pourrir. Des objets en vrac, sur le plancher, donnaient à penser qu'on avait évacué les lieux dans la panique.

« D'accord, capitula Jared, on se pose là.

— Je prends la première garde, annonça Diolo. Je guette trois heures puis je vous réveille, Bwana Jared, et après c'est le tour de la Memsahib.

— Okay, okay... », maugréa l'espion en s'installant sur le sol.

Tracy hésitait à l'imiter, certaine que des milliers d'insectes grouillaient sous le plancher. De toute façon elle était trop tendue pour trouver le sommeil. Elle aurait voulu communiquer ses soupçons à Diolo, mais craignait qu'un aparté chuchotant n'éveille la méfiance de l'ex-espion.

Elle finit par s'asseoir au bord d'une couchette moisie tandis que Diolo s'embusquait à l'angle de la fenêtre, le fusil calé à la saignée du coude, dans une attitude de chasseur professionnel. La jeune femme sourit involontairement. Elle avait toujours eu la secrète conviction que le grand Noir était bien meilleur tireur que Russel. Avec lui, elle se sentait en sécurité.

Il parut deviner qu'elle l'observait, car – sans même tourner la tête dans sa direction – il chuchota :

«Faut dormir, Memsahib. Tu es fatiguée et, demain, il peut se passer des choses mauvaises. On approche de la fin du voyage. Je sens ça très fort. Et les surprises elles risquent de n'être pas bonnes, vrai de vrai.»

— Moi aussi, soupira la jeune femme. Moi aussi je sens ça très fort.»

Elle se tut et cala sa nuque contre le montant du lit. La fatigue finit par la faucher dans cette position, et elle roula sur la paillasse pourrie sans en avoir conscience.

Diolo ne s'était pas trompé. Aucun prédateur ne leur rendit visite pendant la nuit. Quand le soleil se leva, ce fut pour éclairer un paysage étrange, de hangars et de machines à demi engloutis dans la lave. Il y avait là des jeeps, des grues, des palans qui, tous, se trouvaient à moitié englués dans le socle de basalte, victimes d'une inondation aujourd'hui pétrifiée. Cette chape sombre s'étendait sur près de deux kilomètres et caparaçonnait le flanc nord d'un petit volcan couronné de fumerolles paresseuses. La coulée avait dévasté la forêt, y ouvrant une large travée. Une route où l'asphalte aurait été déversé en dépit du bon sens, accumulant les surépaisseurs à la manière d'un millefeuille de pierre ponce.

Tracy et Jared, lorsqu'ils émergèrent de la baraque, demeurèrent figés devant ce spectacle d'une terrifiante beauté. La jeune femme songea aussitôt à l'Olympe des dieux grecs tant il lui semblait que cette piste de lave refroidie ne pouvait que conduire en un lieu hors du commun.

« Bordel ! grogna Jared, il est donc écrit que ce voyage s'achèvera dans le sublime... »

Tracy ne releva pas. Les sourcils froncés, elle scrutait le flanc du volcan à la recherche de la maison du guerrier. Das Haus des Kriegers.

Adolf Hitler, rajeuni grâce aux vitamines des savants du Grand Reich, était-il là-bas, sur sa terrasse, en train de l'observer à la jumelle ? Et que pensait-il ? Qu'elle était sale et décoiffée ?

Elle n'eut pas le temps d'y réfléchir plus avant car un coup de feu claqua, et une balle lui frôla la joue, manquant de lui arracher la tête. Diolo se jeta sur elle, la renversant.

Jared, lui, s'était accroupi derrière un fût métallique et tirait au hasard, gaspillant ses munitions.

« Arrête ! hurla Diolo. On voit personne. L'homme, il est bien caché. »

Tracy grimaçait, elle s'était salement écorchée en roulant sur le basalte et ne comprenait pas pourquoi on avait – pour la deuxième fois en moins de vingt-quatre heures – essayé de la tuer. Cela n'avait aucun sens. Quel danger représentait-elle pour son agresseur ?

Dix minutes s'écoulèrent sans qu'aucune autre détonation ne se fasse entendre.

« L'est embusqué sur la pente du volcan, estima Diolo. C'est un tir à 800 mètres avec lunette de visée. Pas facile. Tenir compte du vent latéral et la perte d'altitude de la balle avec la distance... »

Il récitait une leçon apprise au contact de Russel. Cela se devinait à la façon dont il accentuait des mots souvent répétés et qui avaient pour lui valeur de formule magique.

« Pourquoi moi ? lança Tracy. Pourquoi me vise-t-il systématiquement ? Ça n'a pas de sens !

— C'est pas forcément toi la cible, Memsahib, corrigea Diolo. Tirer d'aussi loin, même avec une lunette, c'est pas facile si on n'est pas sniper de métier... La balle a dévié en fin de course. Sans doute l'homme, il visait quelqu'un à côté de toi. Moi... ou Bwana Jared, va savoir, hein ? »

Tracy se figea, comprenant que Diolo essayait de lui transmettre un message. Leur adversaire était un tireur maladroit... ou handicapé. Blessé peut-être.

Un Werwolf rongé par les fièvres ? Le problème, c'est qu'elle adhérait moins que jamais à l'hypothèse de la colonie nazie retranchée dans la jungle

207

congolaise. Si ce bataillon fantôme avait existé, jamais il n'aurait laissé trois intrus pénétrer plus avant sur son territoire.

Brusquement, la vérité lui apparut, simple, évidente : ce tireur handicapé, c'était Edmund Hofcraft lui-même! Après s'être extrait des débris de l'avion, il avait suivi le même chemin qu'eux, d'abord la jungle, puis l'ancienne exploitation minière submergée par la lave... Pour finir, il avait trouvé refuge sur la face nord du volcan. Dans une caverne ou une faille basaltique.

Pourquoi leur tirait-il dessus? Le choc lui avait-il fait perdre la tête? Se croyait-il environné d'ennemis?

Tracy se tourna vers Jared qui rongeait son frein, les mains crispées sur le Mauser.

«C'est Hofcraft! lança-t-elle. Edmund Hofcraft... J'en suis sûre.

— Vous dites n'importe quoi, cracha l'ex-espion sans la regarder.

— Pas du tout, s'entêta la jeune femme. Merde! Redescendez sur terre! Qu'est-ce que vous croyez? Que c'est Hitler en personne qui nous canarde du haut de son perchoir?

— Les Werwolf..., commença Jared.

— Arrêtez avec cette histoire à la con! s'emporta Tracy. S'ils ont un jour débarqué ici, ils sont morts depuis des lustres... ou ils ont décampé lors de l'éruption.»

Jared lui jeta un regard chargé de haine. Tracy eut la conviction que, sans la présence de Diolo, il n'aurait pas hésité à lui fracasser la tête d'un coup de crosse.

«Cessons cette comédie, siffla-t-elle. Je ne sais pas à quoi vous jouez, mais j'en ai assez. Nous allons nous faire reconnaître et avancer lentement vers le volcan, sans armes et les mains levées.»

Et, sans plus s'occuper de son interlocuteur, elle se dressa, les paumes en évidence, et se mit à crier :

«Edmund? Edmund Hofcraft? Je suis infirmière. Ceci est une expédition de secours. Nous venons vous chercher. C'est Adriana, votre fille, qui nous a mandatés. Est-ce que vous m'entendez? Êtes-vous dans l'incapacité de parler?»

Il n'y eut pas de réponse. Le vent et la distance avaient-ils étouffé sa voix? Peu probable. L'acoustique était excellente et le moindre son se répercutait en échos infinis.

«Nous allons venir vers vous, ajouta-t-elle. Sans armes. Je sais que vous êtes blessé. J'ai une trousse de secours, je la poserai à mes pieds avant que vous ne vous montriez. D'accord?»

Il n'y eut pas davantage de réponse. Tentant le tout pour le tout, elle hurla :

«Je vais venir seule... Toute seule. Vous ne risquez rien. Je ne suis pas armée. Vous pourrez vérifier lorsque je serai assez proche. À présent, je vais me mettre en marche. La trousse que je porte en bandoulière contient des médicaments, des pansements. C'est d'accord?»

Elle tendit l'oreille, en vain.

«Il est peut-être incapable de parler..., fit-elle à l'intention de ses compagnons. Une blessure à la gorge, ou bien un choc à la tête a endommagé le centre de la parole. J'ai déjà vu ça pendant la guerre.

— Vous êtes cinglée, cracha Jared. Si c'est vraiment Edmund, il nage sans doute en plein délire. Il va vous flinguer dès que vous serez à portée de tir.

— Je ne crois pas. Vous allez rester là. Je vais essayer de prendre contact avec lui. N'avancez pas tant que je ne vous aurai pas fait signe. OK?»

Jared lâcha un juron. Diolo, lui, semblait inquiet.

«Comme tu veux, Memsahib, soupira-t-il, mais s'il te tue, je le découpe en morceaux. Vrai de vrai.»

Assurant la bandoulière de la trousse médicale sur son épaule, elle se mit en marche. Ses souliers produisaient un bruit sec et régulier sur le sol de lave durcie. Si elle avait fermé les yeux, elle aurait eu l'illusion de remonter l'avenue principale d'une ville déserte, détruite par les bombardements. Ce bruit lui rappelait ses déambulations dans les villes irakiennes d'après la capitulation. Le même son creux, désespérant. Oui, un boulevard désert avec, de chaque côté, sur les trottoirs encombrés de débris, de rares survivants hagards, blêmes, aux guenilles blanchies par le plâtre des éboulements. Des fantômes.

Elle avançait d'un pas régulier, les bras étendus, les paumes visibles, nues. Peu à peu la route se changea en côte. Elle escaladait à présent la pente du volcan. Vu de près, il était moins impressionnant qu'avec le recul, placé au bon endroit dans le décor majestueux de la jungle, tel un accessoire dans un film exotique tourné en studio. L'imagerie naïve de *King-Kong* lui traversa l'esprit. Le cratère ne paraissait pas très large. La lave, en dévalant les pentes, avait enrobé les roches d'une gangue aux courbes molles.

Tracy s'arrêta pour reprendre son souffle. Devait-elle encore appeler?

« Ne bougez plus, lança une voix rocailleuse quelque part au-dessus d'elle. Enlevez votre chemise et faites un tour sur vous-même. Je veux être sûr que vous ne cachez pas une arme... »

La jeune femme posa la trousse de secours sur le sol et déboutonna ses vêtements, allant jusqu'à baisser son pantalon à mi-cuisses.

La voix trahissait l'âge et la fatigue de son propriétaire. Elle provenait de derrière un renflement rocheux, en surplomb.

« Ça va, fit l'homme avec un certain agacement, rajustez-vous, nous ne sommes pas dans un peep-show. Rejoignez-moi. Laissez la trousse où elle est. »

Tracy obéit sans précipitation. Derrière le rocher elle découvrit un vieillard de haute taille, en haillons couverts de sang. Une barbe blanche lui mangeait les joues. Une vilaine coupure cisaillait son front au-dessus du sourcil droit, et la position anormale de son bras gauche indiquait qu'il était cassé, voire fracturé.

Remarquant le coup d'œil de la jeune femme, le blessé grogna :

« C'est à cause de ce foutu bras que j'ai failli vous tuer à deux reprises. Je n'arrive plus à épauler convenablement un fusil...

— Vous ne me visiez pas? s'enquit Tracy sur le ton de la conversation.

— Bien sûr que non ! Pour qui me prenez-vous ?
Je voulais faire sauter la tête de ce salaud de Jared,
mais j'ai mal ajusté mon tir. Pourtant c'est une
bonne arme. On ne peut pas nier que ces cochons
de nazis fabriquaient du matériel de qualité. »

Tracy s'assit sur une pierre, face à lui. C'était
bien Edmund Hofcraft. En dépit de ses blessures,
de la crasse et de son odeur repoussante, il correspondait aux photographies qu'elle avait vues
de lui.

« Qui êtes-vous ? aboya-t-il. C'est quoi, cette
connerie d'expédition de secours ? Vous travaillez
pour ma fille ou bien elle vous a embobinée, vous
aussi ? Merde ! Si vous êtes venue pour m'achever,
dites-le tout de suite.

— Je ne comprends rien à ce que vous racontez,
objecta Tracy.

— Alors c'est qu'elle vous a baisée, vous aussi !
ricana le vieillard. Vous n'avez pas encore pigé
que c'est ma douce fille, Adriana, qui a ordonné à
son amant, Jared, de placer une bombe dans mon
avion ?

— J'avoue que j'en suis arrivée à cette conclusion. Mais j'ai mis du temps, à ma grande honte.

— D'accord, racontez-moi votre histoire depuis
le début. Si elle est convaincante, je ne vous tirerai
pas une balle dans la tête, sinon... »

Tracy entreprit d'exposer les circonstances mal-
heureuses qui les avaient conduits à accepter la
proposition d'Adriana. Edmund l'écouta sans l'interrompre. Il respirait bruyamment, comme tous
ceux qui souffrent et s'évertuent à dominer la douleur qui les taraude. Une sueur qui ne devait rien à

la chaleur ambiante s'amassait dans ses sourcils broussailleux. C'était, malgré l'âge, un bel homme à la carrure impressionnante. Cela ne l'empêchait pas de puer comme un phacochère mort depuis une semaine.

«D'accord, lâcha-t-il soudain, interrompant le récit de la jeune femme. Je vois de quoi il retourne et je puis vous dire, ma belle enfant, que ma fille et son petit copain vous l'ont mise bien profond. Votre connerie n'a d'égale que la mienne. Je me suis fait posséder dans les grandes largeurs, et j'aurais dû normalement mourir dans l'explosion de l'appareil... Ce que n'avait pas prévu Jared, c'est que cet avion est conçu pour résister à ce genre d'incident, et que son fuselage est si solide qu'il ne se désagrège pas pour si peu. Si j'avais piloté un zinc ordinaire, je serais en mille morceaux à l'heure qu'il est. C'est ce qu'ils avaient prévu...

— Mais pourquoi, alors, ont-ils monté cette expédition?

— Parce qu'après coup, ils ont été torturés par le doute. Probablement parce qu'ayant enfin pris connaissance des données techniques de l'avion, ils ont compris que j'avais pu survivre au crash. Cela, ils ne pouvaient le tolérer. Adriana a expédié Jared ici pour qu'il s'assure de ma mort... ou qu'il finisse le travail si le besoin s'en faisait sentir. Il était hors de question que je m'en tire, que je regagne les États-Unis et que j'avertisse le FBI... Leur survie en dépendait.

— Et pourquoi votre fille a-t-elle décidé de vous assassiner?

— Ça, ma toute belle, c'est une longue histoire. Si vous pouviez me donner à boire, je vous la raconterais.»

17. Mémoires d'Edmund Hofcraft. Génie de l'aéronautique, assassin et patriote

«J'ai toujours été complexé de n'avoir pu participer activement à aucune des guerres qui ont secoué l'Amérique. Quand j'ai voulu m'engager au Vietnam, j'étais déjà considéré comme un génie en matière d'aéronautique, et le gouvernement a estimé que je serais plus utile à la Nation en continuant à inventer de nouveaux modèles d'avions de combat qu'en allant stupidement me faire tuer dans la jungle, comme le premier G.I. venu. On m'a chanté le même refrain lors de "Tempête du Désert". Cette fois, j'étais devenu indispensable au bon fonctionnement de l'effort de guerre, et je devais veiller à ce que mes usines y contribuent en tournant nuit et jour. Quelque part, cela a généré en moi une frustration... Une forme de honte. Les autres se faisaient massacrer pendant que je restais planqué derrière ma planche à dessin, à inventer des machines de mort, des armes terrifiantes de plus en plus performantes... Un jour, un type du Haut État-Major m'a balancé, avec mépris, que j'avais tous les avantages des héros sans en subir les inconvénients. Bref, j'étais un superman en pantoufles. Je ne l'ai jamais digéré. Jamais. C'est resté planté en moi, ça s'est mis à grossir en secret. Une vilaine petite graine. Toxique. Ça m'a gâché la vie des années durant. Chaque fois que l'un de mes ingénieurs m'annonçait que son fils avait trouvé la mort au combat, je me sentais merdeux. Faux cul. Planqué.

» Ça m'a bouffé, réellement, comme un remords. Je me suis toujours appliqué à être un patriote, mais, en vérité, j'étais un patriote de salon. L'un de ces politicards qui exhortent les autres à s'engager mais continuent à discourir, une coupe de champagne à la main, sans jamais poser le pied sur un champ de bataille. Vous voyez le genre? Odieux.

» C'est comme ça que Jared m'a eu. Par mon point faible. En réalité ce n'était pas difficile. J'ai avalé l'appât et l'hameçon sans réfléchir. Facile. Pour cela, il n'a eu qu'à récupérer dans les archives de l'OSS un dossier classé D3, ce qui signifie "improbable", l'une de ces théories que l'armée américaine s'est toujours refusée à admettre. La survie d'Adolf Hitler. Les Russes, eux, se sont longtemps montrés plus circonspects, méfiants devrais-je dire. Ils n'ont jamais exclu cette éventualité... Et j'ai fait de même. Pour ma défense, je ferai valoir que bien des faits sont troublants, et que certaines "coïncidences" mériteraient d'être scrutées de plus près. Seulement personne ne veut prendre le risque de soulever un tel lièvre, ce serait admettre que la victoire n'a pas été totale et que, quelque part, l'ogre autrichien nous a roulés dans la farine. Inadmissible, pas vrai?

» J'ai passé beaucoup de temps à étudier le dossier Kriegers 3. J'ai pris mes renseignements. J'ai expédié Jared sur place faire une enquête... À aucun moment je n'ai soupçonné sa véritable intention. Son but était de m'envoyer survoler l'une des jungles les plus impénétrables de la planète, et de m'y faire succomber à un crash malencontreux.

» Un accident. Un vieux milliardaire excentrique victime de sa marotte. Un aventurier en chambre rattrapé par le principe de réalité. Je pense que la presse ne s'est pas privée de répéter que je l'avais bien cherché.

» La veille de mon départ, alors que j'allais m'assurer que le plein de l'appareil était fait, je suis tombé sur Jared qui sortait du hangar. Il m'a affirmé être venu vérifier que tout était en ordre... et je l'ai cru. J'avais confiance en lui. C'est seulement quand la queue du zinc a explosé que j'ai pigé. D'un seul coup toutes les pièces du puzzle se sont emboîtées, comme on dit dans les romans de drugstores. Je n'ai même pas eu peur, non... Alors que l'avion piquait vers le sol, j'étais submergé de honte. La honte de m'être montré si con. Puis la rage est venue. La rage de l'imaginer en train de fêter ma mort. La rage m'a ranimé, c'est elle qui m'a donné la force de reprendre le manche et de contrôler la chute de l'appareil.

» J'ai toujours été bon pilote. Quand j'étais jeune, j'ai fait beaucoup de planeur. Cela m'a permis d'utiliser les courants ascendants pour freiner ma descente et éviter de m'écraser comme une merde pondue du quarantième étage d'un building. La résistance du zinc a fait le reste. Après, je me suis traîné vers les baraquements de la compagnie minière que je croyais occupés. Puis j'ai continué à grimper pour me mettre hors de portée des fauves et des hommes-léopards. Comme votre boy vous l'a sûrement dit, ils ne se hasardent jamais dans ces parages. C'est tabou, et tout le toutim...

» Tout ça parce que, l'espace d'une minute, je me suis vu en archéologue amateur découvrant la momie du Führer cachée au cœur de la brousse congolaise. C'est à pleurer, non ?

» Je sais aujourd'hui que ce plan est sorti de l'imagination d'Adriana, ma chère fille. Elle connaît mes défauts, mes marottes. Elle sait parfaitement sur quelles ficelles tirer pour me faire danser à sa guise. Elle tient de sa mère. Ma femme, Sigrid, était déjà comme ça. Elle a transmis son savoir à sa gosse. Elle l'a éduquée. Je devrais plutôt dire : entraînée. Oui, ma femme, Sigrid, la mère d'Adriana, était une espionne du KGB. Je l'ai tuée. Et je n'en conçois aucun remords.

» Comment en suis-je arrivé là ? Par un cheminement simple et prévisible. Quand j'ai rencontré Sigrid, j'étais déjà un homme vieillissant, accablé de travail et de responsabilités. Un ingénieur qui avait passé les meilleures années de sa vie penché sur une planche à dessin, une règle à calcul à la main, à inventer des prototypes de chasseurs, de bombardiers lourds... Même si j'étais secondé dans ce travail, j'en restais la cheville ouvrière, l'inventeur sans qui l'entreprise aurait cessé de tourner. Je n'avais pas le temps de vivre. Mes loisirs se réduisaient à quelques verres de whisky durant le week-end et à la visite d'une call-girl dépêchée par une agence haut de gamme. J'avais longtemps cru que cela suffisait à mon bonheur, je m'imaginais mal encombré d'une épouse et d'une marmaille hurlante. Et puis j'ai rencontré Sigrid, lors d'un séjour au lac Tahoe, dans la villa d'un commanditaire. Il serait plus exact de dire que c'est elle qui m'a rencontré, puisqu'elle était venue pour cela... Puisqu'on l'avait envoyée dans cet unique but. Le site était enchanteur. À cette époque, l'eau était d'une telle pureté que le regard plongeait jusqu'à quarante mètres de profondeur. Un vrai cristal. Cela a bien changé depuis. Savez-vous que le lac Tahoe perd dix mètres de visibilité à chaque nouvelle décennie?

» Sigrid était comparable à cette eau limpide, glacée. Une femme d'une beauté fulgurante, nordique. Elle prétendait ses parents suédois, mais affirmait qu'elle avait grandi dans une institution suisse réservée aux jeunes filles de bonne famille. Je vous épargnerai son curriculum qui était au point, sans faille, et parfaitement convaincant puisqu'il a berné les limiers de la Sécurité nationale qui ont enquêté sur elle lorsque j'ai décidé de l'épouser. En vérité, elle appartenait à ces agents dormants, implantés par le KGB en prévision d'une unique mission. Elle savait tout de moi. Elle avait grandi au milieu de mes photos, de mes rapports d'activité. J'étais sa baleine blanche, le Léviathan qu'elle devait harponner coûte que coûte. Elle avait fait des stages dans des bordels huppés pour apprendre à satisfaire les besoins des mâles et les transformer en esclaves sexuels consentants. Elle connaissait les vins mieux que le meilleur des sommeliers, elle maniait les armes aussi bien qu'un instructeur des Marines, elle adorait les voitures rapides et les pilotait avec l'adresse d'un coureur professionnel... Plus que tout – et cela aurait dû me mettre la puce à l'oreille – elle aimait que je lui parle de mon travail. Les détails techniques ne la rebutaient nullement, elle en redemandait même. Auparavant je n'avais jamais rencontré une femme qui ne sombre pas dans un profond sommeil dès que je prononçais les mots : surface portante de l'envergure...

» Bref, elle a su se rendre indispensable. Après deux déjeuners, j'étais transformé en lycéen obsédé par la capitaine des *cheerleaders* de sa promo. Pitoyable. Mais je dois reconnaître que c'était une remarquable comédienne, et qu'il m'a fallu dix ans pour la démasquer. À peine mariés, nous avons eu une fille, Adriana, qu'elle a entièrement prise sous son aile. J'avais été de nouveau happé par les exigences de mon travail et il m'était désormais impossible de consacrer beaucoup de temps à ma famille. Sigrid ne semblait pas m'en tenir rigueur, et pour cause ! Aux yeux de mon entourage, elle symbolisait l'épouse parfaite, toujours de bonne humeur, entièrement dévouée à son seigneur et maître...

» À cette époque, les États-Unis étaient sur le pied de guerre, Leonid Brejnev avait foutu le bordel avec son invasion de l'Afghanistan. Cette soi-disant "petite guerre victorieuse" censée redonner la pêche à une population dont la fibre communiste commençait à ramollir. Bref, je passais, mes journées avec les gradés des différents états-majors et notre bon président, tous persuadés que la Troisième Guerre mondiale était sur le point d'éclater. Sigrid a accouché un soir que j'étais en réunion de crise au Pentagone. Je n'ai appris la naissance d'Adriana qu'avec quarante-huit heures de retard.

» Je me suis très peu occupé de ma fille parce que... Parce que c'était une fille. Ç'aurait été un garçon, les choses auraient été différentes, je suppose. Quoique je ne me sois jamais senti à l'aise avec les enfants, je ne sais que leur dire et leur naïveté, leurs questions incessantes m'irritent. Comme disait W. C. Fields : "J'adore les enfants, surtout quand ils pleurent, parce qu'on les fait sortir de la pièce."

» Une fillette, c'est pire que tout. Une créature débarquée d'une autre planète. Son fonctionnement est un mystère, et ce mystère ne fait qu'épaissir au fur et à mesure qu'elle grandit. Mais je m'égare en considérations oiseuses. À cause de la fièvre sans doute. Vous n'avez donc pas de quinine dans votre sac à malice ?

» Adriana était comme sa mère, un modèle, tellement parfaite que c'en devenait invraisemblable. Là encore, je n'ai pas compris que Sigrid l'élevait comme on l'avait élevée. Elle en faisait une enfant-soldat. Elle lui apprenait à donner le change, à vénérer le bolchevisme, car elle savait que la guerre se préparait, qu'elle éclaterait dans quelques années. Elle lui répétait que j'étais l'ennemi. Un homme mauvais, habité par le Mal. Une ordure de capitaliste.

» De tout cela, je n'ai jamais eu conscience, même si, de temps en temps, un vague doute me traversait l'esprit. Non, doute n'est pas le mot. Disons plutôt incrédulité… Oui, une incrédulité devant ce trop-plein de chance, de perfection, de bonheur. L'impression d'être l'acteur d'une comédie familiale bourrée d'éclats de rire préenregistrés, de moments de tendresse et de chants de Noël… Ce genre de confiserie sirupeuse qui vous pourrit les dents à peine y avez-vous mordu.

» Et puis ça a été la guerre en Irak. Là, ça ne rigolait plus. L'espionnite est devenue générale. Un jour, le directeur de mon service de sécurité a sollicité un entretien discret. Il tenait à me signaler que ses gars avaient intercepté un agent russe transportant les plans microfilmés de plusieurs de mes inventions. Il y avait donc une taupe dans l'entreprise. Il m'a déconseillé de prévenir le FBI ou la CIA car notre crédibilité était en jeu. Il suggérait de régler le problème en interne. Le ciel me tombait sur la tête. Surtout quand j'ai vu, projeté sur l'écran de la salle de conférences, l'un de ces plans. Je savais qu'il n'avait jamais quitté mon bureau, à la maison. J'avais mis des heures à le tracer sous l'œil attendri de Sigrid qui ne cessait de m'apporter des tasses de café noir pour me soutenir dans l'effort. Chaque soir, j'enfermais ce même plan dans un coffre-fort inviolable.

» Il n'y avait qu'une seule explication : mon irréprochable femme – profitant d'une brève absence pendant laquelle j'étais parti pisser – avait photographié le document en question au moyen d'un appareil miniaturisé. Malgré l'évidence, j'ai été incapable de la dénoncer.

» De retour aux ateliers, j'ai convoqué Buster Leacock, un ancien flic de New York dont j'avais fait mon détective personnel, un dur, viré pour brutalité, à qui je confiais des enquêtes confidentielles sur mes proches collaborateurs ou commanditaires. Il a d'abord cru que je soupçonnais Sigrid de m'être infidèle mais, après l'avoir suivie pendant deux semaines, il m'a avoué que le résultat de ses observations l'inquiétait. En effet, ma femme rencontrait avec un grand luxe de discrétion un certain Walter Lodtz, tenant un commerce de chaussures d'importation bas de gamme. Cette activité l'obligeait à de fréquents voyages en Suisse. C'était un petit homme squelettique, minable, d'une soixantaine d'années, dépourvu du moindre charme, ce qui excluait que Sigrid ait pu le prendre pour amant. Leurs entrevues n'excédaient jamais une minute. Ma femme s'approchait de Lodtz sous le prétexte de lui demander du feu. Lodtz lui tendait une boîte d'allumettes. Sigrid allumait sa cigarette, lui restituait la boîte, après quoi ils se séparaient en rasant les murs.

» "Je suis à peu près certain qu'elle glisse quelque chose dans cette foutue boîte avant de la lui rendre, m'expliqua Leacock. Elle s'y prend très bien d'ailleurs. On n'a pas le temps de repérer quoi que ce soit. En attendant, si c'est bien ce que je pense, vous êtes dans une sacrée merde. Désolé de vous le dire, mon vieux, mais votre bonne femme est une espionne. Reste à savoir si elle travaille pour les Arabes, les Chinois ou les Russes."

» À l'époque, je n'ai jamais envisagé que ma fille puisse être au courant des activités de sa mère. Cela ne m'a pas effleuré. Une fillette, pensez donc ! Je ne soupçonnais pas qu'au même âge, Sigrid subissait un entraînement de fer dans une école d'espionnage quelque part en Ukraine. J'étais sonné comme un boxeur qui vient de cracher son protège-dents. Littéralement K.O. Tout mon univers tombait en miettes. La rage m'a permis de reprendre le dessus. J'ai décidé de régler la chose moi-même, pour me racheter à mes propres yeux. J'avais un petit voilier, dans ma maison des Hamptons, à Montauk. J'ai suggéré à Sigrid de passer un week-end en amoureux au bord de l'océan. Elle ne pouvait pas refuser. Adriana est restée à New York, sous la garde d'une nurse. Au préalable, j'avais demandé à Buster Leacock de me procurer un somnifère foudroyant. Il a obéi sans me poser de question, mais il a compris ce que je m'apprêtais à faire. Il a simplement dit : "Mon vieux, je ne chercherai pas à vous dissuader. À votre place, je ferais la même chose. Le seul problème, c'est de savoir si vous pourrez vivre avec le reste de votre vie."

» J'ai quitté New York accompagné de Sigrid, en essayant de ne rien laisser paraître, mais son instinct l'a avertie que quelque chose ne tournait pas rond. Pendant le trajet, elle m'a dit : Tu es bizarre, tu as des soucis ? J'ai répondu que je travaillais sur un projet ultra-secret, quelque chose de réellement révolutionnaire en matière d'avionique, et que j'avais besoin de décompresser, d'où cette fugue en amoureux. Comme je le prévoyais, le mot secret l'a électrisée, et elle s'est promis de me tirer les vers du nez par tous les moyens.

» J'avais fait livrer sur le voilier tout le matériel nécessaire à un dîner aux chandelles : caviar, foie gras, saumon fumé, champagne français. Dès l'amarre larguée, j'ai mis le cap au large. En vérité je déteste la mer, et je ne pense pas être un bon marin. Mais quand on habite les Hamptons – et plus particulièrement Montauk et son célèbre phare – on se doit d'avoir un yacht, sinon on commet une faute de goût irréparable. Quand j'ai estimé que nous étions assez loin de la côte, j'ai jeté l'ancre et convié ma femme à dîner. Sa coupe de champagne contenait une large dose de somnifère. Nous avons trinqué. Elle a dit, cette garce : "Au succès de ton projet secret !" Étant donné la circonstance, cela sonnait de manière ironique. Buster n'avait pas exagéré. La drogue agissait vite. Trois secondes après avoir bu, Sigrid lâchait sa coupe et vacillait. À son regard, j'ai vu qu'elle avait compris. Elle a marmonné quelque chose en russe. Je suppose que c'était une injure. Puis elle s'est écroulée. Le plus dur restait à faire. Je lui ai attaché des gueuses de fonte aux chevilles, d'un poids plus élevé que le sien. Ensuite, et cela, je vous prie de le croire, ne m'a procuré aucun plaisir, je l'ai éventrée. Pas pour me venger, non, mais pour permettre aux gaz de putréfaction de s'échapper. De cette manière, le cadavre ne gonfle pas et ne remonte jamais à la surface. Je tenais cette technique d'un coroner de mes amis qui m'avait expliqué qu'elle était employée par les tueurs de la Mafia. Elle aurait été inventée par le célèbre Bugsy Siegel.

» Pour finir, j'ai jeté le corps par-dessus bord. Ensuite, j'ai empoigné un faubert et lessivé le pont à la Chlorex afin d'éliminer toute trace de sang repérable au Luminol. Je me sentais bien, en règle. J'ai bu un whisky, fumé une cigarette, puis mis le cap sur la côte. De retour à la maison, je n'ai prévenu ni le FBI ni la CIA, non, je ne pouvais pas courir le risque de devenir suspect du jour au lendemain. Comme je vous l'ai déjà dit, à mon âge, je me voyais mal finir mes jours à Guantanamo. Les coups d'aiguillon électrique dans le cul, très peu pour moi ! Encore une fois, j'ai appelé Buster Leacock. Je lui ai expliqué sans détour ce que j'avais fait. Il m'a conseillé de rentrer à New York et d'attendre. Il prenait l'affaire en main.

» Le lendemain, les journaux ont annoncé que ma femme s'était noyée accidentellement au cours d'une partie de pêche. Le dossier était bouclé. Je n'ai pas été inquiété.

» Contrairement à ce que craignait Leacock, je n'ai jamais été assailli de remords. J'ai toujours eu l'intime conviction d'avoir fait le nécessaire et, d'une certaine façon, racheté mon étourderie. Je ne soupçonnais pas, alors, que ma fille, en dépit de son jeune âge, avait compris ce qui s'était passé et qu'elle attendait le moment de me le faire payer.

» Je l'ai tenu éloignée de moi le plus possible, en l'expédiant en Europe, pour étudier. Elle n'a jamais montré qu'elle me haïssait. Elle accumulait les diplômes sans forfanterie. On la disait douée pour tout. Quelque part, elle me ressemblait. Elle a été assez habile pour ne jamais s'imposer ou exiger de travailler dans mon entreprise. Nos rapports étaient bons, quoiqu'espacés et très formels. Elle affirmait n'avoir aucun désir de fonder une famille, et vouloir se consacrer à la recherche. J'ai supposé qu'elle avait des amants, mais elle n'en faisait jamais mention, ce qui me convenait. Les histoires sentimentales sont préjudiciables au travail. On la disait mathématicienne surdouée, œuvrant dans l'ombre de génies universitaires inconnus du grand public. Elle grimpait les échelons.

» Quand l'affaire irakienne s'est tassée, j'ai été la proie d'une grande fatigue et, pour la première fois de mon existence, j'ai ressenti le besoin de prendre des vacances. De longues vacances. Avec mon avion, je me suis donné pour mission de survoler l'Amérique latine à la recherche de monuments inconnus, et notamment de ces fameuses pistes d'atterrissage extraterrestres, à Nazca, au Pérou, dont les services de renseignement de l'Air Force commençaient à se préoccuper sérieusement. Cette fantaisie m'a amusé deux années durant. C'est alors que j'ai fait la connaissance de Jared Coffier. Un jeune retraité de la CIA, ancien analyste. Je l'ai engagé pour assurer la sécurité de mes entreprises.

» Vous connaissez la suite. Il n'a pas été long à me coller sous le nez le dossier Kriegers 3 en m'expliquant que tout le monde se trompait depuis

226

cinquante ans, et que le Führer s'était caché au Congo, dans la jungle, où il avait monté un laboratoire destiné à fabriquer une bombe atomique. Cette foutue bombe était peut-être toujours là-bas, attendant de tomber entre les mains d'un quelconque "groupe de libération armée". Étant donné l'instabilité du pays, on pouvait craindre le pire... Bien évidemment, toute l'opération avait été planifiée par Adriana qui ne doutait pas une seconde que je sois assez con pour tomber dans le panneau.

» Bref, je suppose qu'elle veut mettre la main sur Hofcraft Airways, s'emparer de tous les brevets sur lesquels nous travaillons, et les transmettre aux adversaires de l'Amérique. En l'occurrence l'URSS... ou la Chine. Son but est avant tout de m'abattre et de se venger des ennemis de sa mère en leur causant le maximum de préjudices.

» Voilà, vous savez tout. Redonnez-moi à boire. J'ai trop parlé. Je crève de soif. »

18. Le festin des hyènes

L'aplomb dont faisait montre le vieil homme avait ébahi Tracy. Elle l'avait écouté sans l'interrompre, étonnée d'un tel manque d'empathie. Edmund

227

Hofcraft lui apparaissait comme l'exemple type du scientifique dépourvu d'affectivité. Une carence maintes fois constatée chez certains officiers supérieurs pour qui les soldats n'étaient que des pions anonymes sur une carte d'état-major.

Lorsqu'elle le fit boire, elle vit qu'il était brûlant de fièvre. Ses blessures s'infectaient.

« Je dois nettoyer vos plaies, diagnostiqua-t-elle, ou votre état va rapidement empirer.

— Je vous remercie de votre sollicitude, ricana-t-il, mais comprenez bien que je ne puis vous faire confiance. Qui me dit que vous ne marchez pas avec Jared ? Hein ? Il vous suffirait d'une piqûre pour m'empoisonner.

— Comme vous voulez, soupira la jeune femme en se reculant. Mais vous allez succomber d'ici peu à un choc anaphylactique. En outre, la gangrène vous guette, c'est un miracle qu'elle ne se soit pas déjà déclarée.

— J'ai fait ce qu'il fallait, grogna Edmund Hofcraft. Pas loin d'ici j'ai découvert une jolie petite infirmerie pourvue de tout le nécessaire. Je vous y emmènerai si vous parvenez à me convaincre que vous n'êtes pas la complice de Jared.

— Et comment dois-je procéder ?

— Abattez-le.

— Quoi ?

— Retournez auprès de lui et collez-lui une balle dans la nuque pendant qu'il vous tourne le dos. Je vous observerai à la jumelle. Je sais que vous en êtes capable. Vous avez fait la guerre, cela se sent. Vous n'êtes pas une oie blanche. Vous avez côtoyé la mort plus souvent qu'à votre tour. Je suis sûr que vous avez achevé certains moribonds qui souffraient trop, n'est-ce pas? Ne mentez pas, allez, combien en avez-vous euthanasié? Dix, vingt, cinquante? Davantage? Jared ne mérite pas votre sollicitude. Vous savez fort bien comment les choses se passeront si vous le laissez en vie. Après m'avoir abattu, il vous tuera, vous et votre boy, parce qu'il ne peut se permettre de laisser des témoins derrière lui. Je suppose qu'il me coupera une main qu'il emportera à titre de preuve. Mes empreintes digitales prouveront qu'elle m'appartenait. Et il suffira d'une simple analyse sanguine pour établir qu'elle a été prélevée sur un cadavre. Dans ce pays, une main coupée n'étonne personne. C'était, dans les années 1960, la méthode couramment employée pour punir les Noirs récalcitrants ou jugés paresseux. Dans certaines plantations, on en remplissait des paniers qu'on exposait sur les vérandas afin de décourager ceux qui auraient été tentés de désobéir à leurs maîtres. À cette époque, la mutilation était le sport national des colons. Voilà très exactement comment les choses se passeront. Votre seule chance d'en réchapper, c'est de prendre Jared de vitesse.

— Et si je me débrouillais pour le désarmer et l'attacher à un arbre, par exemple?

— Soyez sérieuse! Ce type est un espion surentraîné. Il connaît toutes les techniques de combat. Vous n'avez aucune chance contre lui. Il ne lui faudra pas longtemps pour se libérer et vous trancher la gorge. Non, la solution que je vous propose est la seule valable. À vous de voir si vous voulez rentrer à New York et récupérer votre petit ami, ce Russel Machin-chose... Alors ne faites pas tant de chichis. Allez retrouver vos compagnons et flinguez-moi cette ordure. Je suis le seul à pouvoir vous sortir de l'impasse. Je sais comment retourner à la civilisation. J'ai de l'argent, des appuis. Sitôt de retour à Matadi, je puis, en trois coups de téléphone, nous faire ramener secrètement aux USA. Là-bas, je contacterai une société de sécurité privée qui mettra fin aux activités d'Adriana. Croyez-moi, chez nous il existe encore des patriotes qui ne plaisantent pas avec les agents du communisme.

— Vous voulez dire qu'il lui arrivera le même genre d'accident qu'à sa mère? lança Tracy.

— Je n'ai encore rien décidé, répliqua Edmund sans détourner les yeux, et, de toute manière, cela ne vous regarde pas.»

La jeune femme se redressa. Elle n'avait guère le choix. D'un pas hésitant, elle quitta l'abri des rochers et s'engagea sur la pente de lave refroidie. Le vent véhiculait une odeur de soufre qui irritait la gorge. Les bras faisant office de balanciers, elle s'appliqua à conserver son équilibre. Une fois en bas, elle s'avança lentement vers les fûts métalliques derrière lesquels Jared et Diolo se tenaient retranchés. Sa décision était prise. Edmund Hofcraft était sans nul doute un monstre mais il avait raison : Jared n'avait d'autre solution que de supprimer les témoins de ce qu'il s'apprêtait à faire. Personne ne devait savoir qu'il avait trouvé Edmund vivant, et l'avait assassiné.

Le souffle court, elle rejoignit les deux hommes accroupis et cramponnés à leurs fusils.

«Alors? aboya Jared.

— C'est bien Hofcraft, fit Tracy. Il est mal en point. J'ai dû le panser et arrêter les hémorragies. La fièvre le fait délirer. Il me prenait pour sa femme, Sigrid. Puis il a perdu connaissance. J'en ai profité pour décharger son fusil.

— Parfait, exulta Jared. Alors il faut y aller tout de suite.»

Il se redressa d'un coup de reins. La hâte d'en finir se lisait sur son visage. Sans attendre ses compagnons, il s'élança en direction du volcan. Très vite, la distance qui le séparait de Tracy et Diolo se creusa. La jeune femme comprit qu'il tenait à arriver le premier au chevet du vieil homme pour l'achever en toute tranquillité. Ensuite, il lui suffirait d'épauler son arme pour abattre le Noir et l'infirmière. Une formalité.

«Il va nous tuer...» : ces mots tournaient en boucle dans l'esprit de Tracy. Malgré tout, elle n'arrivait pas à se décider. Le Mauser pesait une tonne entre ses mains. Elle n'aurait jamais la force de l'épauler. Jared avait encore pressé le pas. On devinait qu'il crevait d'envie de se mettre à courir. Quand il réaliserait enfin qu'il lui serait impossible de devancer suffisamment ses partenaires, il pivoterait sur ses talons et les fusillerait. Oui, il les abattrait là, au pied du volcan, en priant pour que les détonations ne sortent pas Hofcraft de l'évanouissement.

Tracy se força à lever son fusil. Hélas, il était trop tard, Jared avait été plus rapide. Le canon de son Mauser la prenait déjà dans sa ligne de mire. L'index de l'espion caressait la queue de détente. La détonation claqua... et la calotte crânienne de Jared se vaporisa dans un brouillard de sang.

Diolo, qui se tenait moins d'un mètre derrière Tracy, avait ouvert le feu avec un dixième de seconde d'avance. La jeune femme se boucha les oreilles, assommée par l'onde de choc de la déflagration. Là-bas, Jared s'était écroulé sur la plaque de basalte, des choses informes et rouges s'écoulant de son crâne comme d'une soupière renversée.

Diolo se précipita pour soutenir la jeune femme, sonnée par la détonation.

« Je savais qu'il allait le faire, Memsahib, dit-il. Je l'ai lu dans ses yeux. Y'avait pas d'autre solution. C'était une sale bête. Vous le savez comme moi. Il nous a embrouillés depuis le début... J'ai jamais eu confiance. »

Il parlait très vite, mais Tracy, rendue sourde, ne comprenait rien à son discours.

D'une main précautionneuse, le grand Noir la poussa en direction du volcan. Tracy se mit en marche avec l'impression que des guêpes en folie avaient élu domicile dans ses tympans. Au bout de trois minutes, les acouphènes perdirent en intensité et elle recouvra ses facultés auditives.

Les premières paroles qu'elle perçut furent celle d'Edmund :

« C'est bien, mais à présent, déposez les fusils à vos pieds et venez vers moi en gardant les mains en évidence. »

Tracy serra les dents. Le vieux salopard était vraiment méfiant!

«S'il n'avait pas besoin de nous, songea-t-elle, il nous liquiderait séance tenante.»

Ils firent comme on le leur demandait et escaladèrent le versant basaltique du volcan les mains levées, tels des prisonniers. Lorsqu'ils atteignirent le repaire du vieillard, ils le découvrirent, recroquevillé, braquant sur eux son Mauser d'un air chafouin.

«C'est un bon point pour vous, ricana-t-il en s'adressant à la jeune femme, mais ça ne suffit pas. Après tout, vous êtes peut-être le chef de cette mission, et Jared un subordonné, votre commis aux basses œuvres. Comment savoir, hein? Adriana est intelligente, elle a sûrement prévu un tel retournement de situation. Alors quoi, vous êtes son plan B?»

La sueur lui gouttait des sourcils, lui brûlant les yeux, il cligna des paupières. Ce bref instant suffit à Diolo pour bondir et lui arracher le fusil qu'il tenait d'une seule main. Le vieux, déséquilibré, roula sur le dos en poussant un hurlement de souffrance.

«Salaud! hoqueta-t-il, sale bourrique de négro!

— Ça suffit, intervint Tracy. Vous allez arrêter de jouer les tyrans. Nous ne vous voulons aucun mal. Tout à l'heure vous avez parlé d'une infirmerie... Emmenez-nous là-bas et je vous soignerai.»

Edmund Hofcraft lui jeta un regard mauvais. En cette seconde il ressemblait à ces vieux ivrognes en haillons qui hantent les ruelles new-yorkaises, en se cuitant au vin de pomme additionné d'alcool à 90°. Il aurait sans mal trouvé sa place parmi les fantômes de la Bowery.

«D'accord, bredouilla-t-il, vous remportez le set... Aidez-moi à me relever. Il faut passer sur le versant sud. C'est là que ça se situe...»

L'encadrant, ils le soulevèrent aussi doucement que possible, mais le bras brisé du vieillard ne supportait aucune manipulation.

«Il faut remettre les os en place et vous plâtrer, fit la jeune femme. De toute manière, sitôt revenu à New York vous aurez intérêt à vous faire opérer, sinon vous risquez de rester à moitié paralysé.

— On verra ça, grogna Edmund qui souffrait le martyre. On n'en est pas encore là. Sortir de la jungle c'est autre chose que d'y entrer!»

Progressant pas à pas, ils mirent une heure pour atteindre le versant opposé du volcan. Les vapeurs de soufre – bien que diluées par le vent – leur brû-laient les yeux et les poumons. Çà et là, des fume-rolles suspectes s'échappaient des failles de la paroi.

«Il est toujours en activité, commenta Hofcraft. Il fait la sieste, c'est tout. De temps à autre il se réveille et se paye le luxe d'un pet foireux... Il expulse alors un peu de lave, comme un bébé qui souille sa couche. C'est pareil dans tout le Congo. C'est comme ça que certaines bourgades ont été tout bonnement rayées de la carte.»

Tracy écarquilla les yeux. Une curieuse protubé-rance venait d'apparaître au pied du cratère. Un bâtiment de deux étages, que la lave avait en par-tie englouti. Elle souffla :

«Ne me dites pas que c'est...

— Si, ricana Edmund. C'est la foutue Das Haus des Kriegers... Ces connards croyaient le volcan éteint. Ils ont voulu à tout prix bâtir à proximité de la veine diamantifère pour être à pied d'œuvre et se remplir les poches sans se fatiguer. Ils n'avaient pas prévu qu'ils réveilleraient le cratère à force d'éventrer la roche et d'ouvrir des galeries à la dynamite.»

Tous trois s'étaient arrêtés à mi-pente pour reprendre leur souffle. D'où ils se tenaient, ils embrassaient la géographie des installations submergées par la coulée de lave en fusion.

«Je pense que ça s'est produit en pleine nuit, marmonna Hofcraft. Ils sont morts pendant leur sommeil, asphyxiés par les émanations de dioxyde de soufre qui ont précédé la première explosion. Quand la lave leur est tombée dessus, ils n'ont rien senti. La coulée a cuit leurs cadavres.

— Vous voulez dire que...

— Oui, ils sont toujours là. Prisonniers du basalte. Cuits comme des poissons dans la glaise. Il suffirait de creuser pour les trouver. Mais qui aurait envie de faire ce genre de truc, hein? À part des cinglés d'archéologues, bien sûr!»

La descente s'avéra difficile et dangereuse. L'inclinaison de la pente les mettait à la merci d'un faux pas qui les condamnerait à rouler cul par-dessus tête jusqu'en bas.

Lorsqu'ils posèrent enfin le pied sur la plaine, ils étaient à bout de force.

«On peut entrer dans le bâtiment, expliqua le vieillard. Il faut escalader ce tumulus, on aboutit à

235

une terrasse, de là on accède au dernier étage. J'ai brisé la baie vitrée. Elle était en verre blindé, mais les secousses de l'éruption l'avaient fêlée.

— Vous avez trouvé quelqu'un ? demanda Tracy, l'estomac noué.

— Vous voulez dire : est-ce qu'il est là ? Lui, Adolf Hitler ? Non, le dernier étage est composé d'une immense salle de réunion, de bureaux, et d'une infirmerie avec salle de chirurgie et tout le tralala. La partie habitation se situait en dessous. Elle a été submergée. La lave en fusion a fait fondre les vitres des fenêtres et s'est engouffrée dans les chambres. Vous verrez ça vous-même. Je ne me suis pas donné la peine d'explorer, j'avais d'autres soucis. Cette maison n'est plus qu'un tombeau. Je vous le répète, ils sont tous là-dedans. Cuits, carbonisés, pris dans la lave refroidie comme des momies dans un sarcophage. Si quelques-uns en ont réchappé, ils ont fichu le camp depuis long-temps.

— Vous pensez qu'il y a eu des survivants ?

— Franchement, non. Le gaz de soufre est mortel, il agit très vite. Dès la première émanation, la nappe s'est répandue sur le campement, tuant les humains. Les animaux, eux, s'étaient tirés depuis longtemps. Leur instinct les avait avertis qu'une catastrophe se préparait.

— Quelle est l'épaisseur de la couche de lave ?

— Au moins quinze mètres au pied du volcan, ensuite ça s'amenuise rapidement. Vous avez pu vous en rendre compte. À deux cents mètres d'ici, la plaque de basalte ne fait plus qu'une dizaine de centimètres. Le problème c'est que les baraquements se situaient à la périphérie de la maison du guerrier. De toute manière leurs occupants n'étaient pas excessivement nombreux. Une centaine à tout casser.»

Ayant repris des forces, ils se dirigèrent vers l'étrange excroissance qui s'élevait devant eux. Cette espèce de château noir, enveloppé d'une carapace grumeleuse.

Tracy s'irrita de se découvrir impressionnée. Elle se faisait l'effet de violer le tombeau d'un pharaon. C'était absurde. Absurde et déplacé.

Edmund leur indiqua quel chemin emprunter.

Parvenus au sommet du cairn, ils n'eurent qu'à enjamber la balustrade de la terrasse pour s'introduire dans le bâtiment. La lave ayant interdit à la végétation de proliférer, la construction n'avait pas été submergée par l'habituelle profusion de lianes et de mousses comme cela arrive aux édifices livrés à la voracité des jungles.

«C'est grâce à cet endroit que je suis toujours en vie, déclara Edmund. Il y a d'énormes réserves de conserves et de nourriture déshydratée dans la pièce du fond. Du champagne également, de l'aquavit, du schnaps, des cigares... C'était un bunker, soit, mais un bunker de luxe, pour personnages de haut rang. Je ne connais pas assez bien l'allemand pour déchiffrer les dossiers qui s'entassent dans les bureaux, mais je pense qu'ils avaient commencé à écouler les diamants ici et là, pour s'autofinancer. Ce campement constituait l'embryon d'une cité plus importante... Il y a des plans punaisés au mur d'un bureau. Des esquisses. On devine que ç'aurait été un machin dans le

237

genre architecture fasciste. Une espèce de Germania surgissant de la jungle. Une belle connerie. Je suppose qu'ils se consolaient à leur manière de s'être pris un gigantesque coup de pied au cul. Ils bâtissaient des châteaux en Espagne, comme on dit.»

Le vieil homme s'était précautionneusement installé dans un fauteuil aux dimensions impériales, mais au cuir moucheté de moisissure.

Un immense aigle de plâtre, les serres crispées sur un svastika, les guettait, suspendu au ras du plafond. Là encore, l'humidité avait eu raison des dorures que colonisaient de vilains champignons noirs. Sous l'effet de l'atroce chaleur de l'éruption, la peinture s'était décollée des murs par plaques entières, donnant à la salle un aspect lépreux des plus pathétiques.

Tracy effleura du bout des doigts l'interminable table d'acajou massif. Elle essaya d'imaginer les réunions qui s'étaient tenues là. Des officiers supérieurs, probablement, corsetés dans leurs uniformes d'apparat en dépit de la moiteur tropicale. S'évertuant à transpirer sans en avoir l'air. Et discutant, discutant sans fin... réécrivant l'histoire des batailles qu'ils avaient perdues mais qui auraient pu être gagnées si... Faisant le procès des traîtres, des défaitistes. Des vaincus prisonniers d'une obsession, tel Napoléon à Sainte-Hélène disséquant jusqu'à la folie le déroulement de la bataille de Waterloo. Des hommes essayant de conférer à leur déchéance une aura magnifique. Non, ils n'étaient pas vaincus, ils préparaient la revanche. Cette retraite n'était que temporaire

et stratégique, bientôt ils frapperaient fort...
Bientôt. Ce n'était qu'une question de patience.
De patience et d'argent. Les diamants du Congo
allaient leur acheter une armée. Permettre la fabri-
cation d'armes nouvelles et terrifiantes qui leur
assureraient la suprématie sur terre, air et mer.
C'était l'affaire de trois ou quatre ans. Quand l'ennemi se serait endormi sur ses lauriers, ils surgi-
raient du néant, tels les guerriers du Walhalla, et
l'anéantiraient.

Oui, Tracy les imaginait sans mal, vidant des
verres de schnaps, noyés dans la fumée des
cigares, déjà fantomatiques, presque digérés
par l'Histoire, mais refusant de l'admettre. Des
morts-vivants, s'alimentant de légendes, de souvenirs magnifiés, d'exploits fantasmés. De belles
brutes blondes, encerclés par des millions de
Noirs, mais se croyant toujours maîtres de leur
destin. Les survivants d'un rêve englouti qui, pour
eux, tournait au cauchemar.

Le fameux aigle, symbole du Reich de mille
ans, avait été abattu en plein vol, il avait lâché
le svastika qui s'était brisé en heurtant le sol.
Oui, l'aigle était tombé sur la terre africaine, et
les hyènes ricanantes n'en avaient fait qu'une
bouchée, la gueule barbouillée de plumes et de
sang. Le Walhalla s'était changé en festin de charognards.

Tracy s'ébroua, soucieuse d'échapper à l'en-
sorcellement qui s'emparait d'elle. Le nazisme,
comme le volcan, produisait les mêmes émanations délétères et hautement toxiques. Se tournant
vers Edmund, elle lança :

«Montrez-moi où se trouve l'infirmerie. Je vais m'occuper de vos blessures. Le plus difficile sera de trouver des médicaments non périmés.»

Ils procédèrent ainsi. Le dernier étage se révéla beaucoup plus grand qu'il ne paraissait de l'extérieur. Un interminable couloir le traversait. Des bureaux s'y succédaient, encombrés de machines à écrire ou de matériel de transmission.

«Vous n'avez jamais pensé à envoyer un message radio? s'étonna Tracy. Un S.O.S?

— Vous me prenez pour un con? gronda le vieil homme. Bien sûr que si, mais la chaleur de la lave a fait fondre les circuits. Les dynamos ne fonctionnent plus. De toute manière l'antenne a été brisée par un ouragan. Pour finir, je pense que le volcan crée une zone d'ombre qui restreint la portée des communications.»

L'infirmerie était telle que l'avait décrite Edmund. Impeccable et bien outillée.

«Si vous voulez me charcuter, maugréa le vieux, il faudra le faire avant la tombée de la nuit, parce qu'il n'y a aucun moyen de s'éclairer à l'intérieur du bâtiment. J'ai bien trouvé quelques lampes torches, mais les piles sont mortes depuis longtemps.»

Tracy se rappela la lampe à dynamo que Jared portait dans son paquetage, elle s'y trouvait encore, mais pour la récupérer il aurait fallu faire le chemin en sens inverse, et elle ne s'en sentait pas le courage.

«On se débrouillera, lâcha-t-elle, laconique. Si vous collaborez, on aura fini avant le crépuscule.»

Et elle entreprit d'explorer les placards.

Elle se retrouva bientôt confrontée au dilemme des dates de péremption. Le stock datait d'une quarantaine d'années, ce qui laissait supposer que la colonie nazie avait exploité la mine pendant dix ou quinze ans, date du dernier renouvellement des médicaments. À l'armée, on lui avait appris qu'une infirmière de guerre doit souvent se contenter de ce qu'elle trouve sur le champ de bataille, et s'habituer à faire dans l'à peu près. C'était présentement le cas.

Elle savait que les antibiotiques périmés devenaient toxiques pour les reins au bout de cinq ans, mais que certains produits comme la codéine, l'aspirine et les amphétamines restaient encore efficaces quarante ans après la date officielle de péremption. Les sulfamides antibactériens à spectre large ne présentaient aucun danger de toxicité, mais pouvaient perdre en efficacité. Tout dépendait des conditions de conservation, la pharmacopée supportant très mal la chaleur et l'humidité qui constituent par excellence l'essentiel du climat africain.

«N'ayez pas de scrupules! s'impatienta Hofcraft. Il faut prendre des risques, si vous ne faites rien je vais crever de toute façon. J'ai déjà bouffé pas mal de sulfamides et d'anti-inflammatoires et je suis toujours vivant, je pense qu'on peut continuer. Piquez-moi à la morphine et remettez ce foutu bras en place. Je ne vous ferai pas de procès si je reste estropié. On n'en est plus là.»

Au cours de la demi-heure qui suivit, Tracy constata que Edmund Hofcraft jouissait d'une résistance à la douleur hors norme. La morphine tardant à faire effet, elle s'attendait à ce qu'il perde connaissance quand elle remit en bon alignement les os brisés de son avant-bras, mais il se contenta de grincer des dents et de devenir blanc comme un linge. Était-ce un don... ou avait-il à ce point peur qu'elle profite de son inconscience pour l'assassiner?

Ayant mis à tremper des bandelettes plâtrées dans une cuvette d'eau, elle immobilisa le membre rompu du mieux possible.

«Voilà, conclut-elle, je ne suis pas magicienne, je ne peux rien de plus, à part vous conseiller d'avaler quelques comprimés d'antalgique. Il y en a sur cette étagère. Demain, quand j'y verrai plus clair, je suturerai la coupure que vous avez au-dessus de l'œil. Essayez de dormir. Si j'avais voulu vous tuer, je n'aurais eu qu'à demander à Diolo de vous égorger. Croyez-moi, vous n'auriez pas pu lui résister plus de cinq secondes. Je l'ai vu achever au poignard un lion blessé... et vous êtes loin d'être aussi fort qu'un simba.»

S'étant rincé les mains à l'alcool, elle quitta l'infirmerie. Alors qu'elle s'éloignait dans le couloir, Edmund lui cria : «Allez donc faire un tour dans la réserve. Il y a des bidons d'eau potable. Profitez-en pour me rapporter un flacon de cognac trois étoiles. Et des cigares. Je commence à croire que je vais revoir New York et me venger de ma garce de fille. Je dois fêter ça.»

Tracy explora le couloir, ouvrant les portes qui étaient fermées, visitant les bureaux. Parfois elle détectait une présence féminine : poudrier oublié, un tube de rouge à lèvres fondu sur lequel les mouches s'étaient agglutinées. Les cendriers débordaient de mégots de cigarettes blondes ou de moignons de cigares, comme si leurs occupants avaient quitté les lieux la veille. Il y avait donc eu des *gretchen* ici? Parfois, au milieu du fouillis de paperasses cloquées d'humidité, surgissait une photo dans un cadre terni. Épouse, fiancée, enfants, familles... D'antiques numéros de revues militaires comme *Signal* et *Berliner Illustrierte* s'entassaient au hasard des étagères, non loin d'une pile de *Völkischer Beobachter*. Incongrues, des casquettes d'officier suspendues à des patères attendaient que leurs propriétaires viennent les récupérer. De toute évidence, on s'était astreint à respecter une stricte étiquette. La moisissure tropicale avait recouvert ces pauvres épaves d'un velours grisâtre. Déprimée par ce spectacle, elle se remit en quête des réserves. Celles-ci se cachaient derrière un battant métallique. Devant une telle profusion de denrées, Tracy ne put retenir un sifflement admiratif. Il y avait de tout, et du meilleur. De la nourriture, certes, mais aussi des produits d'hygiène et de beauté. Du savon à barbe et du parfum, de la teinture capillaire, des bas de soie, des souliers à talons hauts, des bottes de cuir, des uniformes de rechange à foison, ainsi que des caisses débordant de décorations et barrettes d'officier de tous grades. Ce n'était plus une simple cambuse, c'était un grand magasin! La réserve d'accessoires d'une armée en déroute.

Prise de frénésie, elle explora les rayonnages à la recherche de vêtements propres. Puis elle s'empara d'une bonbonne d'eau, d'une éponge, et – s'étant mise nue – entreprit de se décrasser. Elle peaufina la chose en s'aspergeant d'eau de Cologne. Une fois habillée d'effets secs et propres, elle eut honte d'avoir fait montre d'autant de futilité, mais ç'avait été plus fort qu'elle.

Calmée, elle se saisit d'un carton vide et commença à rassembler de quoi improviser un festin. On lui avait répété qu'une boîte de conserve, à condition qu'elle ne soit ni rouillée ni déformée, reste utilisable une bonne décennie, mais elle estima que trente années de stockage outrepassaient largement la marge de sécurité. Elle se concentra donc sur les légumes secs, les pâtes, le riz. Ils n'avaient pas fait un repas digne de ce nom depuis si longtemps que ces misérables victuailles suffisaient à la faire saliver. Ses emplettes achevées, elle regagna la salle du grand conseil où l'attendait Diolo. Au passage, elle remit à Edmund Hofcraft le flacon de cognac réclamé.

«Et maintenant, Memsahib Tracy, demanda Diolo d'un ton hésitant, qu'est-ce qu'on fait?

— On mange, répondit la jeune femme. Et on dort. Pour le reste, on verra demain.»

Puis elle gagna la cuisine. Les bonbonnes de butane étaient encore pleines, aussi put-elle faire bouillir de l'eau avant d'y jeter pâtes et légumes secs de manière à concocter un frichti, certes immonde, mais roboratif. Trente minutes plus tard, ils s'installaient dans la salle du conseil, et se gavèrent de rata sous l'œil impavide du grand aigle du Reich.

Le repas, trop copieux, et survenant au terme d'un jeûne prolongé, les frappa d'abrutissement. La bière éventée dont ils avaient abusé n'arrangeait rien.

Ne voulant pas dormir sur le sol, ils s'allongèrent chacun à un bout de l'immense table, car Diolo ne jugeait pas convenable qu'un Noir partageât la couche d'une Blanche.

Gagnée par la torpeur, Tracy n'eut pas la force de le détromper. Elle s'endormit presque aussitôt. Quand elle s'éveilla, la lune était haute dans le ciel, et son éclat bleuâtre transformait la pièce en un décor de théâtre encombré de stucs de mauvais goût. Dans un angle, une mauvaise copie d'une sculpture d'Arno Breker se dressait telle une sentinelle spectrale. Tracy s'aperçut que Diolo, fidèle à ses principes, était finalement parti dormir sur la terrasse. Elle ne put déterminer si elle jugeait cela charmant ou stupide. Une terrible envie d'uriner la força à se lever. Se rappelant avoir entraperçu des toilettes d'étage, elle s'engagea dans le couloir en priant pour que les sanitaires soient encore en état de fonctionner, ce qui était peu probable. Dès qu'elle se retrouva seule dans les ténèbres, l'assurance dont elle avait fait preuve jusqu'à présent l'abandonna et, à sa grande honte, elle se sentit en proie à d'irrépressibles peurs superstitieuses. La présence des morts prisonniers de la lave l'obsédait. Et plus que tout celle, hypothétique, du Führer qui, peut-être, était là, sous ses pieds, enveloppé de basalte, tel un pharaon dans son sarcophage. Étrange fin pour le tyran qui avait mis le monde à feu et à sang. Englouti par

245

un brasier liquide jailli des entrailles de la terre. C'était digne d'un opéra. Don Juan entraîné aux enfers par la poigne du Commandeur... Ce n'était certes pas du Wagner, mais ça n'aurait sûrement pas déplu à Adolf!

Elle s'immobilisa, haletante, terrifiée à l'idée de ce qui pouvait soudain surgir des ténèbres. Et s'ils n'étaient pas tous morts? Si un survivant continuait à hanter les ruines de l'exploitation saccagée?

Mais non, elle se conduisait en idiote. Son attitude n'était pas digne d'une femme qui avait participé à tant de batailles, soigné tant de blessés, parcouru tant de villes rasées par les bombardements et les tirs de missiles sol-sol.

«C'est la fatigue, se dit-elle. Je suis à bout. Et puis j'ai peur pour Russel et les gens de la mission... Que leur est-il arrivé?»

Il lui semblait tout à coup qu'elle avait abandonné Russel depuis des années, et qu'elle allait le retrouver si vieilli qu'elle ne le reconnaîtrait plus.

Se reprenant, elle finit par localiser la porte des toilettes. La lumière lunaire, pénétrant par une lucarne, et amplifiée par le carrelage blanc de la pièce, fournissait un éclairage acceptable. Elle se soulagea, actionna une chasse d'eau qui ne fonctionnait pas, et battit en retraite.

Elle dut se retenir de courir vers la salle de conférences tant l'obscurité lui devenait insupportable.

«Arrête de déconner! se répétait-elle. Ressaisis-toi, merde! Rappelle-toi que tu étais à Mogadiscio quand les hélicoptères faisaient le va-et-vient, remplis de blessés!»

Elle détestait cette fêlure irrationnelle qui s'ouvrait en elle. Elle crut y détecter l'annonce de malheurs futurs.

C'est presque en tremblant qu'elle s'allongea sur la table. Elle fut à deux doigts d'aller se blottir contre Diolo, de se cramponner à lui, de le chevaucher, de lui ordonner de la prendre là, tout de suite, pour conjurer le mauvais sort. Si elle y renonça, c'est parce qu'elle savait qu'il aurait refusé.

Elle resta longtemps à fixer la lune, puis la fatigue la fusilla, et elle s'endormit. Peu de temps avant l'aube, elle rêva que le cadavre de Jared, abandonné sur la plaine de lave, se relevait et, après s'être introduit dans la maison, se couchait sur elle pour l'étrangler. Elle se réveilla en sursaut. Le jour était levé, effaçant les fantasmagories nocturnes.

Elle se redressa et s'appliqua à mettre de l'ordre dans ses vêtements puis, en infirmière consciencieuse, alla rendre visite au blessé.

Edmund, s'étant saoulé à mort, avait pissé dans son pantalon. La bouteille de cognac vide s'était brisée sur le carrelage de l'infirmerie. La jeune femme dut faire le ménage pour éviter de se couper. Elle prit son courage à deux mains et se prépara à affronter une corvée pire que les fantômes hantant la maison du guerrier, à savoir décrasser le patron de Hofcraft Airways.

19. L'arsenal fantôme

Deux jours plus tard, Edmund, dont on ne pouvait nier la robuste nature, semblait en voie de guérison. L'infection battant en retraite, la fièvre régressait. C'était un vrai miracle qu'il ait échappé à la gangrène. Il n'était pas pour autant tiré d'affaire. De toute manière, il s'écoulerait au moins deux semaines avant qu'il soit capable d'un effort soutenu. À l'heure actuelle, Tracy l'imaginait mal s'ouvrant un chemin au coupe-coupe à travers la jungle. Néanmoins, lavé, rasé, peigné, il avait repris figure humaine et n'évoquait en rien une épave de la Bowery. Tracy avait eu quelque difficulté à dénicher des vêtements à sa taille dans la réserve, car l'homme était bâti comme Paul Bunyan, le bûcheron mythique.

Il avait demandé qu'on pousse son fauteuil sur la terrasse et s'y était installé, une paire de jumelles de la Kriegsmarine autour du cou.

Tracy, qui ne tenait pas à lui servir de chambrière plus longtemps, lui rappela qu'ils n'étaient pas en villégiature.

«Vous disiez avoir le moyen de sortir de la jungle et de regagner la civilisation, lança-t-elle. Quel est-il?»

Le vieillard la dévisagea, un pli ironique au coin des lèvres, et se contenta de lui tendre les jumelles.

«Prenez ça, ordonna-t-il, et regardez dans le quart sud-ouest, à onze heures. Vous verrez un hangar... La particularité de cette remise est qu'elle est située au-delà de la plaque de lave durcie. La coulée s'est figée avant de l'atteindre. À présent examinez le sol... Vous allez repérer des traces de chenillettes imprimées dans l'humus. La porte du hangar est entrebâillée. Quand le soleil donne de ce côté, on distingue le cul d'un véhicule blindé. Je pense qu'il s'agit d'un SDK F2, autrement dit un Sonderkraftfahrzeug 251. Ce que nos militaires appellent un half-track. Un blindé équipé de roues à l'avant et de chenilles à l'arrière. Ce genre de véhicule peut transporter une dizaine de personnes. Les terrains accidentés ne l'effrayent pas, et son autonomie est de 300 kilomètres.

— Et vous croyez qu'il est encore en état de marche après un demi-siècle d'immobilité?

— Je n'en sais foutre rien. Probablement pas... mais moyennant quelques réparations on pourrait le rendre utilisable. On peut dire ce qu'on veut des nazis, mais leurs mécaniques étaient conçues pour traverser les siècles. Je vous suggère d'y aller voir. Il est probable que vous tomberez sur le cadavre du gars qui, la nuit de l'éruption, a ouvert la porte du hangar pour essayer de s'enfuir au volant du SDK. Il n'en a pas eu le temps, le dioxyde de soufre l'a asphyxié.»

Le cœur de la jeune femme s'emballa. Cette découverte lui redonnait espoir.

«Avec ça, renchérit le vieillard, aucun cannibale ne pourra nous arrêter. Ces machines sont équipées d'un canon de 20 mm à l'arrière. Un Flak 38, si je ne m'abuse. De quoi faire un beau carnage... L'ennui c'est que l'humidité a probablement rongé certaines parties du moteur. Il faudra les remplacer. Je suppose qu'il y a, quelque part, des pièces de rechange. Si votre boy n'est pas trop maladroit de ses mains, je pourrai lui indiquer comment procéder, n'oubliez pas que je suis ingénieur.»

Tracy ne l'écoutait plus. Diolo, qui avait suivi la conversation, se tenait déjà prêt. Ayant exploré l'étage, il avait fini par découvrir une petite armurerie, et s'était empressé d'y prélever deux pistolets-mitrailleurs Schmeisser MP 40 à crosse pliable. Enduites de graisse, les armes avaient correctement résisté à l'humidité ambiante.

Précédée du pisteur, Tracy descendit de la terrasse en empruntant «l'escalier» de lave que les hasards de l'éruption avaient agglutinée contre la façade. D'un pas rapide, ils gagnèrent le hangar dont Diolo fit coulisser le vantail. Un cadavre momifié gisait sur le sol. Parce qu'il était saturé de soufre, et donc immangeable, les animaux l'avaient dédaigné. Le véhicule, lui, correspondait à la description d'Edmund. Son état de conservation laissait toutefois à désirer. Des bidons d'essence et des caisses de munitions s'entassaient dans le fond du hangar. Il y avait là de quoi parcourir mille kilomètres à travers la jungle sans le moindre souci... à condition que la machine daigne démarrer !

«Si ça marche c'est tout bon pour nous, exulta Diolo. On n'aura qu'à longer le fleuve pour retourner chercher Bwana Russel chez les curés, et puis on rentre chez nous ! Regarde, Memsahib, y'a même un bloc électrogène pour recharger les batteries...

— Tu t'y connais en mécanique ? s'enquit Tracy.

— Un peu. J'ai travaillé dans un garage, à Nairobi, à une époque. On rafistolait des camions pour l'armée de libération nationale.»

Ayant soulevé le capot, il se pencha sur le moteur, provoquant la débandade d'une nuée de gros insectes à carapace mouchetée. Il grimaça.

«C'est pas terrible, grogna-t-il. Y'a du travail. La rouille.

— Il doit y avoir un stock de pièces de rechange, trouve-le. Si tu ne sais pas comment t'y prendre, demande conseil à Hofcraft.

— Pas besoin, je saurai tout seul, assura Diolo. Tous les moteurs, ils se ressemblent!»

Il se montrait exagérément optimiste. Dès le lendemain, ils comprirent que la tâche serait plus complexe que prévu. Certaines pièces manquaient. Il fallut les récupérer sur d'autres véhicules abandonnés, voire les façonner manuellement, à la lime, un travail d'ajusteur plutôt délicat. Edmund Hofcraft surveillait les opérations. Jouant les contremaîtres tyranniques, il multipliait injures et vociférations bien calé au fond du fauteuil qu'il avait fait transporter dans l'atelier de mécanique où Diolo s'échinait en conservant un stoïcisme admirable.

Tracy, qui avait cru leur délivrance proche, déchantait. Leur situation lui rappelait les romans d'aventures qu'elle dévorait gamine, et dans lesquels les naufragés peinaient deux années durant pour construire l'embarcation de fortune qui leur permettrait de quitter l'île inhospitalière où ils croupissaient. Elle commençait à douter du succès de l'entreprise et se demandait s'il n'aurait pas été plus sage de descendre le fleuve en canot, comme l'avait suggéré Jared. Elle s'en ouvrit à Edmund qui la rabroua vertement :

«Vous êtes cinglée! Les sauvages nous tomberont dessus à peine aurons-nous mis la barcasse à l'eau! Qu'est-ce que vous croyez? En ce moment même ils nous observent. Ils sont là, postés sur le périmètre de l'exploitation. Si l'endroit n'était pas tabou, ils nous auraient égorgés depuis longtemps. Le volcan nous protège, il instaure une frontière qu'ils n'osent pas franchir. Contrôlez vos nerfs, ma petite. Descendre la rivière en pirogue ou traverser la jungle à pied, c'est du pareil au même, du suicide. Ces salopards n'attendent que ça. Et leur patience est infinie. Ils savent que nous craquerons les premiers. Si nous étions sages, nous prendrions les mesures qui s'imposent pour passer le reste de notre existence ici, dans cette enclave qui fait de nous des dieux. Mais ni vous ni moi ne sommes assez frottés de philosophie pour adopter cette solution, pas vrai?»

Deux semaines s'écoulèrent, ponctuées d'espoirs et de déceptions. Le moteur grondait, propulsant le véhicule sur une trentaine de mètres, puis calait tout à coup, sans qu'on sache pourquoi, les renvoyant à la case départ. Edmund prenait les choses du bon côté, comme un amateur de mots croisés confronté à une série de définitions ardues. Il semblait y trouver du plaisir, sans doute parce que ces problèmes mécaniques le replongeaient dans son élément premier.

L'atelier de mécanique, silencieux depuis trente ou quarante ans, avait repris vie et résonnait désormais du bruit des limes et des marteaux. Courbé sur l'établi, Diolo s'échinait à façonner, selon les cotes établies par Edmund Hofcraft, les pièces manquantes du puzzle. Cela n'allait pas sans mal, le porteur de fusil n'ayant jamais reçu la moindre formation d'ajusteur.

Tracy, elle, vivait mal ce départ perpétuellement remis au lendemain, ces espoirs déçus. Le temps s'engluait. Elle avait parfois l'impression d'être prisonnière de l'ancienne exploitation depuis des mois. Pour combattre ce désœuvrement elle entreprit d'explorer les bâtiments les uns après les autres en se donnant pour mission d'y récupérer tout ce qui pourrait s'avérer utile. Elle n'était qu'à moitié dupe de ce prétexte, mais il devenait urgent qu'elle se trouvât une occupation. La mine abandonnée lui rappelait les villes fantômes de l'Ouest américain qu'elle avait visitées avec ses parents lorsqu'elle était adolescente. Ici cependant, la désolation n'avait pas été mise en scène à l'intention des touristes, elle instillait dans l'âme du visiteur une réelle désespérance, parce que s'y mêlait une noirceur des plus effrayantes. Il était difficile d'oublier que ce lieu avait abrité une légion de bourreaux venus y fourbir leurs armes dans l'espoir d'une revanche. Ils étaient morts, soit, mais leur présence continuait à imprégner les ruines en dépit du demi-siècle écoulé. Tracy n'était pas loin de croire qu'elle ne s'effacerait jamais.

Quoi qu'il en soit, ses déambulations lui permirent de constater que Edmund avait raison : on les épiait. Chaque fois qu'elle faisait volte-face, elle surprenait un mouvement dans la végétation à la frontière du périmètre de lave solidifiée. Des guetteurs se tenaient là, embusqués dans les buissons, ou perchés dans les arbres. Ils auraient pu aisément lui décocher une flèche ou la transpercer d'une sagaie bien ajustée, mais ils s'en abstenaient, respectant l'interdit magique du lieu. Le socle de lave constituait bel et bien une enclave qu'ils ne voulaient à aucun prix fouler.

Au bout d'un moment, certains guetteurs ne se donnèrent même plus la peine de se cacher. Plantés à la lisière de la zone basaltique, ils observaient les allées et venues de Tracy sans jamais se départir de leur impassibilité. La jeune femme s'appliquait à faire de même, et dissimulait du mieux possible l'angoisse que lui inspiraient ces sentinelles immobiles. Elle savait qu'elle vivait un répit, et que cette troupe – dont le gros se tenait caché sous le couvert – attendait le moment où les étrangers commettraient l'erreur de renoncer à la protection tutélaire du volcan.

Cette protection était réelle puisque même les animaux la respectaient. Comme pour confirmer cet axiome, elle surprit un soir un léopard qui, embusqué de l'autre côté du socle de lave, la fixait avec convoitise sans pour autant oser l'approcher. On eût dit qu'une vitre les isolait, interdisant à l'animal de passer à l'attaque. Tenaillé par la gourmandise, il allait et venait nerveusement sans jamais poser la patte sur la croûte basaltique recouvrant le sol. Il accompagna ainsi la jeune femme à distance pendant une dizaine de minutes puis, d'un coup de reins, disparut dans la jungle à la recherche d'une proie plus facile.

Quand Tracy rapporta cet épisode à Edmund, le vieillard n'en fut nullement étonné.

« C'est le dioxyde de soufre, expliqua-t-il. Un formidable poison. Nous commençons à en être imprégnés, et cela rend notre chair non comestible. Les animaux le devinent rien qu'à l'odeur.

— Vous voulez dire que nous sommes en train de nous empoisonner ? hoqueta la jeune femme.

— Probablement, oui. En fait, je mens quand je dis que nous pourrions rester planqués ici une éternité. Je pense en réalité que les émanations toxiques vont nous tuer peu à peu. D'ici quelque temps, nous allons commencer à tousser, nos poumons s'engorgeront, puis nos muqueuses présenteront des ulcérations de plus en plus douloureuses. Il n'est pas exclu, également, que nous devenions aveugles... Bref, nous allons crever à petit feu, tués par les fumerolles qui s'échappent des crevasses.

— Il doit bien y avoir des masques à gaz quelque part, non ?

— Sans doute, mais ne vous faites pas d'illusion. Après cinquante années de stockage dans une telle atmosphère, non seulement leur caoutchouc sera dissous, mais leurs capsules filtrantes auront perdu tout pouvoir protecteur. Cela dit, je ne vous interdis pas de chercher, un miracle est possible. »

Tracy comprenait mieux à présent pourquoi, au réveil, elle avait les yeux rouges et les bronches encombrées. Elle avait attribué cela au vent chargé de poussière qui balayait les installations minières; elle s'était trompée. Elle s'en voulait terriblement car, en tant que professionnelle de santé, elle aurait dû y songer.

«Selon vous, combien de temps nous reste-t-il? demanda-t-elle.

— Difficile à dire, grogna Edmund, cela dépend du taux de dilution dans l'air. Il peut baisser ou augmenter en fonction de l'humeur du volcan, de ce qui fermente dans ses intestins... Je dirais qu'il ne faudrait pas s'attarder plus de deux semaines. À mon avis, le taux de dioxyde est en train d'augmenter, c'est ce qui justifie le comportement du léopard. Il n'est pas impossible qu'une nouvelle éruption se prépare, et si cela se produit, nous connaîtrons le même sort que ceux qui nous ont précédés en ces lieux.»

S'appuyant sur ce présupposé, Tracy intensifia son exploration des bâtiments annexes. Certains, scellés par la lave, demeuraient rebelles à toute investigation, d'autres se laissaient circonvenir pourvu qu'on acceptât de s'y introduire par une fissure ou de ramper au long d'un conduit de ventilation. La jeune femme procédait avec prudence car elle savait les mauvaises surprises fréquentes. Elles se manifestaient sous la forme de scolopendres, d'araignées ou de blattes géantes, car les émanations toxiques ne semblaient en rien gêner les insectes et autres arachnides. Tracy les mettait en fuite en poussant devant elle un balai imbibé de pétrole, substance que les bestioles détestaient. Pour vaincre les ténèbres, elle utilisait la lampe à dynamo qu'elle était allée récupérer dans le paquetage de Jared, à l'endroit où Diolo l'avait abattu. À cette occasion, elle avait constaté qu'à part les insectes, aucun animal ne s'était approché de la dépouille de l'espion.

Ainsi équipée, elle visita systématiquement les bunkers ou casemates que la coulée de lave n'avait pas entièrement submergés. Cela lui donnait chaque fois l'impression de violer un tombeau, et elle progressait l'estomac noué, redoutant ce qui allait émerger de l'obscurité, à la manière d'une épave au fond des eaux. Contrairement à ce qu'elle craignait, elle ne trouva que trois cadavres, réduits à l'état de momies de cuir durci; des sentinelles que la nappe de gaz avait asphyxiées sans leur laisser le temps de fuir la zone empoisonnée. Au cours de ses explorations elle traversa plusieurs ateliers où l'on avait traité les diamants bruts. De nombreuses pierres taillées reposaient sur des présentoirs. Il y en avait de toutes grosseurs. Elle se fit la réflexion que leurs carats, une fois additionnés, représentaient une confortable fortune, et qu'elle n'aurait eu qu'à tendre la main pour s'en remplir les poches. Un accès de superstition la dissuada de passer à l'acte. C'était stupide, bien sûr, mais son instinct lui soufflait que ces pierres lui porteraient malheur. Elle devait résister à la tentation sous peine de voir son cadavre s'ajouter à ceux qu'elle avait déjà enjambés.

«Pauvre conne!», murmura-t-elle en tournant le dos à ce trésor imprévu. Jamais elle ne se serait crue capable d'un tel désintéressement. Probable que le dioxyde de soufre avait d'ores et déjà entamé ses facultés mentales!

Ailleurs, elle dénicha un magasin d'équipement sur les étagères duquel s'entassaient des masques à gaz. Hélas, comme l'avait prévu Edmund, la dissolution les avait rendus friables; ils se déchirèrent ou s'émiettèrent dès qu'elle les manipula. Quant aux pastilles filtrantes, elles étaient périmées depuis quarante ans. Il n'y avait donc rien à espérer de ce côté.

Le plus stupéfiant resta cependant sa visite de l'arsenal. Cette fois, elle fut la proie d'un tel sentiment d'angoisse qu'elle faillit rebrousser chemin. Certes, a posteriori, elle mit cette réaction excessive sur le compte des ténèbres et du silence sépulcral, mais elle ne put jamais se départir du sentiment d'avoir franchi les limites d'un sanctuaire infernal... et d'en être, d'une certaine manière, restée souillée. Ou plutôt contaminée, comme au contact d'un organisme pourrissant depuis des millénaires dans un repli géologique jusque-là ignoré de l'Homme.

Dans le halo tremblotant de la lampe à dynamo surgirent des formes étranges, silhouettes de cauchemar qu'elle prit pour des cadavres suspendus à des crocs de boucher avant de comprendre qu'il s'agissait d'exosquelettes rouillés se balançant au bout d'une chaîne. Elle se rappela alors que les services scientifiques du Reich avaient ambitionné de mettre au point une armure censée décupler la force des soldats. Elle contemplait en cette minute les prototypes témoignant de ces recherches.

Il lui apparut alors qu'elle venait de pénétrer dans le laboratoire fantasmatique des vaincus, le lieu magique où ils avaient travaillé d'arrache-pied à forger les outils de la revanche, de la reconquête. Cet immense atelier, en partie souterrain, avait été la chaîne de montage de leurs rêves guerriers. La fabrique d'où sortirait un jour l'arme secrète et décisive qui leur rendrait la suprématie momentanément confisquée par l'ennemi. C'était là, sous ses yeux, s'étalant tel le magasin de jouets d'un père Noël maléfique où s'étaient agités des dizaines de gnomes rivalisant d'ingéniosité pour contenter leur Führer.

Elle avança d'un pas hésitant, respirant avec difficulté, le cœur battant aux tempes. L'air raréfié ajoutait à son malaise et elle se sentait près de succomber aux hallucinations de la narcose des plongeurs. Derrière les exosquelettes rougis d'oxydation, se profilaient d'autres engins énigmatiques : fusées ou bazookas gigantesque... mélimélo de tubulures, de roues dentées, de canons, tout cela campant dans l'obscurité à la façon d'un énorme carabe d'acier enraciné sur un fouillis de pattes.

Elle s'immobilisa, promenant le pinceau de la lampe autour d'elle. Trônant sur des tables, elle distingua des maquettes : chars géants, canons de la taille d'un immeuble, le tout mis en perspective au milieu d'un décor urbain, reconstitué à l'échelle, et peuplé de petits soldats de plomb.

C'en était trop, elle ne voulait surtout pas voir ce qui se cachait au fond de l'atelier. Jared n'avait-il pas émis l'idée qu'ils pourraient découvrir une bombe atomique inachevée ? Dans la nuit de ce tombeau grandiose, tout lui semblait possible, le rationnel s'effritait, les pires aberrations devenaient crédibles. Elle ne voulait rien savoir de la cuisine d'enfer concoctée ici, un demi-siècle plus tôt.

Elle recula d'un pas, de deux, puis battit en retraite. C'était plus qu'elle n'en pouvait supporter.

« Je suis en train de perdre la boule ! », diagnostiqua-t-elle tandis qu'elle s'écorchait coudes et genoux pour regagner la surface au plus vite.

Dès le lendemain, elle cessa ses explorations.

20. La sentinelle oubliée

Au bout de trois semaines, Diolo parvint enfin à remettre le moteur en état.

« Je sais pas si ça tiendra la route, avoua-t-il finalement. C'est vraiment une vieille bête. Possible qu'elle explose au bout de dix kilomètres.

— Tant pis, soupira la jeune femme. Il faut tenter le coup. Si nous restons ici, nous crèverons de toute façon. »

Pour un peu, elle aurait crié de joie.

Elle se dépêcha de retourner auprès d'Edmund.

« Alors, j'avais raison, n'est-ce pas ? triompha celui-ci. Si je n'avais pas eu ce bras cassé, il y a longtemps que je me serais mis au volant de cet engin pour foutre le camp, mais un SDK ne se conduit pas d'une seule main. Est-ce que votre boy saura le piloter? Ces machins-là, ça tient davantage du char d'assaut que de la voiture de tourisme, vous savez…

— Diolo est capable de piloter n'importe quoi, lança Tracy. Si on l'installait dans le cockpit d'un avion, il saurait faire des loopings en moins d'une heure.»

Elle exagérait, mais il lui plaisait de clouer le bec à ce vieux républicain, profiteur de guerre, et raciste de surcroît.

L'abandonnant sur la terrasse, elle se précipita dans la réserve pour choisir les vivres qu'ils allaient emporter.

L'air s'emplit bientôt du fracas du SDK que Diolo faisait manœuvrer sur la plaine de lave. Après quelques cafouillages, il en avait compris le maniement et se débrouillait plutôt bien. Le véhicule ressemblait à un tank, la tourelle en moins, et semblait capable de pulvériser n'importe quel obstacle. Tracy brûlait de prendre la route, hélas la journée était déjà trop avancée, et il aurait été de la dernière imprudence de se faire surprendre par la nuit au cœur de la jungle. Le départ fut donc remis au lendemain.

«Dès qu'on sera à Vivi, planifia Edmund qui s'estimait déjà sorti d'affaire, on se rendra dans une petite maison que j'ai louée là-bas pour un an. J'y ai caché de l'argent, des armes… Bref, l'équipement standard de tout bon Américain en voyage. Je contacterai un ami, au consulat. Par lui, j'appellerai Buster Leacock, mon directeur de la sécurité. Je lui demanderai de tout organiser pour nous exfiltrer anonymement... Il est capital que ma fille continue à me croire mort tant que nous ne serons pas en sécurité sur le sol des États-Unis. Au Congo, nous sommes à sa merci. Il est fort possible que Jared n'ait pas agi seul, et que ses acolytes soient embusqués quelque part à Vivi ou à Matadi. Il nous faut gérer tout cela en interne avec un maximum de discrétion. »

Cette nuit-là, Tracy dormit encore plus mal que les précédentes. À l'aube, ils grimpèrent dans le half-track qu'ils avaient chargé la veille. Diolo se glissa aux commandes et mit le contact. Le vrombissement du moteur provoqua l'envol de plusieurs centaines de perroquets. Puis les chenillettes firent leur office, propulsant le SDK en direction de la forêt. Adossé au canon mobile, les jumelles autour du cou, Edmund Hofcraft jouait au chef de char. Tracy se retourna pour jeter un dernier coup d'œil à la maison du guerrier. Elle savait qu'elle ne reviendrait pas ici, et que le mystère du bâtiment ne serait jamais élucidé. Quel haut personnage avait habité ces lieux ? Hitler, ou l'un de ses dauphins ? La question resterait en suspens tant qu'un archéologue ne se déciderait pas à forer la couche de lave pour dégager les corps qui s'y trouvaient encastrés. Et même si cela arrivait, il n'était pas certain que les dépouilles soient identifiables. Les momies extraites des cendres de Pompéi n'avaient pas de visage, aujourd'hui encore elles étaient anonymes, et le resteraient pour l'éternité. Celui qui avait régné sur cette maison leur ressemblait probablement. La lave en fusion avait détruit ses traits, ses empreintes digitales, tout ce qui aurait permis de l'identifier; ce n'était qu'un mort inconnu, une forme réduite à une simple ébauche, telles ces dagydes de cire modelées par les sorciers.

Tracy frissonna. Puis le half-track s'enfonça hardiment dans le rideau de lianes, et la plaine de lave disparut, masquée par la végétation.

Ils roulèrent deux heures, tantôt à bonne allure, tantôt au ralenti quand les arbres leur bouchaient le passage. Ils devaient souvent s'accrocher à leur siège pour ne pas être projetés les uns contre les autres quand le blindé se lançait à l'assaut d'un tumulus. Le vacarme du moteur devait s'entendre à trois kilomètres. Il ne cessait de provoquer des galopades dans les fourrés et les branches. Les chimpanzés prenaient la fuite en sautant d'arbre en arbre, terrifiés par ce monstre dont la trompe de fer rigide semblait les narguer.

Diolo conduisait de manière à ne jamais perdre de vue le cours du fleuve, puisque c'était en bordure de celui-ci que se dressait la mission du père Joos Van Boekke. En dépit des difficultés du terrain, ils progressaient régulièrement, la fumée du pot d'échappement couvrant l'odeur de sève qui s'élevait des troncs broyés par les chenilles «squelette» du SDK.

Tracy commençait à croire que la chance leur souriait enfin quand l'une des chenillettes se rompit avec un horrible bruit de métal fracassé. Le half-track se mit aussitôt à tourner en rond tel un chiot courant après sa queue. Les roues soulevèrent des geysers de terre humide qui retombèrent sur les passagers, les aveuglant. Puis le moteur cala et une épaisse fumée noire suinta du capot.

Edmund Hofcraft jurait comme un charretier, insultant Diolo comme il l'aurait fait d'un esclave.

«Cela suffit! intervint la jeune femme. Fermez-la! Il n'y est pour rien, c'est déjà un miracle que cette épave ait réussi à rouler aussi longtemps!»

Diolo coupa le contact car l'odeur d'huile brûlée devenait inquiétante. Ils quittèrent le véhicule de crainte qu'il n'explose.

«C'était trop beau, soupira Tracy. Maintenant il va falloir continuer à pied en essayant de ne pas tourner en rond.

— Plus facile à dire qu'à faire, grogna le vieillard. C'est ça le grand piège de la jungle. On dévie peu à peu de la route sans même s'en rendre compte.

— J'ai récupéré une boussole dans l'atelier, plaida Diolo.

— Cela ne suffira pas, marmonna Edmund avec lassitude. Et puis, maintenant, nous sommes vulnérables. Ce n'est pas deux pistolets-mitrailleurs et une musette de chargeurs qui tiendront les cannibales en respect plus de dix minutes. Il est même possible que ces armes s'enrayent ou nous pètent à la gueule... On est mal, très mal.»

Il fallut se résoudre à avancer. L'épaisse fumée qui s'échappait du half-track inquiétait Tracy car, en dépit de la végétation, elle signalait leur position.

Par ailleurs, la canopée interdisait de prendre le moindre point de repère, ce qui réduisait l'utilité de la boussole. D'ailleurs où était la route initiale ? Ils n'en avaient aucune certitude. Sans doute avaient-ils déjà commencé à tourner en rond car ils auraient dû depuis longtemps retrouver la berge du fleuve, or la forêt semblait au contraire s'épaissir et aucun bruit d'eau ne parvenait à leurs oreilles. Ces différents paramètres additionnés n'auguraient rien de positif. S'ajoutait à cela l'âge d'Edmund qui n'était plus en mesure de maintenir un train soutenu.

Au bout d'une demi-heure, son souffle devint rauque et précipité. Quand Tracy se retourna pour le dévisager, elle vit qu'il était gris d'épuisement et que des cernes violets soulignaient ses yeux. Le vieillard dut lire le diagnostic sur le visage de la jeune femme car il laissa échapper : « Merde ! Je suis en train de crever... J'ai l'impression que le cœur va me sortir de la poitrine. »

Une halte s'imposait. Diolo ne cessait de scruter les rideaux de lianes et les buissons aux larges feuilles dégoulinantes de sève.

« On est suivis, murmura-t-il. Ils ne se montrent pas mais ils sont là, je les sens. C'est pas bon.

— Pourquoi n'attaquent-ils pas ? demanda Tracy.

— Parce qu'ils ont vu les mitraillettes. Sont pas fous. Vont nous laisser gaspiller nos munitions.

Z'attaqueront quand on n'aura plus de cartouches.»

Tracy savait qu'il disait la vérité. Ils étaient fichus. Leur seule chance de s'en sortir aurait consisté à revenir sur leurs pas pour regagner l'exploitation, mais leurs suiveurs ne leur laisseraient pas cette chance.

«D'ailleurs, s'avoua-t-elle, est-ce qu'un seul d'entre nous sait seulement quel chemin suivre pour retrouver le camp?»

Ils se remirent en marche, guidés par le vain espoir de dénicher une position défensive d'où ils pourraient tenir leurs assaillants en échec. La peur avait redonné du nerf à Edmund qui avançait en jetant d'incessants coups d'œil par-dessus son épaule.

«Il va nous faire une crise cardiaque, songea Tracy. Il a une mine de déterré. Complètement cyanosée.»

Ils progressaient depuis une trentaine de minutes quand un hululement les fit sursauter. Un cri de guerre modulé impossible à localiser. La guerre psychologique commençait. Leurs suiveurs allaient les harceler sans relâche dans l'espoir de les pousser à vider leurs chargeurs en pure perte.

Alors qu'Edmund levait son arme, Diolo saisit celle-ci par le canon et la lui arracha des mains.

«Faut pas tirer! gronda-t-il. C'est ce qu'ils espèrent. Tu vas hacher le feuillage et les écorces, c'est tout. Eux, ils sont bien planqués derrière les gros arbres.

266

« — De toute manière on est foutus, haleta le vieillard. À quoi ça sert de crapahuter comme ça, hein ? Tu ne sais même pas où on va, je me trompe ?

— On a peut-être une chance de tomber sur la mission du curé belge, plaida Diolo. Doit être dans ce secteur.

— Tu racontes n'importe quoi ! Elle est au bord du fleuve, or on n'entend pas l'eau couler.

— Ça veut rien dire. Les arbres, les lianes, tout ça arrête les bruits, c'est trompeur. »

Un nouveau hurlement mit un terme à la dispute.

« Ils nous encerclent, constata Tracy. Dans peu de temps ils nous décocheront des flèches pour nous forcer à réagir. »

Instinctivement, elle posa les doigts sur l'étui du Luger P38 suspendu à sa taille. Une arme d'officier récupérée dans un bureau du bunker. Les flancs de crosse portaient, gravé, le sigle de la SS couronné d'une tête de mort. Une arme curieuse avec sa culasse à genouillère, unique en son genre. La jeune femme craignait que les cartouches du chargeur aient pris l'humidité. Ne risquaient-elles pas de faire long feu au moment fatidique ?

« Faut continuer ! ordonna Diolo. Ça sert à rien de rester plantés là. »

Ils obéirent, se faufilant d'un pas mal assuré dans le labyrinthe des lianes qui leur bouchaient la vue. Tout à coup, Tracy laissa échapper un cri. Elle venait de se trouver face à face avec un visage peint en blanc. L'apparition n'avait duré qu'une fraction de seconde, le guerrier fantôme s'était évaporé dans la végétation comme par enchantement.

«Ils s'amusent à nous faire peur, constata-t-elle. Pour eux ce n'est qu'un jeu. La mise à mort viendra plus tard.»

La partie de cache-cache dura encore une heure, ponctuée de hurlements et de rires. Un guerrier alla même jusqu'à se matérialiser en travers de leur chemin, le pagne soulevé, exhibant ses parties génitales en manière de provocation. Edmund lâcha une rafale dans sa direction, sans toutefois l'atteindre.

«Arrêtez! cria Tracy. Un chargeur se vide en dix secondes à peine, combien de temps croyez-vous que nous pourrons tenir à ce rythme-là?»

Puis vinrent les flèches. Volontairement mal ajustées, se plantant entre leurs pieds ou dans un tronc, à quelques centimètres de leur visage.

«Ce n'est pas de cette manière qu'ils entendent nous tuer, en déduisit la jeune femme. Ils projettent quelque chose de plus lent, de plus amusant... mais pour cela ils doivent nous prendre vivants.»

Diolo avançait maintenant à petites foulées, Tracy suivait, Edmund fermait péniblement la marche. Agitant sa Schmeisser, il lâchait des rafales sporadiques, sourd aux injonctions de Diolo. De toute évidence, la panique avait pris le dessus et il était inutile d'essayer de le raisonner.

Quand il eut vidé son chargeur de rechange, et réclama des munitions, Diolo l'ignora.

Tout à coup, un hurlement de souffrance fusa sur la gauche de Tracy. Tournant la tête, la jeune femme entraperçut un guerrier qui, au sein de la végétation, luttait contre une espèce de mâchoire métallique surgie de nulle part, qui s'était refermée sur ses jambes, lui broyant les os à mi-cuisses, et sans doute une partie du bassin. Il se convulsait sur le sol, essayant de se dégager de ce piège gigantesque sur lequel il avait posé le pied par mégarde. Un second cri de douleur se fit entendre sur la droite, laissant supposer qu'une autre mâchoire d'acier venait de claquer sur l'un de leurs assaillants.

«Attention! haleta Tracy en s'immobilisant. Il y a des pièges tout autour de nous! Regardez où vous mettez les pieds!»

Elle éprouvait quelque difficulté à comprendre ce qui se passait. Puis elle se rappela soudain que, jadis, dans le sud des États-Unis, les planteurs avaient coutume d'utiliser des «pièges à homme» pour dissuader leurs esclaves de s'échapper. Ces monstrueuses machines, conçues pour estropier, sectionnaient le plus souvent les jambes de leurs proies, les condamnant à mourir d'hémorragie. Était-il possible que celles-ci aient été posées par les occupants de l'exploitation minière? Cela semblait peu plausible. En cinquante ans, la rouille en aurait soudé le mécanisme, le paralysant.

De toute manière, elles étaient bien trop loin du camp pour en assurer la sécurité. Il y avait là quelque chose d'incompréhensible.

Quoi qu'il en soit, l'intervention des machines infernales avait semé la panique dans le clan ennemi. Des appels fusaient en tous sens, suivis de galopades effrénées. Les guerriers battaient en retraite.

Tracy et ses compagnons, eux, n'osaient plus faire un pas car l'humus, constitué de végétaux pourrissants, atteignait à cet endroit vingt centimètres d'épaisseur et pouvait dissimuler d'autres pièges.

« Ne bougez pas ! ordonna une voix teintée d'accent teuton. Je viens vous chercher. Ne craignez rien, baissez vos armes. Je vais vous guider à l'intérieur du dispositif. Surtout restez immobiles, c'est comme si vous vous trouviez au milieu d'un champ de mines. »

La tonalité métallique des mots laissait supposer qu'ils sortaient d'un porte-voix. L'accent allemand éveillait toutefois une certaine angoisse en Tracy. Allaient-ils se retrouver face aux fameux Werwolf dont Jared leur avait rebattu les oreilles ?

Trois minutes s'écoulèrent au terme desquelles un homme de haute taille surgit d'entre les lianes. La cinquantaine fatiguée, il avait le visage émacié des vieux broussards, la peau recuite par le soleil, et les yeux d'un bleu si clair qu'ils en paraissaient presque blancs. Il portait un fusil Mauser en bandoulière, et des cartouchières entrecroisées sur sa poitrine tel un bandit mexicain dans un western de pacotille.

Il avait de grandes mains de pianiste dont il leur présenta les paumes nues, en signe de paix.

« Pas de panique, énonça-t-il en souriant. Je suis Dieter Maus, le gardien des ruines. Avec moi vous êtes en sécurité. Vous allez me suivre en posant exactement vos pas dans mes traces. J'ai posé des pièges dans tout le secteur, c'est un miracle que l'un d'entre vous n'ait pas marché sur l'un d'eux.»

Il s'exprimait avec calme, en bougeant lentement. Il sentait la sueur et le cuir. Ses cheveux gris, très longs, tombaient sur ses épaules en lanières huileuses aux reflets métalliques.

«Je suis Dieter Maus, répéta-t-il mécaniquement, le gardien des ruines. Avec moi vous êtes en sécurité. Je travaille pour la mission archéologique Bjorn Svenssen. Je surveille le chantier de fouilles.»

Il s'exprimait dans un anglais très littéraire, un peu haché, sans jamais quitter Tracy du regard. Son sourire mécanique révélait une incisive cassée au ras de la gencive.

«Donnez-moi la main, fit-il en tendant sa paume droite à la jeune femme. Je vais vous conduire au chantier. Là-bas vous ne risquerez rien. Les sauvages n'y mettent jamais les pieds, c'est un lieu tabou qui les terrifie, et je m'applique à leur donner raison. Généralement ils ne se risquent jamais aussi près des ruines, mais aujourd'hui ils étaient à vos trousses et l'excitation de la traque les a rendus imprudents.

— Il y a deux blessés, précisa Tracy. Probablement dans un état grave.

— Ne vous inquiétez pas, fit Dieter en souriant de plus belle. J'irai les achever tout à l'heure, lorsque je vous aurai mis en sécurité.»

Tracy hésita à protester. Elle avait conscience que leur survie dépendait du bon vouloir de cet homme. La main de leur sauveur s'était déjà refermée sur la sienne. Elle était sèche et musclée, durcie par le cal. Dieter ne transpirait pas.

Ils entamèrent alors une déambulation compliquée à travers la forêt, revenant parfois sur leurs pas. Les pièges enfouis sous la couche d'humus constituaient manifestement une barrière défensive des plus efficaces.

« Ça fonctionne très bien, commenta Dieter. La difficulté, c'est plutôt de les réarmer lorsqu'ils ont servi. C'est assez dur pour un homme seul, à cause de la puissance du ressort. »

Tout à coup, ayant franchi un dernier rideau de lianes, ils débouchèrent dans une clairière aux abords soigneusement élagués. Là, se dressaient les restes mégalithiques de ce qui avait dû être, en des temps anciens, une cité ou un palais. On devinait encore les contours d'un mur d'enceinte, un portique, des casemates effondrées et, au milieu, une sorte de pyramide tronquée, en partie éboulée, qui s'élevait à trente mètres au-dessus du sol. Un campement de toile avait été installé au centre du périmètre. Des bâches imperméables recouvraient les caisses de munitions, de vivres et de matériel.

« C'est une mission d'étude suédoise, expliqua obligeamment Dieter Maus. Des scientifiques assez austères. Ils m'ont engagé pour assurer leur sécurité. Au début j'avais deux aides, mais l'un a été égorgé par les sauvages, et l'autre est mort de dysenterie. Depuis je me débrouille seul. Difficile de dénicher de la main-d'œuvre qualifiée dans ce bled. »

Tracy l'étudiait du coin de l'œil. Elle retrouvait chez lui le maintien militaire auquel l'avaient habituée ses fonctions d'infirmière-major. Il se comportait en officier, pas en simple soldat.

Edmund Hofcraft, qui avait recouvré sa morgue de patron en même temps que ses esprits, lança :

«Il n'y a personne ici? Ce campement a l'air désert...

— Effectivement, répondit Dieter. Les scientifiques dont je vous parlais sont descendus à Kinshasa pour rendre compte de leurs découvertes et obtenir une rallonge financière. La tâche qui les attend ici risque de les immobiliser plusieurs années. Il est donc nécessaire d'équiper le site de façon plus fonctionnelle, avec un confort moins rudimentaire. Il faut également songer à sa sécurité, tout cela nécessite des fonds... J'aimerais bien disposer d'un équipement plus sophistiqué que ces pièges-à-homme, voyez-vous. Mais nous parlerons de cela plus tard. Vous avez besoin de repos. Grâce à mon petit groupe électrogène je dispose de bière fraîche. Puis-je vous en offrir?»

C'était là une façon habile de couper court aux questions, et Tracy n'en fut pas dupe.

Dieter les pria de s'engager sous le portique qui évoquait les torii des temples japonais. Les parois subsistantes laissaient deviner, ici et là, de longs visages stylisés à l'extrême.

«Il a fallu gratter, mettre la pierre à nu, expliqua l'Allemand. La mousse et les lianes avaient tout enveloppé. Le site a été découvert par hasard. Personne ne soupçonnait son existence. Les archéologues de la mission estiment que cette architecture est âgée de deux mille ans. C'était là, oublié, et l'on n'en savait rien. Il paraît que ça pourrait être inscrit au patrimoine de l'Humanité dès que la découverte sera homologuée...»

Il s'excitait, à croire que cette trouvaille était sienne, et que son importance allait rejaillir sur lui. Tracy le jugea trop exalté à son goût. Elle se demanda s'il ne subissait pas les effets d'un quelconque psychotrope.

«Quand vos employeurs seront-ils de retour? s'enquit-elle.

— Je ne sais pas, éluda Dieter. Un mois, deux? En Afrique il ne faut pas être pressé. Les horloges sont paresseuses. Je suis patient.

— Vous n'avez pas peur des indigènes? s'étonna Edmund. Merde! ils ont bien failli avoir notre peau pas plus tard que tout à l'heure.

— Je vous l'ai déjà dit, répondit l'Allemand en laissant transparaître une pointe d'irritation. Ils ne franchissent jamais le périmètre du site. Non, le vrai problème vient des singes...

— Des singes?

— Oui. Avant, cet endroit leur appartenait. Ils en avaient fait leur repaire. Deux cents ou trois cents chimpanzés vivaient dans ces ruines. Ils avaient véritablement colonisé le site et y prospéraient en propriétaires. Ils ont très mal supporté d'être expropriés... et quand je dis très mal, cela signifie qu'ils ont décidé de le reconquérir. Ils nous font la guerre, carrément.»

Tracy fut tentée de croire qu'il faisait le malin pour les épater, mais elle devina qu'il n'en était rien. Instinctivement, elle leva les yeux en direction de la frondaison. Elle n'eut aucune difficulté à repérer les singes. Ils étaient là, massés sur les branches, agglutinés en grappes poilues, immobiles et silencieux, leurs yeux noirs dardés vers les humains. Ils étaient anormalement nombreux. Plusieurs centaines à n'en pas douter. Elle frissonna.

«Vous voyez! triompha Dieter. Je n'invente rien. Leur nombre ne cesse d'augmenter, à croire qu'ils ont lancé un ordre de mobilisation générale. C'est principalement à leur intention que j'ai d'abord posé les pièges. Au début, je ne visais pas les *natives*.

— Ils se montrent agressifs? s'inquiéta la jeune femme.

— Oui. Très. Ils sont vindicatifs et puissants. Un chimpanzé adulte est capable de vous arracher un bras sans effort. Leurs morsures sont terribles. On a tendance à voir en eux des animaux de cirque, comiques et bon enfant, c'est une erreur. S'ils s'y mettent à plusieurs, ils peuvent écarteler un homme en moins d'une minute. Ils sont jaloux, méchants, gourmands, libidineux. Il suffit de les voir violer leurs femelles pour s'en rendre compte.»

Les traits de Dieter Maus s'étaient déformés sous l'effet d'une haine irrépressible.

«Vous en avez tué beaucoup? demanda Tracy.

— Une soixantaine à ce jour, mais il en vient toujours d'autres. Je dois me montrer vigilant, ne jamais baisser ma garde, surtout la nuit. J'allume des feux, je branche des projecteurs. Les lumières vives les effraient. Sans elles, ils m'auraient mis en pièces depuis longtemps. J'ai également une machine qui diffuse des rugissements de lion. Ils détestent ça. Généralement ils courent se planquer. Là, sous cette bâche, je conserve des bidons de pisse de léopard. J'en asperge les parois de ma tente et tout ce que je veux protéger. C'est souverain. Le léopard est l'ennemi juré du chimpanzé parce qu'il grimpe aux arbres et dévore les bébés singes. Comme vous voyez, j'ai développé de nombreuses stratégies défensives. Sans elles, mes archéologues se seraient fait massacrer au bout d'une semaine. »

Il se tut soudain, comme s'il prenait conscience de s'être laissé emporter. Baissant les yeux, il grommela :

« Bon, venez, je vais vous montrer votre tente. Surtout ne touchez à rien. Toute la paperasse que vous verrez est précieuse. Ne déplacez rien, je me ferais engueuler. La nuit va bientôt tomber. Je vais allumer un feu. Vous me raconterez vos aventures pendant le dîner. Ce sera saucisses haricots en boîte pour tout le monde. Je n'ai pas la fibre cuisinière. »

Au moment où Edmund se débarrassait de son pistolet-mitrailleur, Dieter lança, la bouche en coin :

— Schmeisser MP 40 à crosse pliable, hein ? Solide, mais une fâcheuse tendance à s'enrayer lors du tir en rafale. Je vois que vous avez pillé l'arsenal de l'ancienne exploitation minière... Un sale coin. Je vous déconseille de traîner là-bas. Le volcan est très instable. Je ne serais pas étonné qu'il nous prépare une nouvelle éruption.

« — La dernière s'est produite quand? s'enquit Tracy.

— Il y a trente ans, répondit l'homme d'une voix sourde. J'y étais.»

Et il tourna les talons, les abandonnant au seuil de la tente.

«Drôle de type, grommela Edmund. Je me demande s'il a toute sa tête.

— Il pue le chanvre, confirma Diolo. Il fumait quand on a débarqué. L'est juste un peu planant. Tout ce qu'il dit sur les singes c'est vrai de vrai. Il s'y connaît. Faut pas rigoler avec ces bestiaux-là, dès qu'ils sont en bandes ils se sentent forts, et l'homme ne leur fait pas vraiment peur.»

Tracy pénétra dans l'abri de toile. Elle se sentait crasseuse, mal dans sa peau et dépassée par la situation.

Elle déboucha un jerrican d'eau, en recueillit au creux de ses paumes et procéda à une toilette sommaire.

«Qu'est-ce qu'on va foutre ici? grogna Edmund. Ses histoires de chimpanzés je m'en cogne. Est-ce qu'il pourrait nous prêter un véhicule? Dispose-t-il d'une radio? Si j'avais la possibilité d'entrer en contact avec certaines personnes bien placées, je pourrais nous faire récupérer par hélicoptère.

— Arrêtez de râler! s'emporta Tracy. Sans lui, nous serions morts à l'heure qu'il est. Vous me ferez le plaisir de faire preuve d'amabilité. De toute manière, il est hors de question que j'abandonne Russel à la mission. Il faudra faire le détour pour aller le chercher.»

Ayant quelque peu repris figure humaine, ils quittèrent la tente. Dieter les attendait, installé sur un fauteuil de plage, une glacière rouge vif posée à ses pieds.

«Désolé, annonça-t-il, je n'ai que de la bière locale à vous offrir, mais elle a au moins le mérite d'être fraîche!»

Ils ne se firent pas prier, la course les avait déshydratés. Tracy eut l'impression qu'elle n'avait rien bu d'aussi bon depuis des années.

Après avoir roté, Edmund s'empressa de revenir à la charge :

«Écoutez, fit-il, je ne voudrais pas avoir l'air d'abuser, et je vous suis infiniment reconnaissant de nous avoir tirés de ce merdier, mais je suppose que vous avez un poste émetteur, non?

— Bien sûr, répondit Dieter dont le sourire s'élargit. Voulez-vous que je vous le montre?

— Ce serait super! haleta Hofcraft, si j'arrive à contacter mon correspondant un hélicoptère viendra nous récupérer, par la même occasion il vous livrera tout ce dont vous avez besoin. Vous n'aurez qu'à dresser une liste. Ne lésinez pas sur la commande. Ce sera mon cadeau de remerciement.

— Oh! vous êtes trop bon, fit l'Allemand, êtes-vous sûr que vos vies valent autant?»

Edmund recula d'un pas, désarçonné. Dieter Maus s'extirpa de son fauteuil de toile avec souplesse.

«Suivez-moi, lança-t-il, venez, je vais vous conduire à la tente-radio.»

Tracy serra les dents, quelque chose ne tournait pas rond, c'était évident. Maus s'était éloigné sans les attendre. Ils durent presser le pas pour les rejoindre. L'homme s'immobilisa devant une tente aux parois lacérées.

«C'est là, annonça-t-il. Entrez, je vous en prie, faites comme chez vous.»

Ses yeux pétillaient d'une ironie acerbe, tels ceux d'un gosse qui se réjouit d'une mauvaise blague.

Dès qu'elle eut jeté un coup d'œil dans l'abri de toile, Tracy comprit pourquoi. Tout avait été renversé, saccagé... le lit de camp, la table, les chaises. Renversé, oui, et maculé d'excréments. Le poste émetteur-récepteur gisait, fracassé, vomissant ses circuits.

«Les singes? hasarda la jeune femme.

— Affirmatif, soupira Dieter. Ils sont beaucoup plus intelligents qu'on ne l'imagine. Ils nous observent des journées entières, cela leur permet de comprendre l'importance que nous accordons à tel ou tel objet. Dès lors, ils savent où frapper pour nous atteindre. Il ne leur a pas fallu long-temps pour établir un lien entre la radio et la venue de l'hélicoptère de ramassage. Ils ont pigé qu'en détruisant cet objet qui produisait un son nasillard, ils nous isolaient. Ou plus exactement ils m'isolaient, car c'est après moi qu'ils en ont. Je suis devenu leur ennemi mortel. Ils veulent ma peau.»

Tracy échangea un regard furtif avec Diolo pour lui demander s'il jugeait l'explication crédible. Le porteur de fusil battit des paupières en signe d'ac-quiescement. Manifestement, il estimait les singes capables de tous les vices.

«Ce sont de vrais démons, insista Maus. Ils profitent du moindre instant d'inattention pour passer à l'attaque. Un commando d'une demi-douzaine d'individus peut faire de sacrés dégâts.»

Surtout si, pendant ce temps, songea Tracy, tu es dans les vapes, assommé par la fumette.

«D'accord, soupira Edmund dont les traits s'étaient affaissés sous l'effet de la déception. Mais vous disposez au moins d'un véhicule de secours, non? Une jeep, un camion? Je suis un homme riche. Je saurai me montrer généreux. Je suis prêt à louer ce véhicule dix fois sa valeur marchande.»

Dieter ne broncha pas.

«C'est effectivement très généreux de votre part, confirma-t-il, mais je ne voudrais pas que vous achetiez chat en poche, je ne suis pas un escroc. Voulez-vous essayer le véhicule en question avant de conclure?»

Tracy serra les dents. Elle redoutait le pire. Elle ne fut pas déçue.

L'Allemand les conduisit vers un camion dissimulé derrière un pan de mur. Le capot relevé laissait voir un moteur saccagé.

«Les chimpanzés, encore une fois, expliqua le gardien des ruines. Ils ont fait ça à coups de pierres, un jour que j'étais parti poser les pièges. Le temps que je rapplique, il était trop tard. Le moteur est foutu, et je n'ai pas les pièces nécessaires pour réparer. Désolé. Je crois que vous allez devoir accepter mon hospitalité tant que mes employeurs ne seront pas revenus. Je sais que le site n'a rien d'un camp de vacances, mais je n'ai rien de mieux à vous offrir.»

Il fit une pause, le temps d'allumer un cigarillo, et reprit :

« Ne soyez pas trop déçus, de toute façon vous n'auriez pas été loin au volant de ce camion. Les *natives* vous auraient tendu une embuscade. Un arbre abattu en travers du chemin, et hop ! le tour était joué. Non, la seule façon de sortir d'ici c'est par la voie des airs. En hélico. Soyez patient, c'est l'affaire d'un mois ou deux. Mes gentils archéologues finiront bien par se repointer, ils tiennent trop à leur foutue pyramide pour rester longtemps loin d'elle. De cela, je veux bien mettre ma tête à couper. Si nous allions dîner, hein ? Un petit verre de schnaps vous remontera le moral. »

Tracy concevait avec difficulté la suite des événements. Elle sentait Dieter heureux d'avoir de la compagnie. Sans doute prévoyait-il de les enrôler dans sa croisade contre les singes ? Cela risquait de ne pas être très drôle. Elle savait d'expérience que les sentinelles isolées devenaient la proie d'étranges manies. À l'hôpital militaire, en Irak, elle avait eu le cas d'un sniper qui s'était pris d'une haine irrationnelle pour les chameaux et ne pouvait s'empêcher de les abattre dès qu'il en croisait un. Interrogé par le psychiatre du service, il s'était avoué incapable d'expliquer pourquoi il agissait ainsi. L'isolement engendrait de bizarres pulsions.

La nuit tombant, ils se regroupèrent autour du feu allumé par le gardien des ruines. Dans la lueur ondulante des flammes, la pyramide prenait un relief sinistre. Tracy ne pouvait s'empêcher de penser aux Aztèques, aux sacrifices humains, aux pyramides dégoulinantes de sang... Elle savait que c'était idiot, que ces pseudo-massacres avaient été grandement exagérés par les prêtres catholiques de la Sainte Espagne, à des fins de propagande, cela ne l'aidait en rien, l'angoisse demeurait fichée en elle comme une écharde génératrice d'infection.

Le repas fut médiocre et morne. Dieter ne fit aucun effort pour animer la conversation. Sa bonne humeur l'avait quitté. L'oreille tendue, il guettait les bruits de la jungle, comme s'il s'attendait à une attaque imminente. Très vite, sa tension devint contagieuse, et tout le monde se mit à scruter les ténèbres.

«J'ai un mauvais pressentiment, grogna soudain l'Allemand. Ils sont trop sages... sûrement qu'ils préparent un mauvais coup. Je vais allumer les projos et diffuser quelques bons rugissements de léopard, ça les fera réfléchir.»

Et c'est ce qu'il fit. La nuit s'illumina comme pour un spectacle «son et lumière» tandis que des rugissements de félins s'envolaient vers la canopée. Branches et feuillages s'emplirent du bruissement de la débandade générale.

«Voilà! fit Dieter avec une évidente satisfaction. On aura la paix, le groupe électrogène bouffe du carburant mais on n'a pas le choix, si on veut dormir quelques heures il faut en passer par là.»

Diolo et Edmund se retirèrent. Le porteur de fusil s'était proposé pour prendre le deuxième tour de garde. Maus avait accepté sans hésitation.

Tracy, trop nerveuse pour trouver le sommeil, resta près du feu dont les étincelles tourbillonnaient dans la nuit tel un essaim de lucioles pyromanes.

Dieter s'assit non loin d'elle. Son fusil à portée de la main. Un silence gêné s'installa. Finalement, la jeune femme décida de crever l'abcès.

«Vous avez vécu au camp allemand, n'est-ce pas? Au pied du volcan..., murmura-t-elle. Vous êtes trop jeune pour avoir fait le voyage à bord du sous-marin, cela implique que vous êtes né ici. Je me trompe?

— Non, pas du tout, fit Maus en hochant la tête. Vous êtes perspicace. Si vous voulez, je vous raconte ma vie... cela meublera. La colonie s'est implantée en 1944, dans le plus grand secret. Je n'étais pas né, je tiens ces détails de ma mère qui faisait partie du contingent de *gretchen* volontaires pour cette opération...»

21. Le récit de la sentinelle

«... Les astres sont à l'origine de cette entreprise rocambolesque. Les horoscopes, les augures,

283

et autres fadaises. Tout a commencé quand l'astrologue du Führer, en 1943, a laissé transparaître certaines inquiétudes quant à l'avenir du Reich. D'abord rétif, Hitler a fini par admettre qu'il serait peut-être utile de prévoir un plan B, au cas où la prophétie se vérifierait. Comme vous le savez, Adolf était très branché occultisme et ne négligeait aucun message émanant de l'au-delà.

» Vous connaissez l'histoire du sous-marin, je ne reviendrai pas dessus. En 1943, donc, une étude de terrain a été réalisée au Congo par les espions de la Kriegsmarine. Le choix s'est porté sur une exploitation minière abandonnée, située au pied d'un volcan éteint. La concession était libre, on pouvait l'acquérir pour une bouchée de pain car personne n'avait envie de risquer sa peau dans une région aussi inhospitalière. Les précédents occupants des lieux ayant fini massacrés dans des conditions insoutenables. La rumeur affirmait le filon riche en diamants – caractéristique non négligeable aux yeux des stratèges nazis qui envisageaient déjà de financer une contre-attaque massive contre l'ennemi judéo-bolchévico-américain – toutefois la contrée était aux mains de tribus agressives que l'administration belge de Léopold n'avait pas réussi à mater en dépit d'expéditions punitives menées tambour battant.

» Officiellement, la colonie devait être composée de prospecteurs civils allemands, ingénieurs et ouvriers. En aucun cas on ne devait suspecter l'implantation d'un détachement militaire armé jusqu'aux dents.

» Comme je l'ai déjà mentionné, je ne connais cette période qu'au travers de récits glanés ici et là. J'ai cru comprendre que le U-boot affecté à l'opération a accompli plusieurs traversées afin d'amener à pied d'œuvre hommes, femmes et matériel. Le personnel avait bien sûr été trié sur le volet. Il se composait de membres du Parti entièrement dévoués à la cause. Ils n'étaient pas très nombreux au demeurant, une centaine en tout et pour tout. Plus tard, dans les années qui ont suivi la défaite, d'autres transfuges les ont rejoints, encore une fois en secret, et par voie terrestre au terme de détours compliqués.

» En 1947, l'exploitation comptait environ sept cents âmes. Je suis né en 1946. Je n'ai jamais su qui était mon père car, étant donné la pénurie de femmes, il avait été décidé qu'elles seraient mises en commun. N'imaginez pas pour autant que la colonie fonctionnait comme un bordel, non. Mais on se mariait pour une durée limitée. Généralement un an, après quoi l'union était dissoute, et la femme devait convoler avec un autre homme. On ne leur laissait pas le choix du mari, ceux-ci étaient attribués par tirage au sort. Bien sûr, il y avait des magouilles... des trucages. Les plus belles pouliches étaient réservées aux officiers. Les simples soldats devaient se contenter des spécimens les moins attrayants. Il était formellement interdit d'entretenir des rapports sexuels avec les autochtones, ceci afin de préserver la race de tout abâtardissement. Le principe de base restait celui du Lebensborn dont vous avez sans doute entendu parler.

» La main-d'œuvre indigène – indispensable – avait le statut d'esclave, ni plus ni moins. Comme les Noirs refusaient de s'approcher du volcan, on lançait des raids contre les villages environnants afin de capturer de futurs ouvriers, ceux qui étaient affectés aux travaux pénibles et dangereux. Il y avait beaucoup d'accidents, dus au manque de matériel et à l'absence de personnel compétent. Nous ne comptions que trois ingénieurs qualifiés, et deux d'entre eux étaient déjà âgés, ou handicapés par des blessures de guerre.

» Le climat a tout de suite posé problème. Les peuples du Nord ne sont pas habitués à la chaleur moite du Congo, aux maladies, aux parasites. Sans oublier le déracinement... Beaucoup souffraient du mal du pays. Les plus "aryens" supportaient mal de se découvrir dépressifs. L'isolement était total. La consigne claire : personne n'avait le droit de quitter le campement pour aller folâtrer en ville. C'était d'ailleurs presque impossible parce que trop dangereux. Les raids des chasseurs d'esclaves nous avaient fait beaucoup d'ennemis et les guerriers en colère ne laissaient jamais passer une occasion de se venger. Difficile dans ces conditions de faire le mur pour partir en goguette.

» Il nous fallait donc vivre en autarcie, sans jamais franchir les limites du camp retranché. Une fois par trimestre, notre négociateur remontait le fleuve à bord du U-boot qui faisait brièvement surface en zone civilisée pour lui permettre d'écouler les diamants et d'acheter les vivres ou le matériel qui nous faisait défaut. Il était escorté par d'anciens membres de la Gestapo chargés de veiller sur sa sécurité... et de lui ôter toute tentation de s'enfuir avec l'argent de la transaction !

» Cette routine a fonctionné tant que le *Kriegers 3* a été en mesure de naviguer. Ensuite, quand les avaries irréparables se sont multipliées, il n'a plus été possible de retourner à la civilisation. Les convois qui tentaient de traverser la jungle étaient attaqués et massacrés. La colonie s'est peu à peu retrouvée en position de camp retranché et a dû se résoudre à subvenir elle-même à ses besoins, ce qui a rapidement posé de gros problèmes alimentaires.

» J'étais petit à cette époque, et je ne conserve qu'un souvenir assez flou de ce qui se passait autour de moi. N'ayant jamais rien connu d'autre, je me sentais à l'aise dans cet univers concentrationnaire. Les gosses de mon âge ne souffraient nullement des crises de dépression qui minaient les adultes.

» Nous, les enfants, étions élevés en commun dans une sorte de vaste nurserie, sous la garde d'une matrone qui, je l'ai appris plus tard, était une ancienne gardienne de camp d'extermination figurant sur la liste des criminels de guerre. Cette atmosphère de colonie de vacances me convenait. Chaque mère disposait d'un droit de visite d'une journée par semaine. La mienne s'appelait Lorelei. J'avoue que je la considérais comme une étrangère. Elle était jolie, et principalement réservée aux officiers qui se la repassaient sans vergogne en truquant le tirage au sort. De toute manière, les sentiments filiaux n'étaient guère encouragés. La Patrie seule comptait, ce devait être notre seule et unique mère nourricière.

» À partir de six ans, nous suivions une formation militaire incluant le maniement de fusils en bois. On nous expliquait comment le Grand Reich avait été momentanément vaincu par l'alliance internationale des banquiers juifs dont l'or avait financé les armées alliées constituées de soldats abâtardis par les mélanges raciaux, au point d'être plus proches du gorille que de l'homme. Nous gobions ces conneries sans sourciller. Nous étions fiers d'apprendre que la victoire future, la grande guerre de revanche, reposerait sur nous, car c'est d'ici que serait lancé l'ordre d'attaque. Nous portions de petits uniformes dans lesquels nous défilions le dimanche en brandissant le Blutfahne, l'illustre «drapeau de sang». Les adultes nous applaudissaient.

» L'après-midi se passait en projections cinématographiques. Des films de propagande nous montrant des pays, des villes qui nous semblaient irréels parce que trop différents de ce que nous connaissions. Le concept de neige, par exemple, nous paraissait absurde. De même, je me rappelle être resté stupéfié par tous ces gens emmitouflés dans des manteaux. Je n'arrivais pas à comprendre qu'il s'agissait de vêtements, je restais persuadé de contempler des créatures mi-hommes mi-bêtes couvertes de poils. Ces fantasmes accréditaient l'existence d'un monde peuplé d'êtres abâtardis par les mélanges raciaux, et nos instructeurs ne faisaient rien pour nous détromper.

» Nous étions trop jeunes pour nourrir une once d'esprit critique, pour nous rendre compte que notre petit univers était en train de se barrer en couille car dix années d'exil avaient miné les certitudes des adultes. Beaucoup commençaient à douter.

» Je devine la question qui vous brûle les lèvres... Et Hitler dans tout ça? Ai-je vu le fameux Blutsauger? Était-il réellement là?

» Très sincèrement, je n'en sais foutre rien. Je n'étais qu'un môme, mon monde se réduisait à des satisfactions immédiates : aurions-nous tel ou tel dessert à la cantine? Hanzie, mon copain de chambrée, accepterait-il de me prêter le tank en bois que lui avait offert le nouveau "mari" de sa mère? Cela n'allait jamais plus loin. Je savais vaguement que quelqu'un d'important régnait sur le camp. Quelqu'un dont personne ne devait prononcer le nom, et qu'on désignait par les mots "Lui" ou "Il". Il ne descendait jamais se promener parmi nous, mais nous observait en permanence depuis sa terrasse, au moyen de puissantes jumelles. On prétendait qu'Il savait lire sur les lèvres et qu'il fallait se garder de proférer des choses inconvenantes ou des critiques à son égard...

» Il nous faisait si peur que nous n'osions jamais regarder dans la direction du bunker qu'Il, habitait au pied du volcan. La matrone préposée à notre surveillance se plaisait à répéter qu'un jour, un gamin insolent avait osé relever la tête pour Le fixer droit dans les yeux, le sale gosse avait aussitôt été frappé de cécité. Bien fait pour lui !

» Les adultes eux-mêmes ne prononçaient jamais son nom. S'agissait-il d'Adolf Hitler? Je me garderai bien de l'affirmer. Plus tard, adolescent, j'en ai souvent discuté avec mes camarades. Certains affirmaient L'avoir reconnu, un jour qu'Il était accoudé à son balcon. Il était exactement tel que sur les portraits tapissant nos salles de classe. Grâce aux prodiges de la science aryenne, Il n'avait pas pris une ride ni un cheveu blanc. Je pense, quant à moi, qu'ils racontaient n'importe quoi pour se rendre intéressants. D'autres, plus convaincants, suggéraient qu'il s'agissait d'un dauphin désigné par le Führer. Une sorte d'héritier du trône dont le nom ne nous dirait rien. Assez vite nous nous sommes désintéressés de la chose, c'étaient des histoires d'adultes après tout. Des histoires de vieux. Nous étions davantage préoccupés par l'absence de femmes... Quand aurions-nous le droit de nous "marier"? Une éventualité nous effrayait cependant : le tirage au sort ne risquait-il pas de nous amener à copuler avec notre propre mère?

» Vous le voyez, Hitler n'avait pour nous guère plus de réalité que le croque-mitaine des fables. L'un de mes amis allait jusqu'à mettre en doute son existence historique. Selon lui, il s'agissait d'une légende créée à notre intention. Un héros mythique analogue à Odin, Thor ou Loki.

» Plus le temps passait, plus le concept de la Glorieuse Reconquête s'affaiblissait. Les adultes eux-mêmes avaient cessé d'y croire, ils avaient trop à faire avec les problèmes quotidiens. À treize ans, j'ai été affecté à l'atelier de mécanique automobile, et je suis devenu l'apprenti d'un vieux de la vieille ayant survécu à la retraite de Russie. Il se nommait Franz, il n'avait plus qu'une oreille, l'autre avait gelé, on avait dû l'amputer. Il monologuait toute la journée, dans sa barbe. C'est lui qui a fait mon éducation et m'a ouvert les yeux. Il avait perdu ses illusions depuis longtemps. Il radotait un peu, en évitant les sujets tabous. Ainsi, il refusait de faire la moindre allusion à notre seigneur et maître, cet inconnu qui nous observait à la jumelle depuis son balcon.

» "Faut faire attention, répétait-il. Il y a là-haut des gens qui y croient encore. Des fanatiques qui refusent de regarder la réalité en face. Ils s'obstinent à vivre dans le passé sans se rendre compte que nous sommes en train de devenir des fantômes."

» Ses confidences m'ont donné à réfléchir. Peu à peu je me suis déniaisé, j'ai commencé à regarder autour de moi, à m'intéresser davantage à ma mère, qui avait vieilli et que les officiers se réservaient de moins en moins. J'ai réalisé que nous étions une poignée de gamins entourés de vieillards. J'étais à cet âge où, à partir de trente ans, tout le monde vous paraît sénile. Pour ma défense, je dirais que nous étions au début des années 1960, et que certains officiers supérieurs entraient réellement dans le troisième âge. Leurs uniformes impeccables ne réussissaient plus à leur conférer la superbe susceptible de masquer leur gâtisme imminent.

» Qui plus est, la maladie commençait à creuser des trous dans nos rangs, et la plupart des femmes devenaient trop âgées pour mettre au monde de nouveaux enfants. La colonie prenait l'allure d'une maison de retraite dont le matériel tombait systématiquement en panne et ne pouvait être remplacé. On avait dû renoncer à projeter les vieux films de jadis car l'humidité avait bouffé la pellicule. Le travail, la gymnastique et le football étaient désormais les seules occupations susceptibles d'affaiblir nos pulsions sexuelles inassouvies. N'étant pas adultes, nous n'avions pas droit au mariage temporaire, ce qui nous condamnait, mes amis et moi, à des états de frustration insupportables. Les pratiques homosexuelles étaient prohibées et réprimées avec cruauté. Elles constituaient néanmoins le seul exutoire s'offrant à nous. Pour nous faire accepter cette abstinence forcée, on nous répétait qu'elle était empreinte de grandeur et que nous devions prendre exemple sur la pureté des Croisés ou des chevaliers teutoniques. De belles foutaises !

» Puis est venu le temps du rationnement. Les réserves s'épuisaient. Il a fallu se résoudre à s'enfoncer de plus en plus loin dans la jungle pour trouver du gibier. Ce n'était pas sans danger car les indigènes nous guettaient. Au début de notre installation, ils avaient carrément tenté de nous déloger en lançant contre nos positions leur armée de guerriers. Ils s'étaient heurtés à une puissance de feu qui dépassait leur entendement et avaient dû se replier en laissant les trois quarts de leurs troupes sur le terrain. Cet échec les avait incités à la prudence. Délaissant l'attaque frontale et massive, ils pratiquaient désormais la guérilla, l'embuscade. Dès que nous quittions l'enceinte du camp, le danger devenait réel, mais ces escapades venaient heureusement secouer la monotonie de nos journées. Elles nous excitaient. Parfois, nous tombions sur un bivouac indigène où des femmes préparaient le repas. Inutile de préciser que le viol collectif était de rigueur. Cela ne nous posait aucun problème moral car on nous avait appris à mépriser ces sous-créatures dans lesquelles nous avions bien du mal à discerner des êtres humains.

» Contrairement à ce qu'on imagine, la jungle n'est pas un terrain de chasse giboyeux, et il nous fallait souvent nous rabattre sur ce que les indigènes surnomment la viande de brousse, c'est-à-dire les chimpanzés. Tirer les singes n'est pas facile. Ils sont méfiants, agiles, et excellent à se mettre hors de portée dans les hautes branches à l'abri de la végétation. C'est partant de ces constatations que l'idée nous est venue de fabriquer des pièges. Des tapettes à rats géantes, si vous préférez. Il suffirait de les camoufler dans l'herbe et d'y disposer des fruits, des sucreries. Les chimpanzés sont extrêmement gourmands, ils ne résisteraient pas à de tels appâts. Ce subterfuge nous a permis d'épargner nos munitions qui commençaient elles aussi à diminuer. Désormais, il nous suffisait de relever nos pièges, comme des trappeurs, et d'y récupérer les singes que la lame montée sur ressort avait parfois décapités, voire sectionnés à la hauteur du nombril. La viande de singes, il a bien fallu s'y habituer... et apprendre à l'accommoder. Seuls les membres du Grand État-Major continuaient à boire du champagne. Ils avaient leurs réserves personnelles, et n'entendaient pas les partager. Ils se mêlaient de moins en moins à la population, par peur de se faire apostropher, probablement. La discipline foutait le camp. Le prestige de l'uniforme et des galons dégringolait sévère.

» On avait cessé d'exploiter le diamant. Pourquoi continuer? À quoi bon entasser les pierres précieuses puisqu'on ne pouvait pas les vendre? On était assis sur un trésor inutilisable. Les indigènes nous encerclaient. Il avait fallu dresser des barricades, instaurer des tours de garde. De temps à autre, ils tentaient une incursion, ou nous criblaient de flèches. On répliquait par quelques rafales de mitrailleuses, de la bonne vieille 08-30 qui vous scie un bonhomme en deux à la hauteur des hanches. Après, on avait la paix pendant quelques semaines, le temps que leur sorcier parvienne à les convaincre qu'il les avait rendus invincibles. La routine, quoi.

» La maladie a fini par poser un problème grave. Que faire des incurables, des inutiles? La doctrine du Reich prescrivait l'élimination pure et simple des parasites sociaux, fallait-il l'appliquer à la lettre? Devait-on continuer à nourrir des handicapés qui ne contribuaient nullement au bon fonctionnement de la collectivité?

» Nos dirigeants se sont rassemblés au bunker de la Kommandantur pour débattre du problème. Nous ne savions plus très bien qui régnait désormais sur l'exploitation. Personne ne croyait en la survie hypothétique d'Adolf Hitler. Il y avait déjà un bon moment que l'homme aux jumelles ne nous surveillait plus depuis son balcon. S'il n'était plus de ce monde, on s'était dispensé de nous en avertir, sans doute parce qu'on nous pensait assez naïfs pour croire le Führer immortel... *Ach!* La science des savants allemands! Elle avait bon dos dès qu'il s'agissait de nous abreuver d'inepties.

» Bref, certains ont émis l'idée que l'on pourrait peut-être fabriquer une petite chambre à gaz pour éliminer les déchets sociaux qui risquaient de porter atteinte au bon moral de la communauté. Cette proposition a provoqué un tollé. Quoi! Gazer de bons Allemands comme s'il s'agissait de vulgaires Juifs! C'était inadmissible! Non, il fallait trouver autre chose.

» Au bout d'interminables palabres, ils ont fini par tomber d'accord sur une solution charitable : les exclus recevraient une hachette, deux jours de vivres, une gourde de schnaps, après quoi ils seraient bannis du camp et devraient s'enfoncer dans la jungle. S'ils se comportaient en lâches et refusaient de s'éloigner, on leur tirerait dans le dos. C'était une sacrée décision.

» Durant les trois jours qui suivirent, on procéda à une dizaine de bannissements. Les pauvres bougres auraient pu tout aussi bien refuser d'avancer. Le peloton d'exécution aurait été moins douloureux que ce qui les attendait dans la forêt. Je les revois encore, titubants, leur hachette dans une main, leur sac de provisions dans l'autre, hagards, ne sachant de quel côté partir... On les regardait s'enfoncer dans la jungle jusqu'à ce que le rideau de broussaille se referme sur eux. Quelques heures plus tard on les entendait hurler, interminablement, pendant que les indigènes les débitaient en morceaux. Et le lendemain on retrouvait leur tête plantée sur un piquet, à la lisière du camp. Souvent, il leur manquait les yeux et la langue. Les oreilles aussi. Et on leur avait cassé toutes les dents avec une pierre.

» Voilà pour l'ambiance. Elle était assez tendue, comme vous pouvez vous en rendre compte.

» Il y avait aussi des désertions. Des gars qui craquaient et tentaient le tout pour le tout, se fabriquaient une pirogue et essayaient de descendre le Balawi pour gagner le grand fleuve. Je doute qu'un seul d'entre eux y soit arrivé. Ça a continué comme ça encore un moment. On se contentait de survivre. Ah ! j'oubliais... Les officiers ont décidé de forcer le blocus en utilisant les véhicules blindés dont nous disposions. Il a été décidé qu'un équipage serait tiré au sort parmi les volontaires qui se présenteraient. Inutile de préciser qu'il s'agissait d'une mission suicide. Un SDK n'est pas fait pour se forer un chemin dans la jungle, la végétation est beaucoup trop dense, elle constitue un mur élastique sur lequel les chenillettes patinent. En outre les troncs sont trop serrés, ils finissent par former une cage dont le véhicule devient prisonnier. Mais bon... j'en avais tellement marre que je me suis inscrit sur la liste des volontaires, en dépit des protestations de ma mère. Le sort a voulu que je ne sois pas choisi. Le lendemain, six de mes copains d'enfance sont partis avec un chargement de pierres précieuses qu'ils avaient pour mission de négocier. Avec l'argent obtenu, ils devaient se procurer une barge, des vivres, des médicaments, et assez de munitions pour nous débarrasser une fois pour toutes des sauvages. Ils ne sont jamais revenus. Je ne sais pas s'ils ont réussi à sortir de la jungle. J'espère qu'ils ont vendu les diamants et qu'ils se sont partagé le magot avant de refaire leur vie ailleurs. Je l'espère pour eux, sincèrement, mais je n'y crois pas.

» Et puis les trois coups du dernier acte ont été frappés. Je passe sur les détails. On devait être en 1965 ou 1966... Je ne sais plus très bien. Je venais de fêter mes vingt ans et d'enterrer ma mère victime de la dysenterie. Il avait suffi de deux décennies pour disloquer notre communauté de fiers revanchards. Des clans s'étaient formés, et se surveillaient avec méfiance. Quelques-uns, encore, s'obstinaient à perpétuer les traditions du Reich. Des vieux, mais pas uniquement. Aussi quelques gamins qui avaient besoin de se donner un but, de croire en quelque chose. C'est alors qu'un matin, j'ai remarqué que la jungle était silencieuse. Même ces damnés perroquets gris avaient déserté les arbres. Une odeur bizarre, irritante, flottait dans l'air. Elle devenait plus forte au fur et à mesure qu'on se rapprochait du volcan. J'en ai fait la remarque à mon supérieur hiérarchique mais il m'a envoyé bouler en m'expliquant que ce n'était pas nouveau. Cela provenait des fumerolles que le vent rabattait vers nous, ça passerait dès que les rafales changeraient de sens. Une belle connerie. En réalité, l'éruption couvait déjà et les animaux l'avaient senti. Ils s'étaient tous débandés, comme les sauvages qui n'en étaient pas à leur première coulée de lave. J'ai eu une sorte de prémonition. De toute manière plus rien ne me retenait au camp. J'ai bouclé mon sac à dos, j'ai pris mon Mauser et me suis enfoncé dans la jungle, persuadé qu'une sagaie allait me transpercer d'une seconde à l'autre. Mais non, les cannibales s'étaient tirés aussi loin que possible, galopant aux trousses des léopards et des singes qui avaient pris les devants. J'ai marché plus d'une heure sans rencontrer âme qui vive. Alors j'ai continué droit devant moi. J'ai traversé le village des Noirs. Il était désert. Là, j'ai compris qu'une grosse catastrophe se préparait. J'ai encore marché une autre heure puis, comme j'étais épuisé, je me suis hissé dans un arbre et ficelé à une branche maîtresse pour y passer la nuit. C'est de ce perchoir que j'ai assisté à l'éruption. Un spectacle d'une beauté extraordinaire. Par chance, j'étais assez loin pour échapper aux gaz mortels et aux retombées de pierrailles.

» Voilà, c'est tout. Vous connaissez le reste. Quatre jours plus tard je suis retourné au camp. La lave avait tout recouvert, et les gaz avaient asphyxié les gens dans leur sommeil. J'ai récupéré quelques objets de première nécessité. Le socle de lave durci était encore bouillant, il me cuisait la plante des pieds à travers les semelles de mes bottes dont le caoutchouc fondait. J'ai croisé deux survivants, hagards. Ils ont refusé de se joindre à moi. Ils espéraient que l'éruption avait été repérée de loin et qu'on allait leur expédier des secours. Je leur ai cité le vieux proverbe : quand un arbre s'écroule dans la jungle, vous croyez que quelqu'un l'entend ?

» Mais ils étaient trop cons pour piger. Je les ai plantés là et je suis parti.»

22. Théâtre d'opération

«Vous aviez vingt ans, souligna Tracy. Aujourd'hui vous en avez cinquante... Qu'avez-vous fait entre-temps?

— J'ai mis à profit l'enseignement militaire qu'on m'avait dispensé. Je me suis loué comme mercenaire, comme instructeur... L'Afrique est le paradis du soldat de fortune, savez-vous? Il y a toujours une révolution, une épuration quelque part. On s'y massacre joyeusement, et quand c'est terminé on recommence. Cela ne risque pas de finir. J'avais été bien formé, j'étais compétent. Je me suis fait un nom. Et puis... et puis je suis devenu trop vieux pour ça. Alors j'ai fondé une compagnie de sécurité marchande, surveillance des navires à quai, des entrepôts... mais j'ai été ruiné par Mobutu. Toute l'économie du pays s'est barrée en couille. Alors... alors me voilà. Le hasard m'a ramené sur les lieux de mon enfance. Curieux, hein? Cela signifie probablement que j'arrive au bout du chemin. Bon, assez parlé. Allez dormir, profitez de l'absence des singes pour prendre du repos, vous verrez hélas que ce n'est pas tous les jours pareil.»

Tracy se redressa, troublée par les révélations de l'Allemand. Elle ne savait qu'en penser. Disait-il la vérité? Arrangeait-il les faits pour l'impressionner? Elle s'éloigna en direction de la tente qui leur avait été attribuée. Les parois en étaient éclairées par la lumière jaunâtre d'une lampe à pétrole. En Afrique on retrouvait vite les habitudes du xixe siècle. Le pouvoir tyrannique de la technologie se cassait les dents sur les diktats émis par la Nature. Était-ce un mal? Pas sûr!

Elle se glissa dans la tente. Diolo et Edmund Hofcraft, tous deux étendus sur des lits picots, la dévisagèrent comme si elle venait de subir un viol collectif. Cela l'irrita.

«Quoi? aboya-t-elle.

— Qu'est-ce que vous foutiez? Le beau Teuton vous contait fleurette? grogna le vieillard, cela fait des heures qu'on vous attend.

— Pourquoi? Vous vouliez que je vous borde et que je vous raconte une histoire?»

Sans plus s'expliquer, elle s'allongea sur le troisième lit de camp qui empestait la sueur. Il n'était pas question qu'elle se déshabille, mais cela ajouterait à son inconfort. Tant pis. Elle était d'une humeur massacrante et en ignorait la raison.

Énervée, elle échoua à trouver le sommeil et choisit de feindre l'inconscience pour couper court à toute discussion. Diolo se résolut à éteindre la lampe. Cela ne servit pas à grand-chose car les projecteurs allumés par Dieter continuaient à éclairer le site comme s'ils avaient pour mission de baliser une piste d'atterrissage.

L'épuisement finit tout de même par la rattraper. Elle fut réveillée à l'aube par un brusque sentiment de menace, la certitude d'une présence étrangère. Ouvrant les yeux, elle se redressa sur un coude. Elle eut juste le temps de surprendre un singe qui s'enfuyait en emportant la chemise dont elle s'était débarrassée au cours de la nuit parce qu'elle avait trop chaud.

Sans réfléchir, elle s'élança à la poursuite de l'animal qui galopait vers la forêt en brandissant son trophée. Il allait bien trop vite pour elle. Ce n'est que lorsqu'elle se trouva nez à nez avec Dieter qu'elle réalisa qu'elle était en soutien-gorge. Une pièce de lingerie jaunie par la sueur qui plus est.

«Ne vous cassez pas la tête, intervint la sentinelle, vous ne le rattraperez pas. Il ne vaut mieux pas, du reste, vous risqueriez de récolter une sale morsure. À moins qu'il ne vous arrache un œil.

— Il m'a volé ma...

— Je sais. Ce n'est pas nouveau. Ils passent leur temps à barboter des objets qui ne leur sont d'aucune utilité : des lunettes de soleil, des bouteilles ou des boîtes de conserve vides. Je ne sais pas pourquoi. Pour nous emmerder, je suppose. Pour tester nos réflexes. Ils préparent un grand raid, je le sens. Ne laissez rien traîner et soyez constamment sur vos gardes. On ne peut pas prévoir quand cela se produira, mais ils déferleront sur nous par centaines, et il risque d'y avoir de la casse.

— Mais que veulent-ils ?

— Je vous l'ai déjà expliqué : ils veulent reconquérir la pyramide, s'y réinstaller. Ils n'admettent pas que les archéologues les en aient délogés. Ils sont commandés par deux ou trois vieux mâles hargneux, jaloux de leurs privilèges. Il est pour eux capital de reconquérir leur territoire, sinon ils risquent de perdre leur statut de chef, l'accès à la bouffe et aux femelles. Ils se retrouveront carrément clodos. »

Ayant marqué une pause, il détourna les yeux et soupira, en guise de conclusion :

« Je vais vous donner une autre chemise, il y a une femme dans l'équipe scientifique, Svetlana Iggrisson, elle doit faire à peu près votre taille. Elle ne m'en voudra pas d'avoir fouillé dans ses affaires. Ces Suédois sont excessivement sociables. Suivez-moi. »

Tracy l'accompagna jusqu'à une tente plus petite que les autres. L'équipement intérieur était rangé avec une rectitude frisant l'obsessionnel. Sur la table de travail pliable, tous les crayons avaient été disposés de manière à former des parallèles rigoureuses.

Dieter Maus désigna une cantine à la peinture écaillée dans un coin.

« Regardez là-dedans, fit-il avant de sortir, je vous laisse vous changer. Je dois faire ma ronde pour montrer aux singes que je les tiens à l'œil. Le moindre relâchement serait interprété comme un signe de faiblesse. »

Tracy hésita une trentaine de secondes puis se décida à ouvrir la malle métallique. Le contenu, à l'image de ce qui l'entourait, était parfaitement plié. Elle préleva un slip, un soutien-gorge et une chemise de toile. S'étant mise nue, elle improvisa un décrassage sommaire à l'aide d'un mouchoir et d'un flacon d'eau de toilette suédoise de la célèbre marque Oriflame, puis passa les sous-vêtements propres avec une satisfaction disproportionnée. Alors qu'elle s'apprêtait à refermer le bagage, elle aperçut, dépassant d'un pantalon, le coin d'un carnet...

Elle jugea étrange qu'on ait cherché à dissimuler cet objet à l'intérieur d'un vêtement, comme si on voulait le distraire au regard. Obéissant à un réflexe, elle s'en empara. Il s'agissait d'un journal de voyage, comme le prouvaient les croquis et les plans qui l'agrémentaient. L'écriture, féminine, d'abord très régulière, se dégradait au fil des pages, comme sous l'effet d'un stress violent... ou comme si l'on avait rédigé ces lignes en cachette, dans la crainte d'être surpris.

« J'extrapole, songea Tracy en feuilletant les pages gondolées par l'humidité. Je dois arrêter de délirer. »

Elle n'avait aucune idée de ce que racontait ce calepin – il était rédigé en suédois – mais sa graphie respirait la peur. La femme qui avait tracé ces lignes était manifestement la proie d'une angoisse extrême.

Ne pouvant s'attarder à l'intérieur de la tente sans paraître suspecte, Tracy referma la cantine, glissa le carnet contre ses reins, sous la chemise, et sortit.

Elle se rappelait que Edmund avait été marié à une Suédoise – qu'il avait, en passant, assassinée, mais là n'était pas la question; le tout était de savoir si, au cours de cette union, il avait acquis les rudiments de la langue. Assez, en tout cas, pour comprendre grosso modo ce que contenait le journal...

À l'extérieur il faisait déjà très chaud. La touffeur de la jungle véhiculait des relents de pourriture mijotant à feu doux. Les chimpanzés étaient fidèles au poste, agglutinés aux branches, regardant tous dans la direction du chantier.

«Une armée, ne put s'empêcher de penser Tracy. Une armée encerclant une forteresse, et qui attend que les assiégés meurent de faim.»

Dieter Maus n'étant pas en vue, elle se dépêcha de rejoindre Diolo et Edmund qui partageaient un petit-déjeuner de corned-beef et de café noir. S'étant assise à leurs côtés, elle s'empressa de leur raconter sa trouvaille.

«Bref, abrégea-t-elle en se tournant vers Hofcraft, lisez-vous le suédois?

— Un peu, maugréa le vieillard. Il m'en reste des bribes. Sigrid essayait de me l'enseigner et moi, comme un con, je jouais au bon élève. Je ne vous garantis rien, c'est loin tout ça, et ma mémoire n'est plus ce qu'elle était. Le cerveau c'est comme la queue, ça ramollit avec l'âge.

— Épargnez-moi votre philosophie de toilettes publiques et jetez plutôt un coup d'œil sur ce journal... Ne vous faites pas surprendre par Dieter, je ne sais pas à quoi il faut s'attendre.»

Hofcraft prit le carnet de mauvaise grâce et chaussa ses lunettes de lecture dont l'un des verres était fêlé. Les sourcils froncés, il commença à feuilleter les pages.

«À première vue, bougonna-t-il, ce sont des notes archéologiques. Je n'y comprends rien mais ça a l'air chiant comme un film chinois sous-titré en martien.

— Sautez à la fin, insista Tracy, quand l'écriture se dégrade.

— Ah! ouais... je vois, ça à l'air écrit par une folle.

— Si vous voulez, mais travaillez là-dessus. De toute évidence il s'est passé quelque chose qui a paniqué cette femme. Au point qu'elle a éprouvé le besoin de dissimuler son journal. Il s'agit peut-être d'un avertissement, d'un appel au secours.

— Vous pensez qu'elle a été enlevée par un singe? ricana Edmund. C'est sûr qu'une Suédoise blonde, ça peut faire fantasmer un chimpanzé. Il y a des précédents, souvenez-vous de King-Kong.

— Cessez de jouer au con et bossez! Notre vie en dépend peut-être.»

Dieter, surgissant soudain de derrière un moignon de muraille, mit fin à la discussion. Edmund n'eut que le temps d'enfouir le carnet sous son tricot de corps. Déjà, l'Allemand s'avançait. Il tenait à la main une guenille maculée de brun.

«Voilà ce qu'ils ont fait de votre chemise, annonça-t-il en jetant les morceaux de tissu aux pieds de Tracy. Ils l'ont déchirée avant de chier dessus. Je n'interprète pas cela comme un signe de bienvenue. Il va falloir poster des sentinelles aux quatre coins du site. Je propose que nous nous chargions chacun d'un côté. Je ne plaisante pas. À mon avis,

nous allons devoir repousser un assaut imminent.»

Il s'exprimait sur un ton de commandement qui
mettait en relief son accent, ce qui évoquait pour
Tracy les mauvais films de guerre de son enfance
et leurs dialogues caricaturaux.

Diolo, à qui l'inaction pesait, s'était déjà relevé,
plein de bonne volonté.

Edmund et Tracy se sentirent obligés de l'imiter. Après tout, ils n'étaient que des invités, et
devaient s'acquitter d'une manière ou d'une autre
du gîte et du couvert dont ils bénéficiaient.

«Ne gaspillez pas les munitions, insista Dieter
Maus. Il est possible que le siège s'éternise. Si un
singe fait mine de s'avancer vers vous, commencez
par lui jeter des pierres. Généralement ça suffit.
L'important c'est de ne pas rester passif. Passif,
pour eux, signifie faible, donc victime potentielle.
Vous devez montrer que vous êtes des dominants.
Compris?»

Ils hochèrent la tête, telles des recrues dociles.

Satisfait, Dieter les conduisit à leur poste, les
positionnant chacun derrière un pan de mur.

«Il faut montrer qu'on est là! répétait-il. Que le
fort est gardé. Ce territoire est à nous, ils doivent
se le mettre dans la tête. Quand les archéologues
reviendront, il est hors de question qu'ils trouvent
le site occupé par ces salopards de singes!»

Il semblait à cran, et personne ne se hasarda à le
contredire. Pour Tracy, exposée en plein soleil, les
heures qui suivirent furent une torture. Gagnée
par le doute, elle se demandait si la menace était
réelle ou si Dieter Maus s'amusait à les torturer

pour meubler sa solitude. Déshydratée, elle s'accordait une gorgée d'eau toutes les demi-heures, car la sentinelle ne leur avait alloué qu'un unique bidon d'un litre pour toute la journée. Cette ration, sous le soleil africain, était bien sûr dérisoire. La jeune femme se rappelait qu'en Irak, un G.I. consommait six à huit litres d'eau par jour.

«On doit se rationner, avait rétorqué Maus lorsqu'ils avaient osé protester. La citerne n'est pas inépuisable. Sa contenance a été calculée en fonction de mes besoins. Je vous abreuve sur ma ration, ce qui diminue d'autant ma marge de sécurité. S'il ne pleut pas, nous ne pourrons pas reconstituer nos réserves, et nous crèverons de soif, au sens propre. Vous n'êtes pas dans un club de vacances, et aucun serveur ne vous apportera un mojito sur un plateau. Il n'y a pas de point d'eau à proximité, excepté le fleuve. Celui qui voudra aller y remplir un bidon devra d'abord échapper aux indigènes qui patrouillent aux alentours. Si cela vous tente…»

Tracy n'avait guère apprécié de se faire réprimander comme une collégienne prise en faute, mais elle admit le bien-fondé des objections formulées par l'Allemand. Sans lui, ils seraient tous morts, la moindre des choses était de se plier à ses ordres. Du moins tant que ses exigences demeureraient dans les limites du raisonnable.

Cela ne diminua en rien la pénibilité des heures passées à cuire au soleil. En dépit du chapeau de brousse dont elle était coiffée, elle se crut à plusieurs reprises sur le point de succomber à un coup de chaleur. Lorsque vint le soir, elle était si épuisée qu'elle fut incapable d'avaler une bouchée. Une migraine atroce lui sciait le crâne. Edmund n'était pas en meilleure forme, seul Diolo avait supporté l'épreuve sans faillir.

La veillée fut brève et silencieuse. Quand ils se retrouvèrent dans leur tente, Edmund grommela :

«Cette faction, ça ne servait à rien... Cela me fait penser aux méthodes employées par les sectes pour affaiblir la résistance de leurs ouailles. Ce type nous manipule, il nous veut à sa botte. Il me rappelle un sergent instructeur des Marines que j'ai bien connu. Un vrai sadique que ses hommes rêvaient d'assassiner.

— Peut-être aussi, intervint Diolo, que vous les Blancs n'êtes pas très résistants, hein? L'Afrique, elle est trop forte pour vous, mais vous ne voulez pas l'admettre, je crois.»

Ne tenant nullement à subir une joute oratoire, Tracy décida d'y couper court.

«Edmund, trancha-t-elle, avez-vous pu jeter un coup d'œil au carnet de l'archéologue?

— Oui, marmonna Hofcraft. J'ai fait ce que j'ai pu. N'espérez pas une traduction littérale, je n'en suis pas capable. C'est tout juste si j'ai pu comprendre le sens général de ce fatras.

— Et?

— Je ne sais pas... Cette bonne femme semble virer hystérique au fil des pages. Je pencherais pour une psychose collective due à l'omniprésence des singes, à leurs attaques. Pour résumer, je dirais que ces gentils archéologues de mes couilles ne s'attendaient pas à ce que les choses tournent aussi mal. Ils ont paniqué. Je les vois comme des intellos, très forts pour le blabla, beaucoup moins pour l'action. Bon, c'est mon sentiment général... Je ne parierai pas ma tête là-dessus. J'ai pigé une phrase par-ci par-là, mais des paragraphes entiers m'ont échappé. Cependant, ce n'est pas le plus embêtant...

— Qu'est-ce qu'il l'est, alors?

— Je crois qu'ils se sont fait la malle sans préciser à Dieter qu'ils ne comptaient pas revenir. Ils l'ont abandonné, purement et simplement, tout cela parce que l'hélicoptère qui les a emportés ne pouvait prendre une personne de plus à cause du danger de surcharge.

— Quoi?

— Vous avez bien compris. Ces salopards l'ont mené en bateau. Ils ne reviendront jamais. Ils ne sont pas allés à Kinshasa pour rencontrer leurs sponsors, ils sont tout bonnement rentrés chez eux, en Suède, dans leur chouette université! Ils écriront un best-seller racontant leur formidable aventure et passeront pour des héros. Bref, cela signifie que nous attendons pour rien! Il n'y aura pas d'hélicoptère... ni dans un mois ni dans six! Si une autre mission est mandatée pour l'étude du site, ce sera peut-être dans un an, voire davantage. Ou jamais. Vous pigez le problème?»

Tracy demeura muette, anéantie de stupeur. Elle ne s'était pas attendue à pareille révélation.

«Je vais vous dire ce qui va se passer, martela Hofcraft. La réserve d'eau s'épuisera, et aussi les provisions. Nous commencerons à crever de faim et de soif, comme des naufragés sur un radeau. Lorsque nous n'aurons plus rien, il nous faudra quitter le site et traverser la jungle pour tenter de rejoindre la mission catholique belge. Alors, les cannibales nous tomberont dessus. Nous n'aurons fait que reculer pour mieux sauter.

— C'est votre théorie, riposta Tracy. Votre traduction est approximative, vous le reconnaissez vous-même. Il est possible que vous ayez mal interprété le texte.

— Je ne le nie pas. Mais il va nous falloir prendre une décision. Je me demande comment Maus réagira quand il pigera enfin que ses chers scientifiques l'ont planté là, comme un sac de détritus. Je ne suis pas certain qu'il accepte encore longtemps de partager ses vivres. Vous avez entendu son laïus sur l'eau, cet après-midi? Il nous tolère dans la mesure où il s'imagine que l'hélico du ravitaillement va se pointer d'ici quelques semaines. Il changera sans doute d'avis quand les croûtes lui tomberont des yeux.

— C'est vrai, souligna Diolo. S'il ne pleut pas, on aura tous le gosier sec d'ici peu.

— Tu es noir, objecta Edmund, tu pourrais te faufiler jusqu'au fleuve pour remplir les bidons, non?

— Vous rigolez? s'esclaffa le porteur de fusil. Vous les Blancs, vous croyez que tous les Noirs se ressemblent, mais nous on sait faire la différence. Les sauvages qui guettent, là-dehors, ils verront tout de suite que je ne suis pas des leurs aussi facilement que si j'avais la peau verte!

— Parlez moins fort! leur intima la jeune femme. Inutile de précipiter la catastrophe.»

23. Un panorama saisissant

Durant les trois jours qui suivirent, le scénario se répéta, et ils durent subir les interminables tours de garde imposés par Dieter Maus. Ce dernier avait perdu sa jovialité première. Il ne souriait plus, scrutait la canopée d'un air sombre, et marmonnait des paroles incompréhensibles lorsqu'il se croyait seul. Il offrait alors l'aspect d'un homme tourmenté qu'il valait mieux ne pas contrarier. Tracy le soupçonnait d'éprouver quelque doute quant au retour prochain de ses employeurs.

Les singes, eux, continuaient à les observer. De temps à autre, ils entamaient un grand ballet gymnique consistant à sauter de branches en branches et à effectuer des loopings entre les lianes. Ce déploiement d'activité était chaque fois salué par un concert de cris assourdissants et des gesticulations qui défiaient les lois de la pesanteur.

«Je me demande comment ils font pour ne pas se casser la gueule», grommela Edmund en épongeant la sueur qui ruisselait au creux de ses rides.

Boire devint une obsession Ils ne pensaient plus qu'au moment où Dieter leur permettrait d'aller remplir leurs gourdes à la citerne. L'eau était chaude, elle avait un affreux goût métallique, mais ils la buvaient avec délices.

Ils ne se nourrissaient qu'une fois par jour, d'aliments lyophilisés reconstitués et de barres énergétiques. Dieter s'était livré à des calculs impitoyables, répétant que les ravitaillements, à l'origine prévus pour une seule personne, étaient désormais divisés par quatre. Si l'on voulait tenir le plus longtemps possible, il n'existait d'autre solution qu'un rationnement sévère, à la limite du jeûne.

« On pourrait abattre un singe de temps en temps, non ? proposa Diolo. C'est très mangeable quand on sait tambouiller leur viande avec des piments.

— Surtout pas ! siffla Maus. Ils y verraient un prétexte pour déclencher une attaque générale. Ils n'attendent qu'une provocation. Je ne sais pas si vous avez déjà vu un chimpanzé en colère, mais c'est terrifiant. Vous savez que les zoologues estiment leur force musculaire trois fois supérieure à celle de l'homme ? Dans un corps-à-corps, ils auront toujours le dessus. »

Tracy jugea toute contestation inutile. Dieter paraissait prisonnier d'une idée fixe. Un assaut simiesque était-il crédible ? Elle l'ignorait. Diolo estimait, lui, le danger réel. Il affirmait avoir assisté à de semblables attaques, les chimpanzés déferlant sur un village pour le saccager sans qu'on puisse déterminer la cause de cette folie destructrice.

« Ils s'excitent entre eux, avait-il expliqué. C'est communicatif, au bout d'un moment ils perdent la boule. Ils deviennent dingues pendant un quart d'heure, puis ça leur passe... Mais entre-temps z'ont fait un sacré dégât. »

La jeune femme ne contestait pas cette éventualité. Elle avait entendu parler de gardiens de zoo mis en pièces par des chimpanzés qui, une heure plus tôt, leur témoignaient la plus vive amitié. Les réactions animales relèvent du mystère, elles échappent à nos grilles logiques d'interprétation. Il convient de se garder de tout anthropomorphisme.

«On n'est pas dans un dessin animé, insista Diolo. Les bêtes, on sait jamais ce qu'elles ont dans la tête. Une ombre, une odeur peuvent les rendre folles, alors elles te sautent à la gorge, elles te tuent. C'est comme ça.»

Par ailleurs, Tracy éprouvait une certaine pitié à l'égard de Dieter. Elle avait bien conscience que l'individu n'avait rien d'un ange, mais elle imaginait sans mal quels seraient ses sentiments lorsqu'il prendrait la mesure de la trahison dont il était victime. Elle craignait une réaction extrême, destructrice, pour lui-même... et pour eux.

À son retour d'Irak, on lui avait appris qu'un G.I. démobilisé – qu'elle connaissait personnellement – cédant à une crise de dépression s'était suicidé au Semtex, entraînant avec lui sa femme et ses deux enfants.

«Il ne trouvait pas de boulot, lui avait-on expliqué. Il végétait avec l'aide sociale. Il s'estimait trahi par son pays.»

Dieter Maus ne risquait-il pas de l'imiter?

Au matin du cinquième jour, une mauvaise surprise les attendait. Alors qu'elle sortait de la tente pour satisfaire un besoin naturel, Tracy s'immobilisa, pétrifiée. Elle crut tout d'abord que la pyramide avait été recouverte au cours de la nuit par

313

un manteau de fourrure noire, à la façon de ces couvre-théière chers aux mamies anglaises... Puis cette enveloppe se mit à onduler, et elle comprit que le monument, de la base jusqu'à la pointe, était recouvert de chimpanzés. Agglutinés sur les parois émiettées de l'édifice, au coude à coude, silencieux mais solidaires. Ils la fixaient.

Elle recula sans leur tourner le dos et rentra dans la tente à pas lent. Là, elle s'empressa de secouer Diolo, et Hofcraft qui ronflait comme une machine-outil. En deux mots elle leur exposa la situation.

«Qu'est-ce qu'on fait? balbutia Edmund. On leur tire dessus?

— Surtout pas! protesta Tracy. Vous voulez qu'ils nous massacrent?

— Merde! grommela le vieillard, je croyais que les projecteurs suffisaient à les tenir en respect...

— Sans doute s'y sont-ils habitués. Il faut aller réveiller Dieter, il saura probablement quoi faire.»

Cette fois, ils sortirent à la queue leu leu, évitant tout geste brusque. Leur apparition provoqua une velléité de mise en branle dans la foule simiesque dont certains individus agitèrent les bras en se dandinant de droite à gauche. Par chance, les choses n'allèrent pas plus loin. Lentement, se déplaçant en crabe, Tracy et ses compagnons se dirigèrent vers la tente de l'Allemand. Dès qu'elle s'engagea sous l'auvent de toile, la jeune femme fut suffoquée par l'odeur de l'opium.

«Bon sang! gronda Edmund, il a dû tirer sur le bambou toute la nuit, il est défoncé à mort, ça va être commode!»

Effectivement, Maus reposait nu sur le lit de camp, son long corps décharné zébré d'anciennes cicatrices. Sa toison pubienne était d'un gris aux reflets d'acier. À son chevet, reposait une pipe ainsi qu'un nécessaire à opium, avec son fourneau et sa longue aiguille à modeler la pâte. L'air était si chargé d'effluves que Tracy sentit la tête lui tourner.

«Il faut le sortir de là, ordonna-t-elle. Portez-le dehors, vite.»

Diolo et Edmund s'exécutèrent et déposèrent l'Allemand sur l'herbe. Tracy, qui avait récupéré ses vêtements, entreprit de le rhabiller du mieux possible. Puis elle lui aspergea le visage d'eau dans l'espoir de le ranimer. Il se contenta de grogner et de se retourner sur le flanc.

«L'est bien parti, ricana Diolo. L'en a pour un bout de temps. Je connais ça. Oui, oui, oui. Ce qu'il fume, c'est de la sacrée bonne qualité, j'ai jamais pu m'en payer de ce calibre.»

Tracy ne l'ignorait pas. En Irak, beaucoup de G.I's étaient devenus accros au kif. Avec l'opium, on pouvait être sûr d'une chose : l'utilisateur ne risquait pas de se montrer violent. La principale vertu de cette drogue étant d'agir à la façon d'un calmant, les pulsions d'agressivité s'en trouvaient neutralisées. La plupart des opiomanes finissent par se détacher de la réalité au point de devenir étrangers au monde qui les entoure. Ce n'était pas le cas du khat, cher aux Africains, et qui pouvait rendre l'utilisateur carrément amok.

«Il n'y a plus qu'à attendre qu'il émerge, soupira la jeune femme. Essayons de ne rien faire qui puisse énerver les singes.»

Elle ferma les yeux et s'efforça de se détendre.

«Faut pas sourire, expliqua Diolo. Quand on sourit, on montre les dents, et les singes prennent ça pour une provocation. Chez eux, ça veut dire "je te défie". Faut présenter les mains paumes tournées vers le haut, c'est signe de paix et de soumission. Touchez pas aux armes, ils savent très bien à quoi ça sert...

— Tiens, siffla Edmund, pourquoi ne suis-je pas surpris qu'un Noir connaisse le langage des singes?

— Fermez-la! gronda Tracy. Vous croyez que les choses ne sont pas assez compliquées?

— Vous, les femmes, répliqua le vieillard d'un ton hautain, vous n'avez aucun sens de l'humour, c'est pour ça que les hommes s'emmerdent autant avec vous!»

Dieter mit deux heures pour émerger de son hébétude. Tracy l'abreuva de café noir et lui exposa la situation. Dès que l'Allemand était sorti de l'immobilité pour s'asseoir, les chimpanzés avaient commencé à s'agiter. L'avaient-ils cru mort? Découvrant qu'ils avaient fait erreur, ils manifestaient leur mécontentement par une gesticulation collective et des cris aigus. Certains montaient et descendaient les flancs de la pyramide à un rythme de plus en plus rapide, comme s'ils ne savaient s'ils devaient s'enfuir ou attaquer. Ces allers-retours installaient une atmosphère de folie contagieuse, et de plus en plus d'individus se mettaient en mouvement, escaladant l'édifice jusqu'au sommet avant de se laisser dégringoler jusqu'à sa base. À peine avaient-ils touché le sol qu'ils recommençaient à grimper, telles des mécaniques déréglées. Ce comportement déplaisait manifestement aux vieux mâles dominants qui distribuaient des coups de poing au hasard, assommant leurs voisins.

«Ils s'excitent beaucoup trop, constata Diolo, c'est mauvais, ça va dégénérer.»

Dieter réussit enfin à conserver les yeux ouverts. Il lui fallut moins de dix secondes pour jauger la situation et laisser échapper un chapelet d'injures dans sa langue natale.

«C'est en train de mal tourner, insista Tracy. Il faut faire quelque chose.

— Il faut surtout les virer de là ! gronda Maus. Ces salopards sont en train de chier sur le monument ! Si mes patrons voient ça, je vais en prendre pour mon grade, surtout s'ils reviennent accompagnés de leurs sponsors !

— Calmez-vous, plaida la jeune femme. Il y a une bonne centaine de chimpanzés, et ils sont très excités.

— Je vais leur en donner pour leur comptant de bananes ! lança Dieter avec un rire déplaisant. J'ai quelques bonnes cartouches de gaz lacrymogène en réserve. Suivez-moi, vous aurez intérêt à mettre les masques qui vont avec.»

Sa colère laissait transparaître une excitation de mauvais aloi, comme s'il se réjouissait de cet affrontement trop longtemps différé.

Une fois dans la casemate préfabriquée abritant l'arsenal, il ouvrit une caisse pour y prélever une demi-douzaine de ces grenades anti-émeute destinées à être propulsées au moyen d'un fusil. Puis il distribua des masques protecteurs en caoutchouc noir. Tracy nota qu'ils provenaient des surplus de l'armée soviétique et dataient d'une dizaine d'années.

« On y va, ordonna Maus en distribuant les grenades, visez la base de la pyramide, le gaz s'élèvera vers le sommet. Vous allez les voir s'enfuir comme s'ils avaient le feu au cul. »

Dès que, ainsi équipés, ils s'avancèrent au seuil de la casemate, les chimpanzés flairèrent le danger. Une grande agitation s'empara d'eux et ils entreprirent de déféquer dans leurs mains pour bombarder les humains au moyen de ces excréments. Une averse de matières fécales s'abattit sur Tracy et ses compagnons. Les masques, s'ils filtraient les particules irritantes, laissaient passer les odeurs, et la jeune femme fut suffoquée par les effluves nauséabonds qui la submergeaient. En réponse à cette déclaration de guerre, Dieter ouvrit le feu. La grenade explosa en heurtant le flanc incliné de la pyramide. Un nuage blanc s'éleva aussitôt, enveloppant les singes qui se mirent à hurler de terreur. Leur odorat cent fois plus sensible que celui des humains souffrait en proportion de l'agression subie. Quelques-uns, perdant l'équilibre, roulèrent le long de la pente en se griffant le museau jusqu'au sang. Ceux qui ne se rompaient pas le cou en heurtant le sol couraient en tous sens, aveugles, et se cognaient aux murs, aux rochers, avant de tomber assommés, le crâne fendu. Ne comprenant pas ce qui leur arrivait, d'autres perdaient la tête et se jetaient sur leurs voisins pour les mettre en pièces, les croyant responsables de leurs souffrances.

Dieter houspilla Tracy et ses compagnons qui hésitaient à faire feu. Diolo obtempéra, suivi d'Edmund. Le brouillard de gaz devint si épais que la pyramide disparut au sein d'un nuage d'où montaient des hurlements insupportables.

Tracy faillit céder à la panique lorsqu'un singe jaillit des volutes blanches et courut droit sur elle. Sa face n'était plus qu'une plaie vive, il s'était arraché les yeux et les narines. Dieter l'abattit d'un coup de revolver. La bestiole s'effondra, aspergeant de sang le pantalon de la jeune femme.

Des silhouettes couraient au ras du sol, dans toutes les directions. Quand les gaz se dissipèrent sous l'effet du vent, dix minutes plus tard, la pyramide avait été désertée; seules s'entassaient, à sa base, les dépouilles des bêtes qui s'étaient brisé l'échine en tombant du sommet.

«Ne retirez pas encore vos masques, fit Dieter. C'est un produit top niveau que les Russkofs ont testé en Afghanistan. J'ai eu le lot pour un bon prix.»

Tracy grimaça, la peau de ses mains et de ses bras la démangeait violemment sous l'effet de l'agent urticant.

Ils attendirent une demi-heure, au terme de laquelle Maus mesura la concentration du gaz dans l'air au moyen d'un testeur. Satisfait de ce qu'il lisait sur le cadran, il leur permit de se défaire des encombrantes protections sous lesquelles ils transpiraient à grosses gouttes.

«Va falloir enterrer ces carcasses, fit observer Diolo avec une mimique navrée, sinon ça va puer à en dégobiller tripes et boyaux. On peut même pas les récupérer pour la cuisine, sont imbibées de poison.

— On va s'y mettre tout de suite, lâcha Dieter. Avec cette chaleur la décomposition ne se fera pas attendre. Il y a des pelles et des pioches dans cet appentis, creusez profond, ça empêchera les hyènes d'y fourrer le museau.»

Ils obéirent. Un malaise palpable s'était installé. Edmund ne cessait d'adresser à Tracy des regards lourds de complicité, comme s'il suggérait à la jeune femme d'assommer l'Allemand à coups de pelle pendant qu'il leur tournait le dos. Tracy ne pouvait s'y résoudre, et cela même si le comportement de la sentinelle lui inspirait les plus grandes réserves.

Ils creusèrent donc une fosse au fond de laquelle ils firent basculer les carcasses. La plupart présentaient d'horribles éraflures faciales. Plusieurs bêtes étaient même allées jusqu'à s'énucléer. Une mousse rosâtre leur engluait les babines. Tracy en déduisit que le gaz utilisé n'était pas seulement lacrymogène, il provoquait de sérieuses lésions des voies respiratoires.

«Bon, on s'en est bien tirés, proclama Dieter. Le problème c'est qu'on ne dispose plus que de trois bonbonnes, on ne pourra pas réitérer cet exploit indéfiniment. Espérons que ça leur serve de leçon.»

Les poings sur les hanches, il se campa au pied de la pyramide, la tête levée vers le sommet.

«C'est pas tout ça, grogna-t-il, ces salopards ont chié partout. Va falloir me nettoyer ces traînées avant le retour des patrons. Manquerait plus qu'ils découvrent leur neuvième merveille du monde transformée en chiottes publiques!»

En énonçant ce programme, il se tourna vers ses «invités», leur signifiant que le travail leur incombait.

«Ne craignez rien, assura-t-il, je vais rester en bas pour assurer votre sécurité au cas où les singes tenteraient un retour en force. Vous trouverez des balais, des brosses et des produits nettoyants dans l'appentis.»

Résignée, Tracy prit la direction indiquée. Elle devinait que Dieter s'amusait à tester leur docilité. Ce petit jeu du maître et de l'esclave semblait le ravir, peut-être parce qu'il avait souffert de devoir lui-même obéir aux caprices des archéologues? Leur condescendance l'avait-elle exaspéré? Ayant eu à pâtir du mépris des officiers et des médecins-majors, elle savait à quel point cela pouvait éveiller une haine sournoise et des pulsions de vengeance.

Diolo et Edmund lui emboîtèrent le pas, ce dernier de mauvaise grâce. S'étant munis des instruments de purification adéquats, ils entamèrent l'escalade de la paroi. Ils s'aperçurent bientôt que l'exercice n'avait rien d'aisé, car la plupart des pierres, descellées par le temps et les intempéries, avaient tendance à rouler sous leurs pas. Tracy, qui avait pris la tête de la «cordée», faillit dévisser à trois reprises. Leur travail équivalait à lessiver le pont d'un navire incliné à quarante-cinq degrés; le moindre faux mouvement pouvait les déséquilibrer et les condamner à dévaler la pente en se brisant les os sur les arêtes des blocs.

Le soleil les matraquait de ses rayons, leur cuisant la peau au travers des vêtements. Courbés, privés d'une bonne assise, ils ne pouvaient travailler efficacement. La chaleur avivait la pestilence des excréments, leur donnant la nausée.

« C'est ce qu'on appelle une sacrée corvée de chiottes ! », ricana amèrement Edmund.

Au bout d'une heure, ils avaient à peine nettoyé le tiers de la surface souillée sur laquelle ils restaient collés comme des mouches.

Enfin, Tracy atteignit le sommet, cette pointe que les anciens Égyptiens appelaient « pyramidion », et qu'ils recouvraient d'un placage d'or pur. Ici, la pointe était brisée, elle formait une petite terrasse d'environ deux mètres carrés. Elle avait servi de trône au mâle dominant mais aussi de latrines. La jeune femme sentit le découragement s'emparer d'elle. La situation devenait ubuesque. Debout au milieu des étrons rissolant au soleil, elle laissa courir son regard sur le paysage qui l'entourait. Son attention fut attirée par un mouvement, à la lisière du site de fouilles. Des quadrupèdes s'agitaient dans les fourrés. Des hyènes. Elles étaient trois et travaillaient des pattes pour dégager un objet enfoui dans l'humus. Tracy plissa les paupières. Elle avait toujours joui d'une excellente vue, au point que les autorités militaires avaient pensé l'affecter aux services de reconnaissance terrestre.

L'une des bêtes s'arc-bouta sur ses pattes postérieures et entreprit de sortir quelque chose du sol. C'était filandreux, blanc... de la ficelle? Tout à coup, Tracy comprit qu'il s'agissait d'une chevelure, et que cette chevelure était rattachée à une tête. La hyène venait de déterrer un cadavre.

La jeune femme s'empressa de détourner les yeux. Ayant peur de comprendre ce que cela signifiait, elle se garda de donner l'alerte et s'absorba dans son travail.

À midi, Dieter leur permit de descendre pour se restaurer. Il paraissait satisfait de la besogne abattue.

«Vous pouvez vous reposer jusqu'à trois heures, décréta-t-il, ensuite vous attaquerez la deuxième face.»

Une fois encore, ils durent se contenter de purée lyophilisée, et de ces lanières de viande séchée dont on fait grande consommation dans les États du sud de l'Amérique.

Puis l'Allemand annonça qu'il allait faire la sieste, et leur conseilla de l'imiter. Tracy savait qu'en réalité il allait fumer quelques pipes d'opium, et serait mentalement absent plusieurs heures. Dès que l'odeur douceâtre de la pâte de pavot lui vint aux narines, elle informa ses compagnons de ce qu'elle avait surpris du haut de la pyramide.

«Il faut aller jeter un coup d'œil, chuchota-t-elle. Je suis sûre que c'était le cadavre d'une femme blanche. Une femme aux cheveux blancs... ou très blonds.

— Vous voulez dire une Suédoise? murmura Edmund. Comme l'archéologue dont vous avez volé le carnet...

— Possible.

323

— Alors elle est morte, conclut Diolo. Pourquoi il nous l'a pas dit? Elle a sans doute été tuée par les singes. C'est pour ça qu'il leur fait la guerre.»

Tracy ne releva pas. Une autre idée la taraudait. Une idée déplaisante.

«Il faut profiter de ce qu'il est dans les vapes, insista-t-elle. On doit en avoir le cœur net.

— D'accord, fit Edmund, prenez une pelle et allons jeter un coup d'œil. Il est grand temps que nous sachions à quoi nous en tenir.»

Ils attendirent encore une vingtaine de minutes pour donner aux vapeurs d'opium le temps de faire leur office, puis gagnèrent l'emplacement repéré par Tracy. Ils progressaient lentement, en raison des pièges-à-homme disséminés sur le périmètre du site. Ils appréhendaient également de se trouver nez à nez avec une harde de hyènes qui sont, comme on le sait, des prédateurs d'une extrême férocité. Au moment où ils pensaient s'être égarés, ils butèrent sur le corps à demi-déterré. C'était bien celui d'une femme. Les charognards lui avaient arraché le bras gauche ainsi qu'une partie de la cuisse droite. Elle était morte depuis peu. Tracy avait vu assez de cadavres pour savoir que le décès ne remontait pas à plus d'une dizaine de jours.

«Elle n'a pas été tuée par les singes, constata Diolo. Regarde, Memsahib, elle a un trou dans le front. On lui a tiré une balle dans la tête.

— Merde! souffla Edmund, elle a été exécutée.

— Je crois qu'elle n'est pas la seule dans ce cas, murmura Tracy. Si nous creusons tout autour nous allons avoir d'autres mauvaises surprises.»

Diolo s'empara de la pelle et se mit à retourner l'humus, provoquant la fuite de centaines d'insectes. Dix minutes plus tard, il avait mis au jour les corps de trois hommes d'âges divers. Tous avaient été abattus d'une balle entre les deux yeux.

«On les a tués pendant qu'ils dormaient, souligna Tracy. Regardez. Ils sont en pyjama. On les a probablement drogués afin de pouvoir les abattre sans problème. Celui qui a fait ça tenait à ce qu'aucun ne lui échappe.

— Pourquoi dire «Il»? siffla Edmund, vous savez très bien qui est l'assassin! C'est Dieter. Ses foutus archéologues ne se sont jamais envolés pour Kinshasa, il les a flingués avant.

— Mais pourquoi? s'étonna Diolo.

— Parce qu'il a découvert qu'ils comptaient l'abandonner ici, murmura Tracy. Il s'est senti trahi... et il a décidé de les punir.

— Il n'y a jamais eu d'hélicoptère, ragea Hofcraft. Voilà pourquoi le poste émetteur était cassé. C'est Dieter qui l'a bousillé, pas les singes. Il ne voulait pas que ses patrons puissent organiser leur fuite. C'est bien ce que je disais : personne ne va venir à notre secours. Tout le monde ignore ce qui est arrivé à l'équipe scientifique.

— Ne restons pas là, décida la jeune femme. Recouvrons les corps et rentrons au camp avant qu'il n'émerge de sa séance de fumette.»

Ils se dépêchèrent de regagner le site. Ils savaient désormais quel danger les guettait. Dieter Maus avait décidé de faire d'eux ses bouffons, ses esclaves. Il leur laisserait la vie sauve tant qu'ils accepteraient de meubler sa solitude en se pliant à ses caprices.

«Faut le tuer tout de suite, suggéra Diolo. Attendre c'est trop risqué. Il finira pas se douter qu'on sait...

— Nous sommes armés, fit observer Tracy. Et à trois contre un.

— En théorie, grinça Edmund. Mais il peut très bien nous droguer, comme il a fait avec les archéologues. Une bonne rasade de somnifère dans la soupe, et hop, le tour est joué. Il n'a plus qu'à nous tirer une balle dans la tête pendant qu'on roupille. Vous avez pensé à ça?

— Les archéologues, ils étaient quatre contre lui, et ça n'a rien changé...» souligna Diolo.

La jeune femme grimaça. Devait-on considérer cela comme un crime de sang-froid ou de la légitime défense préventive?

Une chose était certaine, ils ne pouvaient pas rester ici, en compagnie d'un ex-mercenaire mentalement détraqué.

«Je ne sais pas... avoua-t-elle.

— Si tu veux, proposa Diolo, j'y vais maintenant et je lui fous une balle dans la caboche. C'est un mauvais homme. En plus, il nous affaiblit... Bientôt on n'aura plus assez de force pour se défendre. Je suis sûr qu'il mange à sa faim, lui, en cachette, et qu'il cache des provisions dans sa tente.

— Je ne sais pas, répéta Tracy. J'aurais préféré une autre solution. Donnons-nous le temps de réfléchir.

— C'est de la connerie! s'emporta Edmund. Il faut...

— Il faut quoi?» fit la voix de Dieter Maus derrière eux.

La surprise les pétrifia. Aucun d'eux n'avait prévu que l'Allemand émergerait aussi vite du coma. Tracy se demanda s'ils n'étaient pas tombés dans un piège. Dieter s'était-il douté de quelque chose? Avait-il joué la comédie?

«Quand j'étais en haut de la pyramide, songeat-elle, j'ai regardé trop longtemps du côté des tombes... Il s'en est peut-être rendu compte.»

Elle réalisa que, contrairement à Dieter Maus, aucun d'eux n'était présentement armé. Ils avaient abandonné les pistolets-mitrailleurs à l'entrée de la tente, et trois mètres les en séparaient. Maus, lui, tenait son fusil au creux du coude. Il n'aurait qu'à relever le canon pour les prendre dans sa ligne de mire. Il souriait. Avait-il écouté leurs propos?

Elle fut atterrée de constater à quel point ils subissaient son emprise. Même Diolo avait viré au gris.

«Je crois que nous nous sommes assez reposés, non? lança la sentinelle. Je pense qu'il est grand temps de reprendre le nettoyage. Jusqu'à présent vous vous en êtes bien tirés, j'espère que vous allez continuer.»

Tout en parlant, il s'était déplacé de manière à leur interdire l'accès aux armes. Ils n'eurent d'autre solution que de récupérer brosses et seaux avant d'escalader la face ouest de la pyramide.

Tandis qu'elle récurait les pierres souillées, Tracy fut soudain gagnée par la conviction que

327

les choses s'étaient déroulées de façon similaire avec l'équipe scientifique. Ce n'était pas des singes que la seule femme de l'équipe avait eu peur, mais de Dieter Maus, l'homme chargé de leur sécurité et qui, peu à peu, s'était changé en tyran, leur imposant ses caprices, ses fantasmes. Ils avaient imaginé de lui échapper, mais la sentinelle avait éventé le complot. Après avoir saboté le camion, il avait saccagé la radio, afin que ses souffre-douleur ne puissent réclamer des secours.

À quoi devait-elle s'attendre? Combien de temps avant que Maus n'exige qu'elle partage son lit?

Instinctivement, elle regarda par-dessus son épaule, en direction du sol, et tressaillit.

En bas, Dieter était occupé à décharger leurs armes, enfouissant les balles dans les larges poches de sa saharienne.

Désormais, ils étaient à sa merci.

24. It's a long way...

Dès lors, une curieuse entente tacite s'installa. Dieter Maus ne proféra aucune menace directe à l'égard de ses «invités»; quant à ces derniers, ils ne firent jamais allusion au massacre de leurs prédécesseurs. Si leurs armes ne leur furent pas confisquées, elles restèrent néanmoins sans utilité puisque vides. Devançant toute éventuelle protestation, Maus fit valoir qu'il était préférable d'agir ainsi car les singes auraient fort bien pu s'emparer des PM et, à force de manipulations, découvrir comment les utiliser.

Tracy fut tentée de ricaner à l'énoncé de ce scénario de science-fiction, mais choisit de s'en abstenir, sachant que Dieter se moquait ouvertement d'eux, voire les provoquait dans l'espoir d'un éclat qu'il se donnerait le plaisir de réprimer.

Désormais tout fut placé sous clef. Vivres, arsenal, citerne, réserve d'essence, chaque container fut cadenassé, Dieter étant l'unique maître des serrures. Les journées se déroulaient selon un rythme immuable : nettoyage de la pyramide et des monolithes, désherbage du site, tours de garde, corvée de lessive, repas, sieste, sommeil.

Tracy et ses compagnons durent se plier à cet emploi du temps absurde sans rechigner car, au moindre signe de mauvaise humeur, Dieter diminuait les rations d'eau et de nourriture. Il était toujours armé et sur le qui-vive. Depuis qu'il se savait démasqué, il avait renoncé à fumer de l'opium. Lorsqu'il se retirait dans sa tente, il en bouclait l'accès au moyen de robustes lanières.

«Les parois sont en Kevlar, avait-il précisé. Une matière remarquable. Un couteau ne parviendrait pas à les entamer. Encore moins les griffes ou les dents d'un chimpanzé.»

Il parlait des singes, mais personne n'était dupe. Tous avaient compris le message.

La malnutrition commençait sournoisement à les miner alors que l'Allemand affichait toujours une forme excellente.

« Qu'est-ce qu'il espère? s'emporta un soir Edmund. Il est lui-même prisonnier de ce campement... s'il en sortait, les indigènes le couperaient en morceaux.

— Il n'a pas l'intention d'en sortir, soupira Tracy. Il n'ira nulle part. Sa petite guerre contre les singes est une espèce de baroud d'honneur symbolique. Je crois qu'il espère mourir en les combattant... en guerrier.

— Comme les Vikings?

— Plus ou moins, oui. Si cela ne se produit pas, il tiendra le fort jusqu'à l'épuisement des réserves. C'est la mission qu'il s'est donnée.

— Et ensuite?

— Il nous exécutera, avant de tout faire sauter, le site, la pyramide, tout... Je l'imagine très bien, grimpant au sommet du monument avec un détonateur, pour commander la mise à feu depuis son perchoir.

— Genre Néron contemplant l'incendie de Rome?

— Il y a de ça, oui.

— Il est cinglé.

— Sans blague? »

Une nouvelle semaine s'écoula, épuisante et absurde. Tel un adjudant, Dieter contrôlait leur travail, ne lésinant pas sur les remontrances. Tout manquement se traduisait par une aggravation du rationnement.

Tracy n'avait plus assez d'énergie pour se rebeller. Elle ne songeait plus qu'à manger, boire et dormir.

Un après-midi, alors qu'elle se reposait à l'ombre d'un mur, Dieter vint s'asseoir à ses côtés et lui proposa une cigarette qu'elle refusa car le tabac lui aurait desséché la bouche et aggravé sa soif dévorante.

Après avoir énoncé un certain nombre de banalités, l'Allemand expira un long jet de fumée, et déclara :

« Ma chère, je me sens forcé d'évoquer un point qui peut-être vous inquiète, à savoir les exigences sexuelles que je pourrais vous imposer. Je vous rassure. Il y a longtemps que j'ai dépassé ce stade. Une vie de soudard, jalonnée de chaudes-pisses et de viols en réunion, a suffi à calmer en moi les ardeurs de la jeunesse. Ce genre de pulsion m'a quitté. Comme je vous l'ai déjà dit, j'arrive au bout du chemin. J'aspire à une mort digne. Pas question de finir dans un hôpital de brousse, des tuyaux plantés dans tous les orifices. L'Afrique m'a usé avant l'âge, comme tous les Blancs. J'aspire à un ultime affrontement, une belle bataille. J'aurais aimé mourir à Stalingrad, mais je n'étais pas encore né à cette époque, alors je dois faire avec ce dont je dispose.

— Et nous ? s'enquit la jeune femme. Quels sont vos projets en ce qui nous concerne ?

— Je n'en ai aucun. Je souhaite seulement que vous restiez à mes côtés jusqu'à la fin car je ne tiens pas à mourir seul. Il est probable que les singes vous massacreront, comme moi. Vous vous en doutez, bien sûr ?

— Pourquoi avez-vous assassiné les archéologues ?

— Ils auraient gâché ma mort. C'étaient des intellectuels peureux. Les chimpanzés et les indigènes les terrorisaient. Ils ne s'attendaient pas à ça. À peine arrivés, ils voulaient déjà repartir. Ils ont organisé leur fuite en cachette. Sales petits comploteurs merdeux. Ils projetaient de m'abandonner sur place, parce que leur foutu hélicoptère ne supportait pas de surcharge. De toute façon, je ne comptais pas rentrer avec eux, mais cette lâcheté m'a exaspéré. Elle méritait un châtiment. J'ai brisé la radio avant qu'ils aient pu s'en servir. J'ai saboté le camion. Alors ils sont devenus fous de terreur. La femme surtout. Leurs jérémiades m'étaient insupportables, je ne voulais pas mourir entouré de tels lâches. Je m'en suis débarrassé. Vous et vos compagnons savez vous tenir. C'est bien. Je suis satisfait. Nous aurons le plaisir de succomber côte à côte lors de l'ultime assaut. Ce sera notre apothéose. Un vrai finale d'opéra. J'ai apporté un enregistrement de la mort de Siegfried, je le diffuserai quand les singes passeront à l'attaque.»

Il soliloquait d'une voix à peine audible, s'interrompant pour exhaler la fumée de sa cigarette.

«Vous connaissez la célèbre strophe censée avoir été écrite par le barde Ossian? s'enquit Tracy. Elle pourrait vous servir d'épitaphe.

— Non, laquelle?

— Levez-vous, ô vents orageux d'Erin : mugissez, ouragans des bruyères : puissé-je mourir au milieu de la tempête, enlevé dans un nuage par les fantômes irrités des morts...»

Dieter laissa échapper un ricanement amer.

«Oui, ça me convient tout à fait, je l'admets. Je suis très kitsch par certains côtés. Ah! encore une chose, je vous ai menti. La nuit de votre arrivée je vous ai raconté que j'avais détesté la vie que j'avais menée au pied du volcan, dans l'enclave des soldats expatriés. C'est faux. J'ai adoré. J'en ai savouré chaque minute. Je n'ai qu'un regret, c'est que le grand rêve de reconquête ait avorté. J'aurais donné n'importe quoi pour y participer. C'est pourquoi j'ai sauté sur l'occasion qui m'était offerte de venir ici, pour mourir à quelques kilomètres du lieu où je suis né. Voilà, c'est tout ce que j'avais à vous dire. Soyez patiente, nous n'en avons plus pour longtemps. J'espère simplement que ces damnés singes nous en donneront pour notre argent.»

Il se releva, écrasa la cigarette sous la semelle de sa botte et s'éloigna. Sous les rayons du soleil déclinant, ses cheveux gris avaient des luisances d'acier.

Lorsque la nuit tomba et qu'ils se retrouvèrent dans leur tente, Tracy ne jugea pas utile de faire partager à ses compagnons les confidences de Maus. Pourquoi les décourager plus qu'ils n'étaient déjà?

Il y avait déjà un moment qu'ils avaient renoncé à échafauder des plans de fuite, tous plus absurdes les uns que les autres. D'ailleurs, vu leur état physique, ils se voyaient mal bataillant dans la jungle pour s'ouvrir un chemin à travers la végétation!

Une nouvelle semaine s'écoula, sans que rien ne se passe. Les chimpanzés avaient déserté la ceinture d'arbres encerclant le site, comme si l'épreuve du gazage avait eu raison de leurs désirs de reconquête. Dieter donnait des signes d'impatience. Il finit par ordonner à Tracy, Edmund et Diolo de cesser de s'agiter et de reprendre des forces en prévision de l'affrontement final. Dans sa mansuétude, il alla jusqu'à augmenter leurs rations. Le reste du temps, il demeurait planté à la lisière du périmètre, ses jumelles rivées aux orbites, à scruter la jungle.

«Ce n'est pas forcément bon signe, soliloqua la jeune femme. S'il s'ennuie trop, il peut décider de tout faire sauter.

— Si ça se trouve, hasarda Diolo, il a peut-être déjà placé des charges de Semtex un peu partout. On est assis dessus et on le sait même pas.»

Tracy y avait déjà pensé. Cela n'avait rien d'absurde et ç'aurait été tout à fait dans le style grandiloquent de Maus.

L'affaire se dénoua un matin, et de la manière la plus étrange qui soit. Alors que la jeune femme sortait uriner, elle vit un singe se faufiler hors de la tente de Dieter. C'était un grand mâle vieillissant, couturé de cicatrices, au poil gris. Sans conteste un mâle alpha, l'équivalent chez les siens d'un seigneur de guerre.

Avisant Tracy, il se figea, les mains en appui sur le sol. Celle-ci, se rappelant les conseils de Diolo, s'agenouilla, baissa la tête et présenta ses paumes vides en un geste d'offrande. Le chimpanzé fit volte-face et disparut dans la forêt.

Le cœur battant, Tracy se redressa. Elle avait cru l'espace d'une seconde que le singe allait se jeter sur elle pour la mettre en pièces. D'un pas tremblant, elle gagna la tente de l'Allemand. Elle nota qu'on avait défait les boucles des lanières situées au plus près du sol de manière à ouvrir un passage assez large pour un enfant. Un enfant... ou un chimpanzé.

« Dieter ? appela-t-elle, vous êtes là ? »

N'obtenant pas de réponse, elle se mit à plat ventre et rampa dans l'ouverture ménagée par le précédent visiteur.

Dieter reposait sur son lit de camp. Le nécessaire à opium à portée de main. Son cou formait un angle bizarre avec le reste de son corps. Nul n'était besoin d'être médecin légiste pour comprendre que le singe avait profité de son sommeil pour lui briser la nuque. Une bien étrange fin pour quelqu'un qui rêvait de mourir les armes à la main.

Se détournant, Tracy courut prévenir ses compagnons. Ils éprouvèrent quelque difficulté à se persuader de la réalité de la nouvelle. Ce n'est qu'une fois en présence du cadavre qu'ils admirent que la jeune femme ne délirait pas.

« Un singe ? hoqueta Edmund. Un singe lui a réglé son compte ? C'est trop énorme !

— Non, intervint Diolo. Ces animaux, ils sont malins. Le coup du gaz leur a fait comprendre qu'une attaque en groupe causerait beaucoup de victimes... alors ils ont choisi une autre façon. »

Tracy ne partageait pas leur enthousiasme car à peine étaient-ils débarrassés de Dieter qu'un nouveau danger se profilait.

«Vous ne comprenez pas? s'irrita-t-elle. À présent qu'il est mort les chimpanzés vont reprendre possession du site. Il faut que nous partions avant leur arrivée si nous ne voulons pas qu'ils nous lynchent. Dieter leur faisait peur, pas nous.

— D'accord, aboya Edmund Hofcraft, mais de quelle façon? Vous croyez qu'il va nous pousser des ailes?

— Je ne sais pas, mais on pourrait commencer par fouiller sa tente et récupérer les clefs des cadenas qui nous empêchent d'avoir accès à l'eau et à la nourriture. Ce serait un début, non?»

Une fois dans la tente de Maus, sans plus s'occuper du corps, ils forcèrent les diverses cantines qui s'entassaient là. Elles contenaient, outre des documents personnels, diverses armes de poing, des grenades offensives, un sabre-baïonnette, ainsi qu'une quantité non négligeable d'excitants, d'hallucinogènes et de calmants. La pharmacie débordait de remèdes contre la malaria et la dysenterie. Diolo mit la main sur six faux passeports établis à des noms différents. Les photos montraient un Dieter beaucoup plus jeune, au sourire arrogant. Edmund dénicha trente mille dollars en coupures de cinquante, et différentes barrettes ou galons d'officier entassés en vrac dans un sachet transparent. Six écrins au velours passé contenaient des décorations extravagantes aux armes d'éphémères républiques africaines. Dieter ne semblait pas y avoir accordé une grande importance car elles étaient aussi rayées qu'une vieille casserole.

«Ecce homo, grogna Edmund. Merde! c'est déprimant.

— J'ai le trousseau de clefs ! triompha Tracy. Regardez !

— Au moins on mourra le ventre plein », conclut Hofcraft.

Une fois dehors, ils déverrouillèrent tous les containers dans l'espoir d'y découvrir un moyen de transport ou de communication, mais ils ne recélaient que du matériel archéologique de pointe, des caisses de nourriture, des jerricans de carburant, des projecteurs, des tentes, des filets de protection, des vêtements, ainsi que des armes alignées sur des râteliers. Aucune pièce de rechange pour le camion, et pas davantage d'émetteur-récepteur.

Déçus, ils se jetèrent sur les conserves dont ils dévorèrent le contenu sans prendre la peine de le réchauffer. Leurs estomacs rétrécis par le jeûne ne tardèrent pas à protester. Tracy vomit, imitée par Edmund. Seul Diolo continua à manger sans être incommodé.

Alors qu'elle se rinçait la bouche, la jeune femme fut traversée par une brusque révélation.

« Attendez ! hoqueta-t-elle. Le trousseau...

— Oui ? bredouilla Edmund, nauséeux. Quoi ?

— On a utilisé toutes les clefs sauf une. Celle-ci...

— Et alors ? Ce doit être celle du camion saboté.

— C'est ce que j'ai d'abord cru... mais non. J'ai déjà vu ce genre de clef de contact. C'est celle d'un véhicule militaire moderne. Un Hummer. Vous ne comprenez pas ?

— Non.

— C'est probablement le véhicule personnel de Dieter. Il est quelque part, bien planqué. Il tenait à nous faire croire que nous n'avions aucun moyen de ficher le camp, mais c'est faux. Il faut chercher. Ce truc doit être dissimulé à la lisière du site, dans la jungle, et entouré de pièges. »

Ils passèrent la moitié de la journée à explorer le périmètre du site. Ils procédaient avec un grand luxe de précautions, sondant le tapis de débris végétaux avant d'y poser le pied. C'est ainsi qu'ils déclenchèrent deux pièges dont les mâchoires rouillées leur claquèrent au nez, les faisant bondir en arrière.

« La prochaine fois je fais un infarctus ! » grogna Edmund.

La fatigue émoussait leur vigilance. Ayant quitté les limites de l'antique cité, ils n'étaient plus protégés par le tabou frappant les lieux, cela impliquait que les indigènes pouvaient les attaquer à tout moment.

Ils découvrirent enfin ce qu'ils cherchaient avec l'énergie du désespoir : une forme rectangulaire enfouie sous une toile de camouflage ancrée au sol par des piquets, et quasi indiscernable dans le fouillis végétal bigarré qui l'enveloppait. Diolo sectionna les câbles et troussa la toile, démasquant un Hummer customisé dont on avait renforcé les flancs avec des plaques de blindages, et équipé de trois mitrailleuses : une à l'avant, la deuxième sur le toit, la troisième à l'arrière. Toutes, montées sur pivot électrique, pouvaient être commandées depuis le tableau de bord. Les vitres, épaisses de quatre centimètres, étaient à l'épreuve des balles. Le plein était fait, deux jerricans et une cantine de vivres occupaient l'arrière.

«On est sauvés, haleta Edmund. C'est du neuf, du solide, ce machin ne nous lâchera pas comme le half-track des nazis.

— Sans doute, approuva Tracy, à condition qu'on ne se perde pas en route.»

Un froissement de branches les ramena à la réalité. Ils grimpèrent dans le véhicule dont ils verrouillèrent les portières. La jeune femme glissa la clef dans le contact. Le moteur répondit à la première sollicitation. Cramponnée au volant, elle mit le cap sur la pyramide et franchit le périmètre de sécurité. Ils étaient de nouveau en territoire tabou... du moins jusqu'à ce que les singes ne les en exproprient.

«On n'a pas beaucoup de temps, fit valoir Diolo. Faut pas traîner.

— Il a raison, approuva Edmund. Pas la peine d'emporter quoi que ce soit.

— Si, des fusils, insista Tracy. Si ce machin nous lâche en pleine jungle, il faudra continuer à pied. Des fusils et des gourdes.

— J'ai trouvé une carte! lança Diolo. Y'a l'emplacement de la pyramide, celle du fleuve et aussi la mission du prêtre belge.

— Montre ça!» ordonna Edmund en lui arrachant le plan des mains.

Il exhala un cri de triomphe lorsqu'il constata que le document était truffé de coordonnées géographiques. Il permettrait, en se référant à la boussole du tableau de bord, de gagner la rive du fleuve.

Ils eurent à peine le temps de prendre trois fusils et quelques boîtes de cartouches, déjà les chimpanzés dégringolaient des arbres pour courir sus à la pyramide dont ils escaladaient les flancs avec leur agilité coutumière. Tracy, penchée à la portière, crut reconnaître, dressé au sommet de l'édifice, le vieux mâle à poil gris qu'elle avait croisé le matin. En appui sur ses poings calleux, l'assassin de Dieter Maus la fixait comme pour lui faire comprendre que sa patience avait des limites, et qu'il ne retiendrait pas ses troupes plus longtemps que nécessaire.

Dès que Diolo et Edmund eurent regagné le Hummer, elle mit le contact et engagea le blindé sur l'embryon de piste qui serpentait à travers la jungle.

Sitôt la pyramide hors de vue, ils roulèrent prudemment pour ne pas risquer de tomber dans une ornière. Le Hummer encaissait les cahots, franchissait avec aisance la plupart des obstacles. Certes, les passagers étaient secoués comme des pierres dans un panier à salade, mais l'important était d'avancer dans la bonne direction. Edmund assumait les fonctions de navigateur. Ils ne firent aucune mauvaise rencontre, au grand désespoir de Diolo qui mourait d'envie d'utiliser les mitrailleuses.

Tracy fut la première à apercevoir la palissade de rondins entourant la mission. Tout de suite, elle comprit qu'ils allaient au-devant d'une mauvaise surprise. Le clocher de la petite chapelle était en partie effondré. La grande croix de bois qui le surmontait avait disparu.

« Il y a eu du vilain, grogna Edmund. Tenez-vous prêts à repousser un assaut... Ces salopards sont peut-être encore là. »

Tracy engagea le blindé dans une trouée de la palissade. La plupart des bâtiments avaient été saccagés ou incendiés, les instruments du culte entassés au milieu de la cour. Ciboire, étoles, bible, livres de cantiques et missels ne formaient plus qu'un amas de détritus.

Mais le plus atroce, c'était la puanteur des cadavres abandonnés à la voracité des charognards. Tous les fidèles du père Van Boekke gisaient dans la boue rougeâtre, égorgés, certains ayant subi des mutilations sexuelles. Parfaitement alignés, trois pieux supportaient les têtes tranchées du prêtre et des deux religieuses, Marieke et Freya. Par respect ou dérision, les assassins avaient poussé le souci de la mise en scène jusqu'à coiffer Joos Van Boekke de son inséparable casque colonial immaculé.

Le premier réflexe de Tracy fut de chercher le corps de Russel. Sautant du Hummer, elle s'élança à travers les décombres. Elle courait en zigzags, allant d'un enchevêtrement de cadavres à un autre. Quand elle eut fait le tour du fortin, elle s'immobilisa.

« Il n'est pas là…, haleta-t-elle.

— C'est un coup des sorciers, murmura Diolo. Z'ont fait fumer du chanvre à leurs hommes pour les rendre fous, puis ils les ont lâchés sur la mission. Font toujours comme ça. Je sais. Quand je vivais ici, des hommes sont venus dans mon village, m'ont ordonné de faire pareil. J'ai dit non, alors z'ont voulu me tuer… C'est pour ça que j'ai déménagé au Kenya. De grands malheurs se préparent ici… Ça, c'est juste un début…

— Le coin est malsain, fit valoir Edmund. Mieux vaut ne pas traîner. Nous ne sommes que trois, et si ces gugusses sont drogués à mort, nos armes ne les feront pas reculer.

— On ne peut pas abandonner Russel! hurla Tracy.

— Je suis d'accord sur le principe, admit Hofcraft, mais où est-il? Vous en avez une idée? On ne va pas battre les fourrés à sa recherche. Vous voulez finir comme ces pauvres femmes?»

De la main, il désigna les têtes de Marieke et de Freya, auxquelles les oiseaux picoraient les yeux.

«Montez! ordonna-t-il, vous nous mettez en danger. Vous avez fait la guerre, merde! vous savez bien qu'on ne peut pas sacrifier une compagnie pour sauver un seul homme.»

Tracy tituba, il avait raison, elle l'admettait mais ne pouvait se résoudre à lever le camp.

Soudain, un craquement se fit entendre sur sa gauche. Diolo épaula son fusil, prêt à ouvrir le feu. Un homme entièrement nu sortit des broussailles en récitant le manuel d'entretien du fusil à éléphant Holland & Holland. C'était Russel. Il souriait et agitait les mains comme un enfant. Les apercevant, il éclata de rire et amorça ce qui ressemblait à une gigue écossaise.

«C'est le poison de la flèche, murmura Diolo. Ça ne l'a pas tué mais ça l'a rendu fou... C'est courant. C'est pour ça qu'il n'a pas été massacré.

— Quoi? aboya Tracy à bout de nerfs.

— Il est fou... Chez nous on ne tue pas les fous, c'est tabou. Les guerriers ont eu peur de lui, ils l'ont épargné.

—Votre boy a raison, intervint Edmund. Les négros respectent la folie. Ils vénèrent les simples d'esprit… quand on sait ça on ne s'étonne plus que leur pays n'ait pas évolué depuis l'âge de pierre !

— Taisez-vous ! » hurla la jeune femme en s'avançant à la rencontre de Russel.

Il ne parut pas la reconnaître. Il continuait à rire, d'un rire de gosse, suraigu. Il était barbouillé de sang et de cendre mais ne souffrait d'aucune blessure. Tout à coup, il désigna les corps entassés sur le sol et dit :

« Ils dorment… J'ai pas réussi à les réveiller. Ils veulent pas danser avec moi. C'est pas drôle de faire la fête tout seul. »

La gorge nouée, refoulant ses larmes, Tracy le prit par la main et le guida vers le Hummer.

« Ah ! oui ! s'enthousiasma Russel. Un tour en voiture ! Allez, hop ! On dansera plus tard. »

Il se laissa tomber sur l'un des sièges, sans avoir conscience de sa nudité, et se mit à siffloter le Lord Lovat's Lament. De temps à autre, il s'interrompait pour se gratter vigoureusement les testicules. Tracy réalisa qu'il avait le scrotum couvert de tiques.

« D'accord, maugréa Edmund, ça va être commode de passer inaperçu avec un pareil énergumène. »

25. La maison jaune

Deux jours plus tard ils émergeaient de la jungle et rejoignaient l'une des routes carrossables ouvertes à l'époque de Stanley. Le Hummer rencontrait un grand succès auprès des populations locales. Les enfants le suivaient en poussant des cris de joie et suppliaient qu'on les prenne à bord.

«Il faudra l'abandonner dès qu'on arrivera en vue de Vivi, décida Edmund, sinon on n'aura aucune chance de faire profil bas.»

Pendant toute la durée du trajet Tracy n'avait cessé de surveiller Russel, qui avait fâcheusement tendance à sortir du véhicule pour s'en aller baguenauder dans la brousse. Le convaincre d'enfiler des vêtements n'avait pas été une mince affaire. Dès qu'on avait le dos tourné, il se déshabillait. Sa mine réjouie, ses éclats de rire incompréhensibles avaient quelque chose de pathétique.

«Est-ce qu'il va rester comme ça?» avait demandé Tracy en s'adressant à Diolo.

Le pisteur avait esquissé un geste fataliste avant de laisser tomber:

«Sais pas, Memsahib. C'est possible. Avec les poisons qui attaquent la cervelle on n'est sûrs de rien, n'est-ce pas? Peut-être ça va empirer, peut-être ça ira mieux. Bwana Russel, il est costaud du corps, mais la tête, ça n'a jamais été son point fort, hein?»

Il ponctua sa tirade d'un rire d'excuse, aigu, qui ne contribua nullement à rassurer la jeune femme.

Trois heures plus tard, ils durent se résoudre à abandonner le Hummer dans un bosquet de kapokiers.

«Les fusils, on peut les conserver, décida Edmund, ici tout le monde se promène armé jusqu'aux dents, ça n'étonnera personne. On va attendre la nuit pour se faufiler dans la ville. En plein jour c'est trop risqué. Je ne passe pas inaperçu et je serais tout de suite repéré.»

Ils occupèrent les heures qui les séparaient encore du crépuscule à étudier le plan sommaire que Edmund Hofcraft avait tracé sur un morceau de papier.

«La villa porte le nom de Maison jaune, allez savoir pourquoi! Il paraît que c'est un ancien bordel jadis fréquenté par les fonctionnaires coloniaux au temps où la Belgique régnait sur le Congo. C'est un grand machin blanc, avec une véranda entourée de bougainvillées. Ce sera notre point de ralliement au cas où nous serions séparés. Vous n'aurez qu'à demander la Maison jaune, tout le monde connaît.»

Ces précautions se révélèrent inutiles car rien de fâcheux ne se mit en travers de leur route. Le seul problème que Tracy dut affronter fut celui posé par les éclats de rire incoercibles de Russel qui se manifestaient toutes les dix minutes, sans raison apparente.

Aucune mauvaise surprise ne les attendait dans la maison close à l'ameublement rococo, où s'obstinaient à flotter les relents d'un parfum aussi lourd que vulgaire.

« Il y a un tas de chambres, comme vous vous en doutez, annonça Edmund après avoir verrouillé portes et fenêtres. Choisissez celles qui vous conviennent. Je vous préviens, le décor en est spécial, mais on finit par s'y habituer. »

À partir de cet instant, Tracy, Diolo et Russel se trouvèrent rétrogradés au stade de figurants. Dès le lendemain, il leur apparut qu'Edmund Hofcraft entendait bien occuper le devant de la scène. Il avait suffi d'une nuit et d'un costume neuf pour qu'il réintègre son rôle de capitaine d'industrie. Il fit comprendre à Diolo qu'en l'absence de domestique, il serait désormais le boy de la maison et que, pour ce faire, il lui faudrait se vêtir correctement afin de cacher les disgracieuses scarifications tribales qui lui zébraient la poitrine.

Puis, ayant édicté ces règles, il s'enferma dans son bureau pour passer d'interminables et mystérieuses communications téléphoniques.

Alors que Tracy et Diolo se trouvaient seuls dans la cuisine, ce dernier posa l'assiette qu'il était en train d'essuyer, et déclara d'une voix feutrée :

« Tu sais, Memsahib, j'ai bien aimé travailler avec toi et Bwana Russel. Mais c'est fini. Vous allez retourner dans votre pays, et je ne vous accompagnerai pas. Je vais rester ici, parce qu'il va se passer de grandes choses au Congo, et que je veux en être... Sûrement ce sera terrible, sûrement il y aura beaucoup de larmes et de sang, mais je crois que je peux faire quelque chose pour améliorer. Tu vois ? Les Blancs, ils rêvent, mais ils ne sont plus ici pour longtemps... C'est pour ça que c'est mieux que tu partes. Ne reviens jamais. Il va y avoir un grand tumulte. Pas tout de suite, mais ça bouillonne comme l'eau dans la marmite. Alors je vais rester. Je veux voir ça avant de mourir.

— D'accord, chuchota la jeune femme. Je comprends. C'est mieux ainsi. Tu ne serais pas heureux aux États-Unis, d'ailleurs je ne suis pas certaine d'y être heureuse moi-même. Il y a si longtemps que j'en suis partie. Je vais me sentir comme une étrangère là-bas.

— Occupe-toi bien de Bwana Russel, fit Diolo en enveloppant de son torchon une assiette mouillée. Et puis, vis ta vie... Ta vraie vie. J'ai bien vu que tu n'étais pas heureuse avec Bwana Russel. Ton cœur il était ailleurs. Alors va où il t'entraîne.»

Par la suite ils n'abordèrent plus le sujet.

Les coups de fil d'Edmund portèrent leurs fruits. Une Land Rover vint se garer devant la maison. Des hommes aux allures de mercenaires en descendirent pour s'isoler avec leur hôte dans le bureau de l'ancienne mère maquerelle. Tracy supposa qu'ils s'agissaient de soldats de fortune engagés par Hofcraft.

On ne lui posa aucune question. Les soldats déguisés en touristes s'adressaient à elle poliment, mais avec ce soupçon de condescendance qu'on réserve aux domestiques. Sans doute la prenaient-ils pour la bonne à tout faire, voire pour une ex-pensionnaire du bordel ?

Un peu plus tard, quand Edmund se montra plus disponible, elle le pria de lui procurer des tranquillisants, afin d'être en mesure de calmer Russel qui souffrait de cette réclusion prolongée et se montrait de plus en plus agressif. Si la chose empirait, ses hurlements risquaient d'ameuter le voisinage.

Encore une fois, le problème fut résolu par les nervis d'Edmund qui, sans un mot, remirent à Tracy un coffret contenant trente ampoules d'un puissant psychotrope à usage militaire. L'effet fut rapide. À partir de la deuxième injection, Russel accepta de rester habillé et passa ses journées dans un fauteuil, à feuilleter le même antique numéro d'*Esquire* du matin au soir. Quand il avait atteint la dernière page, il revenait à la première, et ainsi de suite, sans se lasser. Tracy, peinée, se demanda s'il oubliait au fur et à mesure ce qu'il venait de lire. En tant qu'infirmière, elle n'ignorait pas que de telles drogues avaient pour effet secondaire de détruire la mémoire immédiate.

Enfin, un matin, Edmund vint lui annoncer qu'elle devait se tenir prête. Ils décollaient dans trois heures, à bord d'un avion frété à leur intention.

«Tout est arrangé, décréta-t-il. Mes petits gars ont pris les choses en main. Le problème est résolu.

— Par problème, releva Tracy, vous voulez dire Adriana?

— Pas encore, fit sèchement le vieil homme. Mais cela ne saurait tarder. Elle sera retirée du circuit. Cela se fera sans heurt, très proprement.

348

Il n'y aura pas de scandale. On fera courir le bruit qu'elle a été engagée par un laboratoire privé et qu'elle a dû partir pour l'Alaska. Cela n'étonnera personne. De toute manière elle n'a jamais été populaire.

— Mais que va-t-il lui arriver? insista Tracy.

— Désolé, ma chère, conclut Edmund. Mais vous n'êtes pas habilitée à connaître les dessous de cette affaire classée d'ores et déjà "secret de famille". Il est impératif que rien ne transpire. Les instances officielles ne doivent jamais avoir connaissance du fin mot de l'histoire. Pour les médias, le scénario sera le suivant : mon avion s'était écrasé dans la jungle, j'ai survécu comme un vrai Robinson Crusoé, vous m'avez retrouvé, vous êtes l'héroïne du jour. Bien sûr, les journalistes vont vous harceler. Vous refuserez les interviews. Votre attaché de presse annoncera que vous livrerez les détails de cette aventure dans un livre qui paraîtra prochainement. J'engagerai un quelconque plumitif qui nous pondra une belle histoire de survie dans la forêt. Il n'y sera jamais question du sous-marin, de la base secrète, ni de cette lamentable histoire de singes. De toute manière, la nouvelle de mon retour cessera d'exciter la presse au bout d'une semaine. Passé ce délai, tout rentrera dans l'ordre.»

Tracy en était moins sûre. Certes, elle n'avait fait qu'entrevoir Adriana Hofcraft, cela ne l'empêchait pas de s'inquiéter pour son sort. Edmund était cruel, impitoyable. De quelle manière comptait-il punir sa fille? Adriana serait-elle tout bonnement abattue? Ou bien croupirait-elle dans une geôle privée, une prison clandestine que son père ferait édifier à son intention, et dont elle ne ressortirait jamais ?

« Bouclez vos bagages, la pressa Edmund Hofcraft. Juste un sac de voyage et un nécessaire de toilette. À notre arrivée Russel et vous-même serez pris en charge par mes services. J'ai l'intention de vous verser une rente, à vie. Pas par générosité ou reconnaissance, non, pour acheter votre silence. Officiellement, vous serez rétribuée en tant qu'infirmière privée du patron. Il va de soi que ce titre sera purement honorifique. Nous nous verrons le moins possible. »

Alors qu'elle gagnait sa chambre, Tracy fut soudain la proie d'un doute affreux. Hofcraft n'était-il pas en train de la rouler dans la farine comme un bonimenteur de foire ? Et si, en réalité, il avait déjà décidé de les retirer de la circulation, Russel et elle ? N'en savait-elle pas trop ? Après tout, dans un moment de faiblesse, il lui avait avoué avoir assassiné sa femme, Sigrid... Ne regrettait-il pas, aujourd'hui, de s'être laissé aller à cette stupide confidence sous l'influence de la fièvre ? S'il pouvait faire disparaître Adriana en un claquement de doigts, pourquoi se priver d'appliquer la même sentence à des étrangers ?

Inquiète, elle entassa quelques sous-vêtements dans le premier sac qui lui tomba sous la main. Puis elle descendit administrer à Russel sa piqûre quotidienne. C'était le seul moyen de le rendre assez docile pour lui faire quitter la maison et grimper dans un avion en compagnie d'inconnus.

Un toussotement la fit sursauter. Edmund se tenait au seuil du salon, l'air embarrassé et vêtu comme un dandy.

«Je suis désolé, ma chère, fit-il, mais j'ai omis de vous communiquer une mauvaise nouvelle... Votre boy a fichu le camp sans même se donner la peine de vous faire ses adieux. Le bon côté de la chose, c'est qu'il n'a pas réclamé ses gages, c'est toujours ça de gagné. Il n'y a pas de petites économies, n'est-ce pas?»

Le plantant là, Tracy quitta la pièce pour explorer la maison, le jardin... mais Diolo demeura introuvable. Les mercenaires qui montaient la garde au seuil de la villa lui apprirent que le «Nègre» avait quitté les lieux très tôt le matin, un baluchon sur l'épaule. Il s'était éloigné sans un mot et avait disparu au coin de la rue. Comme ils n'avaient pas reçu d'ordre le concernant, les agents spéciaux n'avaient pas jugé utile de le retenir.

La jeune femme en éprouva un grand vide et, pour la première fois depuis longtemps, se sentit réellement seule.

TROISIÈME PARTIE

HELL, SWEET HELL...

26. Ombres et mensonges

Deux heures plus tard, comme l'avait annoncé
Edmund, on les accompagna sous bonne escorte
jusqu'à un aérodrome privé où les attendait un
Learjet dépourvu de tout marquage d'identification. Assommé par les tranquillisants, Russel se
recroquevilla dans son siège et s'endormit. Le
rugissement des moteurs ne parvint pas à le tirer
du sommeil.

Le vol, interminable, fut un calvaire pour Tracy.
Edmund, qui paraissait avoir oublié sa présence,
ne lui adressa pas la parole. Fumant cigare sur
cigare, il se plongea dans l'étude de volumi-
neux dossiers qu'il tirait l'un après l'autre d'un
attaché-case remis par les agents chargés de sa
protection. La jeune femme dut admettre que la
capacité de travail du patron d'Hofcraft Airways
Industries forçait l'admiration. Cet homme était
à tel point capable de s'abstraire de son environnement qu'il aurait pu continuer à travailler au
milieu d'un tremblement de terre.

Tracy devina qu'il avait déjà tourné la page. Le
problème « Adriana » appartenait presque au passé,

dans peu de temps il aurait oublié jusqu'à l'existence de sa fille. Il était de la race des conquérants qui chargent à la tête de leur armée sans jamais regarder en arrière. Elle se dit que cela devait faciliter les choses, surtout lorsque le monde tombait en morceaux autour de vous. Oui, l'amnésie pouvait sans doute être considérée comme une méthode de survie brevetée. Elle regrettait de n'avoir su la pratiquer.

Ils se posèrent sur un terrain non répertorié, quelque part dans le Connecticut. Un cortège de berlines noires les attendait sur le tarmac. Ce convoi – roulant de nuit – les ramena à New York où la neige avait fondu. Épuisée par les heures de vol et la tension nerveuse, Tracy se sentait frappée d'imbécillité. Incapable de réagir, elle se laissa traîner à l'intérieur du building Hofcraft. Russel n'était pas en meilleure forme.

Une fois que les portes de verre blindé se furent refermées derrière eux, Edmund déclara :

« Avant d'arrêter la moindre décision, nous allons dormir. J'ai convoqué une équipe médicale qui va prendre en charge votre compagnon. Ne vous souciez de rien. Dès demain, nous nous pencherons sur le problème d'Adriana. Mon détective attitré, Buster Leacock, vient de m'annoncer qu'elle a disparu avant qu'on lui mette la main dessus. Il y a eu une fuite. Quelqu'un l'a informée de mon retour. C'est fâcheux. Tant qu'elle se promène dans la nature, le scandale peut éclater à tout moment. Dieu sait ce qu'elle pourrait raconter ! Un scandale de cette ampleur coulerait mon entreprise, mes actions s'effondreraient. Je pourrais me retrouver ruiné en l'espace d'une nuit.»

Tracy hocha la tête sans se compromettre. D'une certaine façon, elle était soulagée d'apprendre que Adriana avait pris la fuite. C'était idiot, mais elle n'y pouvait rien. Après tout cette garce les avait envoyés à la mort, et elle aurait dû se réjouir de la savoir bouclée à jamais dans une cellule.

Une hôtesse souriante la conduisit à sa chambre. De l'autre côté de la baie vitrée, la ville lui parut monstrueuse, alignement insensé de falaises de béton aux parois percées d'une myriade de fenêtres condamnées à briller pour l'éternité. Elle fut frappée par l'hostilité latente d'un tel paysage, et s'y sentit étrangère. C'était comme si elle venait de se perdre dans le labyrinthe d'un moteur colossal aux engrenages imbriqués jusqu'à l'obscénité. «Je perds la tête», songea-t-elle en s'effondrant sur le lit.

Elle se leva aux premières lueurs de l'aube, se fit couler un bain et s'efforça de reprendre forme humaine en puisant dans l'arsenal de beauté mis à sa disposition. La penderie recelait une profusion de vêtements féminins de tailles variées. Ayant beaucoup maigri ces dernières semaines, elle eut du mal à dénicher une robe qui ne flottât pas sur son corps comme une toile de tente mal tendue.

Lorsqu'elle se jugea présentable, elle décrocha le téléphone pour s'enquérir auprès de la standardiste de la conduite à tenir. L'hôtesse vint la chercher pour la mener au seuil d'une salle de restaurant, panoramique et déserte, où des serveuses muettes lui servirent un copieux breakfast. Tout le monde se montra souriant et d'une extrême serviabilité.

Tracy grignota deux toasts à la marmelade d'orange, but deux tasses d'un café trop léger à son goût, et attendit.

«Monsieur Hofcraft vous prie de le rejoindre...», annonça l'hôtesse.

Les choses sérieuses commençaient enfin.

Elle retrouva le bureau «olympien» où Adriana l'avait reçue lors de leur première rencontre. Edmund s'y tenait – tel Jupiter ayant récupéré son trône – en compagnie d'un grand type au physique de boxeur cabossé. Elle supposa qu'il s'agissait du fameux Buster Leacock. Une cicatrice mal recousue serpentait sur son crâne presque chauve... du travail bâclé, probablement exécuté dans l'antenne de chirurgie d'un quelconque champ de bataille. Il tenta de lui sourire. Il avait une mâchoire énorme de piranha ou de molosse, qui le défigurait.

Edmund fit les présentations et déclara :

«Bon, foin de civilités, allons droit au but. Buster, déballez la camelote, qu'on sache enfin où nous en sommes... Buster, c'est à vous...»

Le détective esquissa à l'intention de Tracy une rapide grimace de gêne, comme s'il essayait d'excuser la grossièreté de son patron.

«Le problème est le suivant, attaqua-t-il. Nous avions pris toutes les précautions imaginables pour que le retour d'Edmund demeure secret, et que Adriana n'en sache rien. Malheureusement,

quelqu'un l'en a avertie. Je pense que Jared Coffier avaient des complices à Vivi, des gens qui
se sont dépêchés de lui transmettre la nouvelle.
Elle a pris la fuite sans perdre une seconde. Il est
d'ailleurs probable qu'elle avait anticipé ce départ
et qu'elle disposait déjà d'une planque, de faux
papiers, cartes de crédit et tout ce qui s'ensuit.
Bref, elle s'est évaporée dans la nature. Là où les
choses se compliquent c'est qu'elle a emporté de
nombreux documents sensibles. Des données top
secret qu'elle n'aura aucun mal à négocier au plus
offrant. Que ce soit la Chine, la Corée du Nord, ou
n'importe quelle république islamique. Je suis à
peu près certain qu'elle a littéralement pillé les
projets les plus pointus de Hofcraft Airways, et
c'est pour cette raison qu'il nous faut, à n'importe
quel prix, mettre la main sur elle avant qu'elle ne
les mette sur le marché.

— Pourquoi n'avez-vous pas prévenu la NSA ou
la CIA? s'étonna Tracy, c'est dans leurs cordes,
non?

— Merde! Vous êtes idiote ou quoi? explosa
Edmund. Je vous l'ai déjà expliqué. On ne peut pas
se le permettre, d'une part nous deviendrions tous
suspects, ensuite la firme coulerait plus rapidement que le *Titanic*. Cette histoire, nous devons la
régler en famille, sans l'ébruiter. Si l'on se met à
crier au loup, cela donnera l'impression que l'entreprise est dirigée par des incapables. Non, il faut
continuer à gérer le problème en interne. »

La jeune femme se mordit les lèvres. Pour un
peu elle l'aurait giflé. Le détective devina qu'elle
était à bout de nerfs. Habilement, il mit un terme

à l'entrevue et lui proposa d'en discuter devant un café. Edmund parut soulagé.

Ils quittèrent donc le bureau pour gagner le restaurant panoramique. Là, Buster murmura :

«Calmez-vous, le Vieux est comme ça. C'est un salaud, un salaud riche et puissant, mais il commence à ressentir le poids des ans et se sent menacé. Il sait qu'au moindre faux pas on le mettra à la retraite, d'office, et qu'un jeune loup le remplacera. En plus, il s'agit de sa fille. Il est à cran. Il joue très gros. Cela ne signifie pas que je partage ses idées. Cela dit, il s'est fait posséder dans les grandes largeurs et il risque d'avoir l'air d'un con si la chose transpire dans la presse.

— Croyez-vous que Adriana appartienne réellement à un réseau néonazi qui pourrait l'aider à fuir? demanda Tracy.

— Non, fit Buster. Cette histoire de nazis n'était qu'un leurre, un attrape-nigaud dans lequel Edmund a foncé tête baissée.

— Vous semblez écarter l'éventualité que Adriana ait pu obéir à des motivations politiques?

— Oui. À mon avis, elle a découvert que Edmund avait supprimé sa mère, et elle a grandi en attendant l'occasion de la venger. Les marottes de Edmund et la combine de Jared lui ont fourni le tremplin qui lui manquait jusque-là. Nous sommes en présence d'une simple querelle de famille... Et comme toute querelle entre dieux de l'Olympe, elle a pris une ampleur apocalyptique.

— Je vois, murmura Tracy. Ce que n'avait pas prévu Jared, c'est que l'histoire du sous-marin serait vraie. J'ai bien senti qu'il était désarçonné lorsque nous avons découvert l'épave. Il ne s'y attendait pas, mais il a su se reprendre.

— Normal, c'était un professionnel. Vous avez eu de la chance, il avait l'intention de tous vous éliminer.

— Je sais... Je suis désolée mais je ne puis vous être d'aucune utilité. Je n'ai pas la moindre idée de l'endroit où se cache Adriana. J'ai dû la voir une demi-heure en tout et pour tout. Elle m'a paru très jeune mais très décidée.

— C'est le cas. J'ai perquisitionné son domicile en pure perte. Je n'ai jamais vu un appartement aussi impersonnel. À croire qu'elle s'est appliquée, depuis toujours, à effacer ses traces. Pas une photo, pas une lettre. On croirait visiter un logement témoin. À mon avis, elle savait que les choses pouvaient mal tourner. Sa fuite n'a rien d'improvisé, c'est pour cela que nous allons en chier. Elle a de l'argent, cela va faciliter sa cavale, surtout si elle bénéficie de la protection d'un quelconque service étranger qui la prendra sous son aile. Les Chinois, par exemple, peuvent l'exfiltrer sous notre nez par mille moyens, y compris par sous-marin atomique. Là, on joue dans la cour des grands, on n'est pas aux trousses d'un vulgaire voleur de banque.»

Leacock se tut, le temps d'allumer une cigarette. Aucun serveur ne se précipita pour lui rappeler la loi antitabac. Tout le monde savait que d'un simple claquement de doigts il pouvait faire virer n'importe qui.

«Et moi, soupira Tracy, qu'est-ce que je suis censée faire à présent?

— Rien de particulier, répondit le chef de la sécurité d'un ton neutre. On va vous trouver un logement et vous faire signer une clause de non-divulgation, très stricte. Si vous la violez vous aurez les pires ennuis du monde, mais je suppose que vous savez tenir votre langue, non ? Edmund sera généreux... du moins tant qu'il sera à la tête de l'entreprise, et que celle-ci ne fera pas faillite. Je n'ai qu'un conseil à vous donner, vivez votre vie, envoyez vos factures au service comptable, et oubliez cette histoire. D'une certaine façon, vous avez décroché le jackpot, vous allez pouvoir vivre comme une millionnaire pendant un bout de temps. Ne claquez pas tout. Edmund n'est pas éternel. Faites des économies et de bons placements. J'ai été heureux de vous connaître, mais je ne pense pas que nous nous reverrons. »

Il se leva, signifiant que l'entretien s'achevait. Tracy l'imita. Dix minutes plus tard, elle était dans la rue.

Trois jours après, elle rendit visite à Russel, dans la clinique privée où Edmund l'avait fait admettre. Il ne la reconnut pas. Assis sur son lit, il souriait, incapable de fixer son regard plus d'une seconde au même endroit. Il se contenta de lui demander si elle aimait danser, puis se mit à fredonner une valse de Strauss en battant maladroitement la mesure.

Tracy préféra sortir de la chambre avant de fondre en larmes.

Peu de temps après, elle reçut un coup de fil des ressources humaines de Hofcraft Airways. On lui indiquait qu'un appartement de fonction lui avait été attribué, et qu'elle pouvait s'y installer sans attendre.

Elle découvrit qu'il s'agissait d'un penthouse avec vue imprenable sur Central Park, au sommet d'un immeuble de luxe. Le logement était meublé à la dernière mode, les placards remplis de nourriture haut de gamme et de bouteilles de champagne français. On n'avait rien oublié, pas même l'armoire de la salle de bains où s'alignaient des parfums de luxe.

Pour Tracy, qui avait l'habitude des casernes et des bungalows africains, ce palais des Mille et une nuits n'était pas loin d'évoquer un OVNI. Elle sut d'emblée qu'elle s'y sentirait étrangère. Son compte en banque ne lui permettant pas d'envisager un déménagement, elle décida de n'utiliser qu'une pièce où elle improvisa un campement à sa mesure.

Elle passa plusieurs jours dans un état d'hébétude, fixant le plafond, à se demander comment elle allait organiser le reste de sa vie.

La nuit, elle rêvait de l'éléphant fou et des hélicoptères. Cauchemars récurrents qui l'avaient laissée en paix durant son aventure congolaise. Elle s'aperçut qu'elle buvait trop, surtout au crépuscule, lorsque les ombres envahissaient le parc. Elle se répétait qu'elle devait se secouer, sans y parvenir.

Le retour miraculeux d'Edmund Hofcraft ne passionna les médias qu'une courte semaine. Plusieurs chroniqueurs laissèrent entendre qu'il s'agissait d'un banal coup de pub destiné à redorer l'image de l'avionneur et à booster le lancement de son nouveau jet de luxe. Le soufflé retomba très vite car Edmund n'était pas un personnage particulièrement sexy ou branché, et son image de farouche républicain lui valait depuis toujours l'antipathie des gazettes qui voyaient en lui un marchand de canons bénéficiant à perpétuité de l'indulgence plénière de la Maison-Blanche.

Tracy en fut soulagée; elle avait craint d'être harcelée par les chaînes de télévision et de devoir s'exhiber sur les plateaux des talk-shows, épreuves qu'elle jugeait au-dessus de ses forces.

Une nuit, alors qu'elle dormait tout habillée sur un matelas posé à même le sol, elle s'éveilla en sursaut, avertie par son instinct d'une présence étrangère dans la pièce. Quand elle tâtonna pour localiser l'interrupteur de la lampe de chevet, une main se posa sur la sienne, l'immobilisant.

«N'allumez pas, fit une voix féminine. Ne criez pas, je ne vous veux aucun mal.»

Tracy écarquilla les yeux. Les lumières de la ville lui permirent de distinguer une silhouette agenouillée à son chevet. Elle sut qu'il s'agissait d'Adriana Hofcraft.

«Je n'ai pas beaucoup de temps, reprit la fille d'Edmund. Je cours un énorme risque en venant ici, mais je tenais à mettre les choses au point. Il est bon que vous sachiez la vérité avant de vous laisser berner par mon père.»

Tracy s'assit en tailleur. Elle luttait contre un début de gueule de bois et éprouvait quelque difficulté à reprendre pied dans la réalité.

«Où voulez-vous en venir? bredouilla-t-elle. Vous savez qu'il vous recherche? Cet immeuble est surveillé... il y a peut-être des caméras cachées dans l'appartement...

— Je sais, mais nous les avons neutralisées. Je ne suis pas venue seule, des amis m'accompagnent. Mon père vous a menti, il n'est pas celui qu'il prétend être.

— Quoi?

— L'histoire qu'il vous a servie, il l'a racontée à l'envers. Je veux dire : en inversant les rôles. Ma mère n'était pas une espionne, loin de là. Elle travaillait pour la NSA. Son service l'avait placée auprès d'Edmund pour déterminer si, oui ou non, Edmund Hofcraft communiquait des informations secrètes à une ou plusieurs puissances étrangères.

— C'est stupide, pourquoi aurait-il fait cela?

— Pour se venger, parce qu'il a toujours reproché aux gouvernements en place de l'avoir spolié de la part de gloire à laquelle il avait droit. Il aurait voulu être un héros de guerre, s'illustrer sur le front... Devenir général, commander un assaut, ce genre de trucs qui excitent les hommes. Cette frustration l'a miné toute sa vie, jusqu'à devenir une obsession. Pour finir la rancœur s'est changée en haine pathologique. Il fallait qu'il se venge, coûte que coûte. C'est là qu'il a eu l'idée de porter préjudice à son pays en livrant ses propres inventions à l'ennemi. Je suppose que ça l'amusait de jouer les mystificateurs.

— Mais alors, votre mère...

— Il l'a tuée parce qu'elle l'avait démasqué et qu'elle allait le dénoncer. Et il a maquillé le crime en accident avec la complicité de Leacock, son homme à tout faire. La NSA n'a su comment réagir. Ses dirigeants étaient extrêmement embarrassés. Même s'ils soupçonnaient d'être en présence d'un crime déguisé en accident, ils ne pouvaient rien prouver. Difficile d'accuser un personnage comme Edmund Hofcraft sans un dossier béton. Le président n'était pas convaincu, il leur a ordonné de laisser tomber. Il a accusé le service d'être atteint de la même psychose que Hoover qui voyait des communistes partout. Et la vie a repris son cours, sauf que j'étais au courant. Je n'étais pas stupide, j'avais fini par comprendre quel jeu jouait ma mère, et elle avait été forcée de me dire la vérité. Quand elle est morte, j'ai tout de suite compris ce qui s'était passé. J'ai décidé de reprendre son combat à mon compte. De faire profil bas en attendant mon heure. Les années ont filé. J'ai appris à me débrouiller. J'ai repris contact avec l'ancien officier traitant de ma mère, Jared Coffier. Il avait été mis à la retraite anticipée, en grande partie parce qu'on l'accusait d'avoir porté des accusations délirantes contre l'immense patriote qu'est Edmund Hofcraft. Il végétait à la tête d'une minable agence de sécurité industrielle. Aucune grande boîte ne voulait l'employer à cause de sa réputation d'enquêteur paranoïaque. C'était un homme fini. Je lui ai proposé de reprendre la mission là où elle avait été interrompue. Mais cette fois, j'envisageais une fin nettement plus radicale. Edmund ne serait pas remis à la justice, non, nous serions la justice. Juges et bourreaux, comme au bon temps de l'Ouest sauvage. Il devait payer, soit, mais pas question que nous finissions en prison.

— Je vois, murmura Tracy. C'est là que vous avez inventé l'histoire du *Kriegers 3*...

— L'idée était de Jared. Une vieille légende qui traînait dans les archives des services secrets. Il a pensé qu'elle constituait l'appât idéal. Mon père était en plein dans ses fantasmes de cités perdues, d'Eldorado, et toutes ces foutaises. Il a mordu à l'hameçon. Le but c'était de déguiser sa mort en accident, comme il l'avait fait pour ma mère. La jungle congolaise fournissait le lieu idéal. Jared a mis une bombe dans l'appareil. Seulement...

— Seulement vous n'aviez pas prévu que l'avion en question pouvait résister à ce type d'explosion.

— Non, on ne s'en est rendu compte qu'après. Jared a soudain été pris d'un doute, il a consulté les rapports de résistance des matériaux. Au final, il n'était pas certain que Edmund soit mort dans le crash. Il existait une chance qu'il s'en soit sorti.

— D'où la pseudo-expédition de secours...

— Oui. Jared a choisi Russel Swanson en tablant sur le fait qu'il était dans la débine et ne pourrait refuser. Il fallait s'assurer que Hofcraft avait bel et bien été puni... Vous avez tout fait rater. Edmund vous a mise dans sa poche, en deux temps trois mouvements. Quelle conne! Vous avez fait échouer un plan qui avait demandé plusieurs années de préparation. Vous avez permis à un salopard de s'en tirer indemne, et vous avez tué Jared Coffier, le seul justicier dans toute cette affaire. J'espère que vous êtes contente de vous.»

La voix d'Adriana avait tremblé sur les derniers mots, et Tracy comprit qu'elle pleurait.

« Je suis désolée, dit-elle. Si ce que vous dites est vrai, nous n'avions pas toutes les cartes en main. Le comportement de Jared était ambigu. Et il a tout de même été à deux doigts de m'abattre. C'est Diolo, notre porteur de fusil, qui l'a tué.

— S'il l'a fait, c'est que vous aviez pris la défense d'Edmund. Son objectif était de supprimer l'assassin de ma mère, le traître qui, depuis des années, livre des secrets militaires à diverses puissances étrangères. »

Le silence s'installa. Tracy éprouvait un grand malaise. Ses yeux s'habituant à l'obscurité, il lui sembla repérer deux formes qui bougeaient dans le couloir menant à la chambre. Les gardes du corps d'Adriana, probablement.

« Qu'allez-vous faire maintenant ? demanda-t-elle. Il a lancé Buster Leacock à vos trousses...

— Je suis au courant, soupira Adriana. Je le connais, c'est un ancien tueur de la CIA. Il était dans les Forces spéciales. Edmund le charge de toutes les basses besognes. J'avais prévu que ça pouvait mal tourner, j'ai une filière. Je vais prendre du recul un temps, mais je reviendrai. Il est hors de question que je laisse Hofcraft s'en tirer. »

À ce moment, l'une des silhouettes s'avança pour chuchoter :

« Il faut partir, on est là depuis trop longtemps, ça devient dangereux.

— D'accord », capitula Adriana en se redressant.

Alors qu'elle s'engageait dans le corridor, elle se retourna et dit :

«Ah! une dernière chose. Je ne suis pas la fille d'Edmund. Mon vrai père c'était Jared Coffier. Ma mère et lui étaient amants.»

Épilogue

Tracy n'entendit plus parler d'Adriana. Elle ne sut pas davantage si Buster Leacock avait réussi à la retrouver. Était-elle morte ? Vivait-elle emmurée dans une cellule enfouie dans les fondations de l'immeuble des Hofcraft Airways ? Elle essayait de ne point trop y penser car les dernières révélations d'Adriana avaient acquis, avec le temps, la consistance douloureuse du remords.

«Tu n'y es pour rien, s'était-elle longtemps répété, tu ne pouvais pas savoir... Et après tout, cette salope vous sciemment envoyés à la mort, Russel et toi.»

En vain.

Désireuse de couper les ponts, elle fit savoir au cabinet juridique de Hofcraft Airways qu'elle renonçait à son salaire fictif et quittait définitivement le penthouse de Central Park.

Elle trouva du travail dans une clinique privée de Poughkeepsie, loua une petite maison non loin de son lieu de travail, et y mena une vie solitaire, émaillée de brèves aventures avec de jeunes médecins. Le dimanche, elle prenait la mer à bord d'un voilier de location. Au bout de six mois, elle constata que cette vie semblait lui convenir, et décida de s'en satisfaire.

Russel ne recouvra jamais la santé mentale. Edmund Hofcraft le fit transférer dans une clinique psychiatrique huppée, d'ordinaire réservée aux stars du grand écran. Il vécut là les dernières années de sa vie, et mourut prématurément d'une embolie cérébrale à l'âge de cinquante-trois ans. Les médecins estimèrent qu'étant donné l'état nécrosé de son cerveau, cette longévité relevait du miracle.

C'était un malade docile, souriant, célèbre pour ses éclats de rire incompréhensibles, et que les infirmières prenaient plaisir à choyer. Il ne reconnaissait personne et s'adressait au personnel soignant et à ses visiteurs dans une langue incompréhensible, sans doute du swahili. Il occupait ses journées à feuilleter des revues, inlassablement. Une seule chose le mettait en fureur : les images représentant des animaux, et plus particulièrement des éléphants. Il ne les supportait pas. Les infirmières devaient en expurger les magazines avant de les mettre à sa portée.

Un peu plus tard, Tracy apprit que Diolo, sous son vrai nom de Jean-Marcel Bonaventure, avait brièvement occupé le poste de ministre de l'Information dans un éphémère gouvernement de transition. Une énième révolution de palais avait mis fin à ses fonctions... et peut-être à sa vie.

Edmund Hofcraft, lui, mourut carbonisé au volant du bolide de Formule 1, qu'il avait inventé pour se distraire et avait coutume d'essayer le week-end sur la piste d'envol réservée d'ordinaire à ses prototypes d'avions de chasse. Sa brusque sortie de piste – dans une ligne droite ! – demeura un mystère, et l'on supposa qu'il avait succombé à une crise cardiaque résultant d'une décharge excessive d'adrénaline. Cette explication laissa Tracy dubitative et elle ne put s'empêcher d'y voir la main d'Adriana. La « fille » d'Edmund Hofcraft avait-elle, en définitive, réussi à se venger ? La question resterait sans réponse.

Trois mois avant sa mort, Hofcraft invita Tracy Morgan dans un grand restaurant. Cela faisait trois ans qu'ils ne s'étaient ni vus ni parlé. Ce jour-là, il semblait anormalement guilleret, pour ne pas dire facétieux. Après le repas, il exigea qu'elle l'accompagne à son bureau, il avait, assurait-il, quelque chose à lui offrir. Selon ses propres termes : quelque chose de pas banal.

Chemin faisant, il expliqua qu'il avait été repris par son ancienne marotte, et que le mystère irrésolu du *Kriegers 3* l'avait laissé insatisfait, et même carrément frustré. Il avait donc décidé d'étudier de plus près le dossier récupéré par Jared, et de se pencher sur l'énigme du *Kriegers 2*, cet autre U-Boot dont on avait perdu la trace mais qui, de toute évidence, avait appareillé pour les côtes d'Amérique latine. À grands frais, il avait lancé une armée d'enquêteurs sur cette piste. L'opération avait pris trois ans, au bout de ce délai, les survivants de l'équipe initiale – visiblement très perturbés par leur découverte – lui avaient remis un coffret scellé en jurant sur la Bible n'avoir parlé de leur trouvaille à quiconque.

Quand ils pénétrèrent dans le bureau d'Edmund, ledit coffret trônait sur un présentoir, il était de la taille d'un ballon de football et d'une forme curieusement ovoïde. Edmund encouragea Tracy à l'ouvrir, ce qu'elle fit avec embarras car il ne l'avait pas habituée à ce genre de cérémonie. À cette gêne, s'ajoutait le pressentiment que cette surprise ne serait pas agréable. Sans doute parce qu'il lui avait semblé déceler dans l'œil du vieillard une étincelle de malignité perverse. Le conteneur s'ouvrait comme un œuf de Fabergé. À l'intérieur reposait une tête momifiée, réduite selon la célèbre méthode des Indiens jivaros. Cette relique, à peine plus grosse qu'une orange, avait la particularité d'avoir une mèche grise sur l'œil, et une petite moustache de la taille d'un timbre-poste. La bouche, elle, avait été cousue au moyen d'un lien de cuir.

«C'est la tête d'Adolf Hitler! exulta Edmund. Il était allé se planquer en Amazonie, mais les Indiens l'ont capturé. Voilà comment il a fini. Mon équipe a trouvé ce machin dans un village, non loin d'une installation semblable à celle où j'avais échoué, au Congo. Il y avait donc deux U-Boote. L'un pour l'Afrique, l'autre pour l'Amérique latine. Jared nous a lancés sur la piste du *Kriegers 3*, alors que le Führer avait voyagé dans le *Kriegers 2*. Ces salopards de nazis comptaient prendre le monde libre en tenaille, en lançant une contre-offensive depuis deux bases diamétralement opposées. Un mouvement enveloppant, en cornes de buffle, comme disent les Zoulous.»

Tracy n'écouta pas vraiment. L'œil fixé sur la répugnante relique, elle se demandait si son équipe commanditée par Edmund, terrifiée à l'idée de revenir bredouille, n'avait pas monté cette arnaque de toutes pièces. Il était également possible que Edmund – qui ne supportait pas de se retrouver en situation d'échec – tentât par ce subterfuge de prouver mordicus qu'il avait toujours eu raison, et que sa théorie sur la fuite du Führer n'avait jamais été une chimère, quoi qu'on ait pu insinuer à ce sujet.

«Vous voyez, insista-t-il, l'idée de départ était bonne, on s'était juste trompés de continent.»

La jeune femme balbutia des remerciements maladroits. L'encombrant paquet sous le bras, elle regagna sa clinique. Là, elle appela un ami qui travaillait au laboratoire de la faculté des sciences de New York. Il accepta, moyennant un dîner, d'asperger la tête réduite de nitrogène, de manière à la rendre aussi fragile que du cristal. Quand le trophée ressortit de la machine, il avait l'aspect d'une orange givrée. Tracy s'empara alors d'un marteau et le fit exploser en un million de parcelles de glace.

Elle savait la chose absurde, mais cet acte avait pour elle valeur de purification. Le feu n'aurait pas convenu. Le froid absolu semblait plus adéquat.

Elle ne saurait jamais s'il s'agissait de la tête d'Adolf Hitler, mais si cela était, elle trouvait délicieusement ironique qu'un sorcier jivaro ait cousu la bouche qui avait vociféré tant d'appels à la haine et à la destruction.

FIN

DANS LA COLLECTION MASQUE POCHE

Dans la même collection Masque poche

Composition réalisée par LUMINA DATAMATICS, INC.

Dépôt légal : Octobre 2018

JC Lattès s'engage pour
l'environnement en réduisant
l'empreinte carbone de ses livres.
Rendez-vous sur
www.jclattes-durable.fr
L'empreinte carbone en éq. CO₂
de cet exemplaire est de 750 g

PAPIER À BASE DE
FIBRES CERTIFIÉES

Achevé d'imprimer en France en juin 2020
par Dupliprint à Domont (95)
N° d'impression : 2020063354 - N° d'édition : 6403996/06